Pietà

Pietà

gan

Gwen Pritchard Jones

bwthyn
GWASG Y BWTHYN

ISBN: 978-1-907424-06-9

Mae'r cyhoeddwyr yn cydnabod cefnogaeth ariannol
Cyngor Llyfrau Cymru

Cyhoeddwyd ac argraffwyd yng Nghymru
gan Wasg y Bwthyn, Caernarfon

DIOLCH

Dymunaf ddiolch i Marcella Thomas am ei chymorth gyda'r geiriau a'r brawddegau Eidaleg, ac am holi ei pherthnasau yn yr Eidal am y geiriau llai parchus! Hefyd hoffwn ddiolch i Catrin Wager am ei diddordeb parhaol yn fy ngwaith, am ddarllen drafft ar ôl drafft a chynnig syniadau gwerthfawr.

I Aneurin,
mewn gwerthfawrogiad o'i oddefgarwch
a'i gefnogaeth gyson.

I

Ospedale della Santa Maria Nuova, Firenze 1823

Agorodd y Chwaer ddrws y gell yn ddistaw, ddiffwdan, a tharo'i phen i mewn i'r ystafell. Gorweddai'r hen wraig ar ei gwely, a'i chefn yn gorffwys ar glwstwr o glustogau. Roedd ei llygaid yn pefrio ac yn llawn cynnwrf, ac roedd yn amlwg wedi derbyn y neges ei bod hi, y Chwaer Cecilia, wedi cael cyfarwyddyd gan yr Uchel Fam i ysgrifennu hanes bywyd yr hen wraig anllythrennog, a'i bod yno y bore hwnnw i ddechrau ar y dasg honno.

'Ydach chi'n barod, Anna Maria?' holodd.

'Yn fwy na pharod, cara mia. Yn eiddgar. Wyt ti?'

Aeth y Chwaer i mewn i'r gell a chau'r drws. Tynnodd ei llyfrau ysgrifennu, ei hysgrifbin a'i phot inc o'i sgrepan a'u gosod yn ddestlus ar y bwrdd bychan a osodwyd iddi gerllaw gwely'r hen wraig. Gwnaeth ei hun yn gyfforddus ar y gadair cyn edrych i fyny'n ddisgwylgar. Sylwodd fod yr hen wraig yn syllu arni.

'Ydi popeth yn iawn?' gofynnodd yn dawel.

'Dwyt ti ddim yn rhy ifanc, tybed? Dydi fy hanes i ddim yn addas i glustiau tyner.'

Gwenodd y Chwaer. 'Dydw i ddim mor ifanc â hynny, wir i chi! Rydw i bron yn ddeugain oed. A ph'run bynnag, does dim llawer all fy nhaflu oddi ar f'echel ar ôl blynyddoedd gyda'r cleifion.'

*'Ti'n iawn, decini. Wyt ti'n barod i sgwennu? Mi ddechreuwn
ni yma yn Firenze, ym mis Ionawr 1785 . . .'*
Dechreuodd y Chwaer ysgrifennu.

Gallaf gofio i'r funud – na, i'r eiliad – pa bryd y gwelais y
modd i sicrhau achubiaeth i'm henaid; pa bryd y cefais y
weledigaeth fawr, fel yr hoffwn ei galw bryd hynny.

Pnawn Gwener oedd hi, dydd gŵyl Santes Ita, a
minnau yn y gegin wrthi'n sychu fy nillad ar ôl cerdded
o'r eglwys drwy'r glaw mân. Roedd y twrw ffraeo arferol
i'w glywed o'r llofft – doedd hi byth yn dawel ac yn
dangnefeddus yn y tŷ hwnnw – ond yn sydyn clywais
sgrech yn boddi'r lleisiau eraill. Suddodd fy nghalon. Pa
dwpdra creulon oedd fy mrawd a'i wraig wedi ei ddyfeisio
rŵan i boenydio Maria fach? Mi wyddwn yn iawn beth
fyddai'n digwydd yn y munudau nesaf – onid oedd yr un
peth wedi digwydd dro ar ôl tro? Wrth i mi glywed ei
hesgidiau haearn yn clindarddach i lawr y grisiau,
paratoais fy hun drwy eistedd ar y stôl ger y tân, yn
barod i'w chysuro a'i chofleidio.

'Ziannamaria! Ziannamaria!'

Clywais ei llais bach yn galw drwy ei dagrau cyn iddi
hyd yn oed ddod drwy ddrws y gegin. Roedd hi wastad yn
dweud fy enw ar un gwynt, a'r gair am fodryb yn rhedeg
i'r gweddill, fel 'tai Sianamaria oedd fy enw mewn
gwirionedd. Yna ffrwydrodd y drws ar agor a neidiodd
hithau'n syth i'm breichiau agored.

'Dwi'm isio, Ziannamaria! Peidiwch â gadael iddyn
nhw 'ngorfodi fi! Dwi'm isio'i wneud o!'

Ochneidiais.

'Ddim isio gwneud beth, *cara mia*?' Roedd yn anodd ei
chofleidio, a'r staes haearn yn cadw'i chefn mor
unionsyth, ond rywsut neu'i gilydd llwyddodd i blygu a
rhoi ei phen ar fy nglin a gwasgais innau fy llaw rhwng

y staes a'i chefn er mwyn lliniaru ychydig ar ei gwasgfa. Trodd ei phen ac edrych i fyny arnaf – a dyna'r eiliad y digwyddodd o! Dyna'r eiliad y daeth y weledigaeth i mi. Mi fu bron i mi â cholli fy ngwynt, cymaint oedd fy syndod. *Pietà!* Atseiniodd y gair yn fy mhen fel petai lleisiau holl seintiau'r oesoedd yn ei siffrwd ger fy nghlustiau: tosturi dwyfol!

Roedd ei hwyneb bach mor brydferth, a chanhwyllau mawrion y llygaid yn ymddangos yn fwy fyth drwy chwyddwydr ei dagrau. Edrychent yn llawn poen, annealltwriaeth a digofaint, fel llygaid ci a gâi ei guro gan feistr creulon, yn methu deall pam ei fod yn dioddef cymaint o dan law yr un a garai, neu fel llygaid sant wrth iddo ddioddef ei ferthyrdod! Rhedais fy mysedd yn ysgafn a thyner dros y croen llyfn, fel pe bawn i'n cyffwrdd mewn crair sanctaidd.

'Ziannamaria!' meddai wedyn yn ymbilgar. Glynai ambell gudyn o'i gwallt yn ei hwyneb, roedd ei thrwyn bach yn rhedeg a'i gwefusau tyner yn crychu wrth iddi geisio dweud ei chŵyn, ond cyn i mi allu dirnad ei gofid, rhuthrodd fy mrawd drwy'r drws ar ei hôl, a'i wraig yn dynn wrth ei sodlau.

'Maria Stella Petronilla, dos yn ôl i'r llofft y funud 'ma!' bloeddiodd honno, yr hen sguthan iddi. 'Dos o 'ngolwg i, y gnawas fach anniolchgar!'

Teimlais ddwylo bach tyner Maria yn cydio'n dynnach yn fy ffedog, a chadwais innau fy llaw ar ei chefn. Ond roeddwn i dan anfantais. Allwn i ddim codi i wynebu Vincenza Diligenti a'i gwrthsefyll heb yn gyntaf ollwng fy ngafael yn Maria, a phe gwnawn i hynny, mi wyddwn y byddai'r hen sguthan yn cythru amdani ac yn rhoi bonclust i'r fechan. Ac ar ben hynny, roedd fy meddwl yn dal i wegian yn sgil fy ngweledigaeth. Rhyw eiriau digon gwantan ddaeth o 'ngheg i, rhaid i mi gyfaddef.

'Gad lonydd iddi, y *cornacchia!*' Cefais y pleser – a'r

9

ofn – o weld ei llygaid yn troi ataf fi, ei cheg yn cau'n llinell fain fel bod y gwaed yn cael ei wasgu o'i gwefusau. Gwyddwn fy mod ar dir peryglus, a bod ymosodiad corfforol bron yn anorfod. *'Maligna!'* Chwydodd y gair allan o'i cheg hyll, a chododd ei dyrnau'n fygythiol arnaf.

'Strega!' bloeddiais innau arni hithau gan godi ar fy nhraed a gwthio Maria y tu ôl i mi, a'm dyrnau yn codi'n reddfol gan adleisio ystum Vincenza.

'Zozza porca!'

'Silenzio!' bloeddiodd Lorenzo ar ein traws, ond doedd dim raid iddo. Fe'm trawyd yn fud gan eiriau'r hen sguthan, eu heffaith yn fwy nerthol na'r glustan galetaf. Hwch aflan, dyna beth a'm galwodd, ac onid oedd hi'n iawn? Wrth i'r atgof o'r noson erchyll honno lenwi fy meddwl, clywn ei llais fel o bellter yn newid, yn troi'n gwynfannus, ymbilgar ar amrantiad wrth iddi siarad â'i gŵr.

'Ond Lorenzo, elli di ddim gadael iddi alw enwau ar dy wraig! Dwêd wrthi.'

Ochneidiodd fy mrawd yn ddiamynedd. Trodd at y fechan oedd bellach wedi cilio at gornel y lle tân. 'Maria, dos i dy lofft – rŵan!' Ufuddhaodd hithau'n dawel, gan gadw pellter parchus rhyngddi ei hun a'i mam wrth groesi'r ystafell, ond doedd hynny'n mennu dim ar yr hen sguthan. Anelodd am ei merch, â chefn ei llaw yn barod i ddisgyn yn drwm ar glust Maria druan, ond fe'i rhwystrwyd gan fy mrawd. 'Dos!' meddai yntau drachefn, a diflannodd Maria drwy'r drws cilagored.

Eiliadau wedyn, gallwn glywed lleisiau'r plant eraill yn ei gwatwar wrth i'r esgidiau haearn esgyn yn swnllyd tua'r llofftydd. Sylwais ar wên sbeitlyd yn chwarae ar wefusau'r hen sguthan – roedd hi wrth ei bodd gydag unrhyw beth a fyddai'n achosi poen i Maria, Duw faddeuo iddi. Diflannodd y wên pan glywsom sŵn y

babi'n sgrechian, a rhuthrodd hithau i fyny'r grisiau gan
fygwth Gehenna ar ei holl epil.

Drwy drugaredd, roedd pob un ohonynt wedi ymgolli
cymaint yn ei helynt ei hun fel nad oedd neb wedi sylwi
arna i, a'r effaith a gafodd geiriau'r hen sguthan arnaf.
Wrth iddi adael y gegin, trois yn ddiolchgar tuag at y tân
a dechrau gosod coed arno'n ofalus ar gyfer coginio
swper.

Clywais fy mrawd yn ochneidio'n drwm unwaith eto.
Edrychais arno a'i weld yn ysgwyd ei ben fel dyn wedi
cyrraedd pen ei dennyn. Gollyngodd ei bwysau sylweddol
yn glewt ar y fainc wrth y bwrdd, a dyna pryd y sylwais
ar y darn papur yn ei law.

'Be 'di'r helynt felly?' holais. 'Be 'di hwnna?' gan
bwyntio at y papur.

'Hwnna,' dechreuodd yn chwerw, gan roi pwyslais
trwm ar y gair, 'hwnna ydi'n dyfodol ni, ond dydi'n
Signoria bach ni ddim yn cytuno, nag ydi!' Syllodd yn
ddwys i'm hwyneb, ei lygaid yn chwilio am gydym-
deimlad, am gymeradwyaeth i'w ymdrechion. 'Rydw i
wedi chwysu gwaed i gael hwn!' meddai gan ysgwyd y
darn papur dan fy nhrwyn. 'Wedi gofyn sawl ffafr, wedi
gwario arian prin yn prynu gwin i hwn a'r llall. Mi fasa
unrhyw ferch arall yn gwirioni'i phen ar y cyfla, ond na,
nid ein Maria ni!'

Petawn i'n gallu darllen, buasai'n demtasiwn gref i
afael yn y darn papur a'i astudio drosof fy hunan, ond
arbedwyd fi gan fy anallu. Gallai tymer fy mrawd fod yr
un mor ffrwydrol â thymer ei wraig. Gan ffrwyno fy
chwilfrydedd, eisteddais wrth y bwrdd gyferbyn ag ef a
gofyn yn wylaidd unwaith eto am eglurhad o bwysig-
rwydd y papur.

'Cytundeb,' oedd ei ateb. 'Cytuneb fod Maria i ganu yn
y Piazza Vecchia wythnos y *carnivale*.' Daeth tân i'w
lygaid wrth i'w ddychymyg garlamu 'mlaen. 'Meddylia

11

am y peth! Meddylia am y dyrfa'n gwirioni'u penna am ferch fach un ar ddeg oed yn canu fel angylas iddyn nhw. Meddylia am y bloeddio, y curo dwylo, y taflu bloda, yr anrhegion! Meddylia am yr arian gawn ni!'

Allwn i ddim o'i ateb. Doedd yna ddim ffordd ar wyneb daear y gallwn i ymfalchïo yn y fath bechod. Edrychais i ffwrdd a dechrau codi'n ffwdanllyd rhag iddo synhwyro fy anghymeradwyaeth, a cholli ei dymer.

'Wel, dwyt ti ddim yn cytuno efo fi? Dwyt ti rioed wedi llyncu dy dafod?' Roedd min ar ei lais, a mwmbliais innau ryw eiriau gwag o gytundeb wrth estyn padell ar gyfer paratoi swper – unrhyw symudiad i osgoi edrych ym myw ei lygaid. 'Hy! Merchaid!' ebychodd yn watwarus. 'Dwi'n mynd i gael sgwrs gall efo Pietro.' Gyda'r geiriau hyn, martsiodd allan o'r gegin a'm gadael mewn tawelwch a dryswch.

Teimlais flinder llethol a suddais yn araf yn ôl i'm sedd wrth y bwrdd. Oedd gobaith fyth am heddwch a dedwyddwch yn y tŷ hwn, yn enw'r Tad? Roedd fy mhen yn troi, ac roeddwn yn dyheu am gael dychwelyd i dawelwch yr eglwys. Meddyliais am yr hyn oedd newydd ddigwydd yn y gegin, a daeth ton o ddiflastod a chywilydd drosof. Cael fy ngalw'n hen ferch gan Vincenza oedd y drwg, mi wn, a hithau'n gwybod yn iawn fod y geiriau hynny'n fy nghorddi fel na allwn ymatal rhag taflu geiriau hyll yn ôl ati. Pan ddes i i fyw efo nhw rhyw dair blynedd yn ôl, penderfynwyd dweud wrth bawb mai gwraig weddw oeddwn i, er mwyn osgoi'r siarad a'r sibrwd fyddai'n siŵr o ddigwydd pe byddai pawb yn gwybod mai wedi gadael fy ngŵr yr oeddwn i. Ond pam na allwn i fyth ddal fy nhir efo Vincenza heb golli fy nhymer yn llwyr a disgyn i'r un lefel â hithau? Dyna bechod arall i'w ychwanegu at y rhestr faith y byddai'n rhaid i mi eu cyffesu! Ochneidiais eto. Sut fyddwn i'n eu cofio nhw i gyd os oeddwn i'n gorfod eu storio yn fy nghof am wythnos gyfan? Gyda thristwch meddyliais am y gwaharddiad a roddodd y Brawd Fabian arnaf. Roedd mynd i gyffesu ddwywaith y dydd yn ormod, meddai wrthyf dair wythnos yn ôl. Eglurodd mai meddwl am fy iechyd ysbrydol i oedd o, rhag ofn i rai ddweud fy mod yn meddwl gormod ohonof fy hun, mai ymffrost hunanganolog oedd poeni cymaint am gyflwr fy enaid. Gwyddai, ychwanegodd, nad oedd hynny'n wir o gwbl yn fy achos i, ac mai cyffesu'n hollol wylaidd yr oeddwn i bob tro, ond roedd rhai o'r Brodyr eraill wedi dechrau sylwi. Aeth fy wyneb yn fflamgoch wrth wrando arno. Petai ond yn gwybod! Ceisio magu'r hyder i gyffesu fy mhechod mawr yr oeddwn, a methu bob tro. Ond dyna fo, chwarae teg iddo fo am fod mor feddylgar, o leiaf yn ei dyb ei hun. Roedd o'n ddyn mor deimladwy, mor anghyffredin o garedig, fel na allwn i wneud dim ond plygu i'w drefn. Ond roeddwn i'n colli'r cysur yn enbyd. A beth fyddai ymateb y Brawd Fabian i'm gweledigaeth? A fyddai'n credu mai ymffrost fuasai hynny hefyd? Roedd pwysau'r holl ofidiau wedi codi cur yn fy mhen. Caeais fy llygaid i geisio lleddfu'r boen, ond doeddwn i ddim elwach. Doedd dim amdani ond bwrw ymlaen i baratoi swper i'r teulu.

Ni chafodd Maria ddod lawr i fwyta gyda ni'r noson honno. Rhaid iddi ddysgu sut i ymddwyn mewn ffordd wylaidd, ddiolchgar, meddai ei mam. Gwnâi les iddi ymprydio am noson, ychwanegodd, gan iddi ddangos arwyddion ei bod yn mynd yn dew. Y fath lol! Brathais fy nhafod, ond addunedais i mi fy hun y byddwn yn mynd â dysglaid fach o gawl i'r fechan cyn mynd i'm gwely.

Wrth lwc, roedd yr allwedd yn dal yn y drws, felly gallwn lithro i mewn i'r ystafell heb dynnu sylw'r teulu. Roedd Maria fach yn hynod falch o 'ngweld i, a llowciodd ei chawl a'r darn o *focaccia* gydag awch. Roedd wedi llwyddo i dynnu'r esgidiau haearn ei hunan oddi ar ei thraed, ond bu raid i mi ddatod y bolltiau i lawr cefn ei staes metel er mwyn iddi allu gorwedd yn esmwyth ar ei gwely. Dyma ddau o syniadau mwyaf twp fy mrawd. Roedd wedi cymryd yn ei ben fod traed Maria'n tyfu'n rhy fawr i fod yn ddeniadol, ac felly gofynnodd i'r gof yn y gaer, a oedd wedi hen arfer gwneud arfwisgoedd ar gyfer y milwyr, wneud pâr o esgidiau haearn iddi. Yn yr un modd, credai Lorenzo nad oedd ei chefn yn ddigon syth, ac nad oedd Maria yn dal ei chorff mewn modd digon gosgeiddig, felly gwnaethpwyd staes o haearn iddi ei wisgo yn ystod y dydd. Nid oedd fy mrawd mor frwnt â disgwyl iddi gysgu yn y staes hefyd, ond fe 'anghofiai' ei wraig dynnu'r staes oddi ar ei merch yn weddol reolaidd. Dyna reswm arall pam yr arferwn alw i mewn yn ystafell Maria cyn noswylio bob nos.

'Ziannamaria,' meddai'n gysglyd wedi gorffen ei swper cyfrin, 'wnewch chi ddim gadael iddyn nhw 'ngorfodi fi i ganu o flaen yr holl bobol yna, na wnewch? Mi fasa gen i ofn.'

Wyddwn i ddim sut i'w hateb. Eisteddais ar erchwyn ei gwely yn rhwbio eli i'r gwrymiau a achoswyd gan y staes tra oedd hithau'n ymlacio dan fy llaw. Beth allwn i ei ddweud? Roedd yr hyn y bwriadai fy mrawd iddi ei wneud yn hollol wrthun i mi, ond roeddwn yn ddigon hirben i wybod na allwn i byth mo'i wrthsefyll. Roeddwn i mewn gormod o ddyled iddo am roi cartref imi pan oedd pawb arall wedi troi eu cefnau arna i, heb sôn am y dymer ddrwg fyddai arno pe bawn i'n meiddio dweud gair oedd yn groes i'w 'wyllys. Ond gwyddwn hefyd mai fi oedd dinas noddfa Maria Stella druan, yr edrychai ataf fi i'w harbed. Gwibiai fy meddwl yma ac acw wrth geisio dod o hyd i eiriau a fyddai'n ei bodloni heb i mi orfod dweud unrhyw fath o gelwydd.

'Wel, *cara mia*,' dechreuais yn araf, a'm llaw, wedi gorffen rhoi'r eli ar ei gwrymiau, yn dechrau anwesu ei chefn cyfan. Roedd hithau mor fodlon ei byd; bron na faswn yn taeru ei bod yn canu grwndi fel cath fach. 'Mae dy dad dan bwysau go drwm, wsti, yn ceisio gofalu amdanom ni i gyd.' Hyd yn oed i'm clustiau fy hun, roedd y geiriau yn swnio'n wantan a di-asgwrn-cefn. 'Dydi hi ddim yn hawdd talu am fwyd a diod a dilladau ac ati i ti a mi, dy frodyr a'th chwaer, a Papa a Mama a *Nona* . . .'

'Mae *Nona*'n hen, hen,' atebodd hithau, a'i llygaid hanner ynghau, 'a dydi hi ddim yn bwyta llawer.'

'Digon gwir,' cytunais innau, wedi fy nhaflu oddi ar f'echel braidd gan ei sylw. Ceisiais ailafael yn fy nadl. 'Ond hyd yn oed wedyn, rydan ni i gyd yn gorfod gwneud beth bynnag allwn ni i helpu'r teulu. Ti'n gweld . . .' edrychais i lawr arni, a chael f'atgoffa'n ddisymwth o'r weledigaeth a gawswn ynghynt. Daeth hyn ag ysbryd-oliaeth i mi, er i mi deimlo'n rhagrithiol wrth ddweud y geiriau – wedi'r cyfan, nid oeddwn i wedi gallu cadw fy ffydd yn awr fy argyfwng mawr.

'Ti'n gweld,' meddwn wedyn gyda mwy o arddeliad, 'rhaid inni edrych ar y peth fel aberth rydan ni'n fodlon ei wneud er lles y teulu. Meddylia dy fod ti fel yr hen seintiau ers talwm, yn fodlon aberthu eu hunain gan wybod eu bod yn gwneud y peth iawn, a bod Duw yn gymorth iddyn nhw, a'i fod O'n cymeradwyo. Gweddïa di'n gyson ac mi fydd Duw yn siŵr o edrych ar dy ôl di, gei di weld. Mi gei di ddod efo fi i'r eglwys fory, yli, ac mi wnawn ni weddïo efo'n gilydd yng ngolwg y seintiau wrth yr allor. Fasat ti'n hoffi hynny?'

Ond ni chefais ateb. Roedd y beth fach wedi syrthio i gwsg esmwyth. Arhosais yno'n mwytho'i chefn yn ysgafn ac yn hel meddyliau. Pam roedd fy mrawd eisiau anfon Maria fach i ganu mewn theatr, ymysg yr holl actoresau amheus yna? Roedd pawb yn gwybod mai puteiniaid oeddan nhw. Pam na fyddai'n ofni y bydden nhw'n ei llygru hi efo'u haraith hyll? A'u moesau – wel, doedd

ganddyn nhw ddim moesau o gwbl, wrth gwrs. A doedd
yr hyn roeddwn i wedi ceisio'i egluro i Maria, fod yn rhaid
i bawb helpu i gynnal y teulu, ddim yn hollol wir,
nagoedd? Mi wyddwn yn iawn fod pawb o'n cymdogion yn
troi eu trwynau arnon ni. Sut oedd fy mrawd yn gallu
fforddio tŷ mewn ardal mor dda? Marsiandïwyr a
chyfreithwyr oedd ein cymdogion, a chlywais amryw o'u
gweision wrth y ffynnon ddŵr yn gofyn yr un cwestiwn
i'w gilydd ag a oedd yn fy mhoeni innau: sut oedd *capo
squadro di sbirri*, rhingyll yn yr heddlu, yn gallu fforddio
tŷ yn un o strydoedd crand ardal Santa Maria Novella?

Ni ddaeth y weledigaeth yn ei chrynswth, wrth gwrs,
wrth i mi edrych i lawr ar wyneb Maria fach. Dim ond
rhyw fflach sydyn o ysbrydoliaeth ddaeth i mi bryd
hynny. Oriau yn ddiweddarach, wrth fyfyrio ar y
digwyddiad, y daeth fy llwybr yn eglur i mi. Ond roedd yn
ymgymeriad mor fawr, mor herfeiddiol, fel nad oedd
gennyf unrhyw syniad sut i wireddu'r her. Teimlwn fel pe
bawn mewn rhyw dywyllwch mawr, yn gallu gweld y
Goleuni Dwyfol yr ochr draw i hafn enfawr, ond heb fod
ag unrhyw syniad sut i groesi tuag ato. Y cwbl y gallwn i
ei wneud y noson honno oedd mynd ar fy ngliniau wrth
erchwyn fy ngwely a gweddïo am arweiniad wrth i'm
bysedd lithro ar hyd gleiniau fy rosari.

II

Roeddwn yn yr eglwys yn gynnar y bore trannoeth, dydd gŵyl Sant Marcellus. Wrth i mi adael y tŷ gallwn glywed llais Maria fach yn dechrau ar ei hymarferiadau. Mae'n rhaid fod fy mrawd wedi galw ar ei thiwtor canu i roi mwy o ymarferiadau iddi ar gyfer ei pherfformiad cyhoeddus cyntaf, y druan fach. Onid oedd hi'n gorfod gweithio'n galed ar ei chanu a'i chwarae piano eisoes? Doedd yn ddim iddi fod wrthi am wyth awr bob dydd, gyda'i thiwtoriaid canu, *pianoforte* a dawnsio, heb fawr o seibiant rhwng pob gwers. Daeth i'm meddwl unwaith eto: o ble roedd fy mrawd yn cael yr arian i dalu'r dynion hyn? Roeddwn wedi fy holi fy hun sawl tro yn y gorffennol pam fod fy mrawd yn gwario cymaint ar Maria, oherwydd nid oedd o natur arbennig o hael, ond ar ôl neithiwr daeth ei fwriad yn eglur i mi. Roedd gan y plentyn lais naturiol fel eos, ac roedd fy mrawd am elwa ar hynny.

Wedi cyrraedd yr eglwys, croesais fy hun â'r dŵr sanctaidd ac ymgrymu i'r Groes cyn mynd i weddïo gyda'm rosari, yn ôl fy arfer, ac yna mi es ati i lanhau. Y Brawd Fabian oedd wedi cael gwaith i mi yno, yn glanhau'r eglwys a'r cwfaint. Dechreuais weithio yn y ffreutur ychydig fisoedd wedi i mi ddod i fyw at fy mrawd a'i deulu yn Firenze, a chyn pen dim, o weld pa mor ofalus a destlus yr oeddwn wrth fy ngwaith, fe awgrymodd y Brawd Bartolomeo, rheolwr y ffreutur, y byddwn yn

17

weithiwr digon cyfrifol i gael glanhau'r eglwys fawr â'i holl drysorau. Yn ôl y Brawd Fabian, mae'r Brodyr Duon yn ymfalchïo yn eu heglwys, Santa Maria Novella, oherwydd bod cymaint o weithiau celf arbennig o bwysig a gwerthfawr ynddi. Ac maen nhw mor hen! Daeth y Brawd ar fy nhraws rhyw fore yn syllu ar y darluniau o fywyd y Fair Forwyn yn y capel mawr. Meddyliais i ddechrau ei fod am roi cerydd imi am synfyfyrio ar y lluniau yn hytrach na gwneud fy ngwaith. Ond roedd o fel petai'n deall yr hud yr oedd y lluniau'n eu taflu drosof. Efallai ei fod yntau'n teimlo'r un hudoliaeth.

Ond mae'n well i mi egluro am y Brawd Fabian. Hen ŵr dysgedig, moesgar, addfwyn a diffuant oedd o, yn hanu o'r un pentref â'n teulu ninnau, sef Uzzano, ger tref Pescia. Roeddwn i'n methu credu pa mor ffodus fûm i i ddod ar draws y Brawd y bore cyntaf i mi addoli yn eglwys Santa Maria Novella. Roeddwn i'n ei gofio fel gŵr ifanc golygus yn Uzzano, yn fab i'r marsiandïwr brethyn, a ninnau'n blant bach yn edmygu ei wisgoedd drudfawr. Ond trodd ei gefn ar y byd ac ymuno â'r Brodyr Duon yn eu cwfaint yn Firenze. Wrth imi dyfu i fyny, anghofiais innau am ei fodolaeth nes imi ei weld unwaith eto'n pregethu yn yr eglwys. Mentrais siarad ag ef y bore cyntaf hwnnw, wedi i mi fod yn gweddïo yng nghapel y Forwyn, ac ymhyfrydai gymaint yn fy atgofion fel y bu i mi fagu'r hyder i sgwrsio ag ef yn aml wedi hynny. Roedd fy ffiol o lawenydd yn llawn pan ddarganfyddais mai ef oedd fy Nhad Cyffes.

Ni fuaswn wedi cael y weledigaeth o gwbl, mwy na thebyg, pe na bai'r Brawd Fabian wedi sgwrsio â mi am y lluniau. Roeddwn wedi dechrau aros yn yr eglwys am awr neu ddwy wedi imi orffen fy ngwaith er mwyn cael syllu arnyn nhw, a phob tro y byddai'n dod ar fy nhraws yn syllu felly, byddai'n cymryd seibiant wrth fy ochr er mwyn egluro'r lluniau i mi. Doedd o ddim yn ffroenuchel nac yn oeraidd fel rhai o'r Brodyr eraill. Roedd ganddo bob amser ddigon o hamdden i sgwrsio gyda'r ffydd-loniaid, waeth pa mor isel eu safle mewn bywyd. Dilyn dysgeidiaeth sylfaenol Sant Dominic yr oedd, meddai wrthyf un tro pan fentrais wneud sylw ar hyn. Gofynnodd a wyddwn i fod Sant Dominic, pan ddaeth newyn mawr i Sbaen, wedi gwerthu ei lyfrau hoff a'i holl eiddo arall er mwyn gallu helpu'r bobl newynog? Na wyddwn, atebais innau, gan ryfeddu at aberth y sant.

Wrth gerdded o lun i lun gyda mi, byddai'n sôn weithiau am yr arlunwyr eu hunain. Roedd eu henwau mor gyfarwydd iddo â phetasai wedi eu hadnabod yn bersonol, ond dywedodd wrthyf eu bod wedi marw tua phedwar can mlynedd yn ôl! Giotto, Brunelleschi, Masaccio, Botticelli, roedd y rhestr yn un faith. Biti na fasai'n gallu gadael i mi fynd i mewn i'r llyfrgell, meddai un tro, ond nid oedd merched yn cael mynychu'r lle. Yn ôl y Brawd, roedd llyfrgell ardderchog gan y cwfaint, ac ysgolheigion byd-enwog yn dod yno i astudio. Bu Dante ei hunan yn fyfyriwr yno, meddai â balchder. Roeddwn yn adnabod yr enw – mae pawb yn Firenze yn adnabod enw Dante, o ran hynny – ond wyddwn i ddim byd pellach amdano heblaw ei fod wedi byw yn y ddinas erstalwm. Does neb ond yr ysgolheigion wedi darllen ei waith.

Doeddwn i, gwraig ddiaddysg ganol oed, ddim yn deall y cyfan roedd y Brawd yn ei ddweud, wrth gwrs, ond doeddwn i'n malio dim am hynny. Roedd mor braf cael ei gwmni, a byddwn yn ceisio meddwl am gwestiynau i'w gofyn er mwyn ei gadw wrth fy ochr yn sgwrsio ychydig yn hirach. Ef oedd yr unig berson drwy'r ddinas gyfan y gallwn ei alw yn ffrind.

Y murluniau uwchben y côr y tu ôl i'r brif allor yn y Cappella Maggiore oedd fy hoff luniau, ac os byddai gan y Brawd amser i hamddena, byddwn bob amser yn gofyn iddo ddod i ddweud eu hanes wrthyf. Doeddwn i byth yn blino'i glywed yn eu dehongli. Dweud hanes bywyd Mair Forwyn mae'r lluniau ar un ochr i'r côr, tra mae'r rhai ar yr ochr arall yn dweud hanes bywyd Ioan Fedyddiwr. Ond y rhan orau un o'r stori gennyf i oedd ei ddisgrifiad o sut yr oedd yr arlunydd wedi mynd ati i greu ei gampwaith. Y bore hwnnw, wedi imi orffen fy ngwaith, mi es unwaith eto i syllu arnyn nhw, a sylweddolais yn raddol mai sgwrs y Brawd yn y fan hon oedd gwir wraidd fy ngweledigaeth.

Gallwn gofio'r sgwrs yn berffaith. Roeddwn wedi bod yn sefyll ac yn syllu ar y murlun o Fair am beth amser pan glywais lais y Brawd Fabian y tu cefn i mi.

'*Benedicte*, fy merch,' fe'm cyfarchodd yn dawel. 'A beth sy'n mynd drwy dy feddwl i wneud i ti edrych mor ddwys?'

Ar ôl rhoi cwrtsi fach iddo, mentrais ofyn cwestiwn oedd wedi fy mhoeni ers amser maith. 'Meddwl oeddwn i, Brawd Fabian, sut oedd yr arlunydd yn gallu peintio wyneb Mair Forwyn pan nad oedd o rioed wedi'i gweld hi?'

Chwarddodd y Brawd yn ysgafn. 'Defnyddio wynebau pobl o'u cwmpas fel patrwm oedd yr hen arlunwyr – fel rhai heddiw, decini. Ond gad i mi egluro sut roedd pethau'n gweithio erstalwm.' Arweiniodd fi o'r côr ac i lawr i ganol corff yr eglwys ac amneidio arnaf i eistedd ar y fainc. Eisteddodd wrth f'ochr. 'Roedd yna ddyn o'r enw Giovanni Tornabuoni, dyn pwysig a thu hwnt o gyfoethog, yn byw yn Firenze yn ystod y bymthegfed ganrif,' aeth ymlaen i egluro. 'Roedd wedi ymgymryd â'r cyfrifoldeb o noddi'r capel yn hytrach na theuluoedd y Ricci a'r Sassetti, a oedd wedi arfer gwneud hynny. Cofia di, yn yr oes honno roedd dynion cyfoethog yn fodlon gwneud unrhyw beth er mwyn cael y fraint o noddi'r eglwys, gan gynnwys brwydro ymysg ei gilydd, er mwyn dangos i bawb pa mor gyfoethog a phwysig oeddan nhw.

Beth bynnag, cyflogodd Tornabuoni yr arlunydd enwog Domenico Bigordi Ghirlandaio i ailaddurno waliau'r capel. Ond rhoddodd Tornabuoni amod arbennig i'r arlunydd – roedd i beintio wynebau aelodau o deulu Tornabuoni a'i ffrindiau ar y ffigyrau yn y darlun. Fel hyn, meddai Tornabuoni, fe fyddai'r teulu'n cael ei gofio a'i glodfori. Roedd brodyr Ghirlandaio'n gweithio fel arlunwyr yn ei weithdy hefyd, yn ogystal â Michelangelo pan oedd o'n ŵr ifanc, ac roeddynt hwythau'n ymgymryd â'r gwaith o . . .'

Cefais hi'n anodd canolbwyntio ar sgwrs yr hen Frawd, er i mi ymdrechu'n galed. Roedd yr holl enwau hyn yn golchi dros fy mhen fel cawod Ebrill. Sut oedd o'n gallu eu cofio i gyd? Doeddwn i ddim yn deall hanner yr hyn roedd o'n ei ddweud bryd hynny, ond erbyn hyn mae'r enwau'n gyfarwydd iawn i mi. Ond o'r eglurhad hwnnw, safai un ffaith allan yn eglur iawn yn fy meddwl: roedd y dyn pwysig hwn, drwy gyflogi'r arlunydd i wneud lluniau a fyddai'n harddu'r eglwys, wedi derbyn pardwn gan y Pab am ei holl bechodau.

'Beth, am ei *holl* bechodau?' gofynnais yn anghrediniol, ond ni chymerodd y Brawd unrhyw sylw o'm cwestiwn. Roedd yn dal i ddweud pa aelod o'r teulu Tornabuoni oedd hwn yn y murluniau a pha un oedd y llall, a'r enwau'n dal i lifo. Rhois y gorau i geisio dilyn ei sgwrs, a rhedodd pob mathau o feddyliau gwyllt drwy fy mhen. Ai dim ond pobl gyfoethog oedd yn cael y fath bardwn? Ac oeddan nhw mewn gwirionedd yn cael pardwn am *unrhyw* bechod, beth bynnag ei natur?

Dyna beth oedd yn mynd drwy fy meddwl yn awr. Roedd fy syniad mor feiddgar nes fy mod bron yn rhy ofnus i'w ystyried – ond fe fyddai'n rhaid i mi, er mwyn fy enaid tragwyddol. Doedd wiw i mi fod yn betrusgar: yn hytrach, rhaid oedd wynebu'r her gyda ffydd. Rhaid oedd ceisio meddwl mewn ffordd hyderus sut y byddai modd i mi, Anna Maria Chiappini, gyflwyno rhodd o ddarlun i'r Brodyr Duon a'u heglwys odidog, darlun o un o'r merthyresau sanctaidd gydag wyneb Maria Stella yn batrwm, a derbyn maddeuant. Dyna'r weledigaeth a ddaethai i mi y noson cynt o weld wyneb Maria fach mor debyg i wynebau'r seintiau yn lluniau'r eglwys, merthyresau fel Santes Caterina, Santes Agatha a Santes Lucia.

Wrth i'm meddwl redeg dros yr hen sgwrs unwaith eto, roedd fy mysedd yn greddfol redeg i fyny ac i lawr gleiniau fy rosari. Allwn i ddim peidio â gobeithio y buaswn innau'n cael gwaredigaeth o'm pechod pe byddai modd imi droi'r weledigaeth yn weithred. Oherwydd roedd un pechod yn pwyso'n drwm ar fy enaid, pechod nad oeddwn erioed wedi gallu ei gyffesu wrth unrhyw offeiriad, nid hyd yn oed wrth y Brawd Fabian annwyl. Sut allwn i gyffesu i'r fath ffieidd-dra, y fath aflendid annaturiol, wrth ddyn mor sanctaidd, mor bur, mor ddiniwed yn ffyrdd y byd a'i fryntni? Ni wyddai neb amdano, neb ond y fi a Duw. Ac roedd dychmygu fy enaid yn sefyll o flaen Sant Pedr, a düwch y pechod hwn yn llygru fy nghalon, yn ddigon i wneud i mi lewygu mewn gwewyr. Ond roedd geiriau'r Brawd wedi rhoi llygedyn o obaith i mi yn fy nhywyllwch ysbrydol, petawn i ond yn gwybod sut i fynd o'i chwmpas hi. Yn araf a meddylgar, gadewais y lluniau, ymgrymu i'r allor, croesi fy hun â'r dŵr sanctaidd, a cherdded allan o'r eglwys.

III

Y broblem fawr, wrth gwrs, oedd sut y buasai gwraig
weddol dlawd fel fi yn gallu codi'r arian. A sut i ddargan-
fod arlunydd addas, a finnau'n adnabod cyn lleied o bobl
yn y ddinas. A sut i'w berswadio, wedi i mi ei ddarganfod,
fy mod o ddifrif, nad oeddwn i'n orffwyll! Teimlwn yn
ddigalon ddigon wrth ymlwybro tuag at adref drwy'r
strydoedd culion a'r glaw mân unwaith eto'n treiddio
drwy fy nillad. Roedd y dasg o'm blaen yn ymddangos yn
un amhosib.

Pan gyrhaeddais y tŷ roedd Maria'n dal wrth ei
gwersi, er mai nodau'r *pianoforte* a glywn i bellach. Mi
fyddai wrth ei gwersi, gyda thoriad byr am fwyd am
hanner dydd, nes y byddai'n dechrau nosi. Yr unig
ollyngdod iddi oedd fod y tiwtor canu wedi mynnu nad
oedd hi i wisgo'r staes haearn tra oedd hi'n canu, gan nad
oedd modd ei dysgu i anadlu'n gywir os oedd ei
hysgyfaint yn cael eu caethiwo. Es innau ati gyda
phatrwm fy niwrnod innau – glanhau'r tŷ a pharatoi
prydau bwyd i'r teulu a gofalu am Nona, fy mam. Roedd
y Brodyr Duon yn talu i mi, er mai llafur cariad mewn
gwirionedd oedd glanhau'r eglwys. Gallwn gelcio pob
tamaid o 'nghyflog, meddyliais wrth dynnu'r croen oddi
ar bentwr o domatos ar gyfer gwneud saws i'r *spaghetti*.
Ac er nad oedd fy mrawd yn rhoi cyflog i mi, nid oedd yn
gofyn am gyfraniad tuag at fy nghadw i a Nona – rhaid i
mi ei ganmol am hynny. Ond mi oedd o'n rhoi arian i mi

at gadw'r tŷ, i brynu bwyd ac ati, a doedd o byth yn gofyn i mi roi manylion fy ngwario iddo. Pe bawn i'n fwy gofalus fyth, efallai y byddai modd i mi roi ychydig bach mwy o'r neilltu bob wythnos. Ochneidiais. Nid oedd fy mrawd mor hael â hynny â'r arian tŷ. Byddai'n rhaid i mi chwilota ym marchnadoedd pentrefi'r Oltrarno i edrych a oedd prisiau bwyd yn rhatach yno.

Daeth ychydig o ysgafnder i'r diwrnod y pnawn hwnnw wrth i wniadwraig gyrraedd gyda phentwr o samplau defnyddiau a phatrymau. Roedd fy mrawd wedi ei chyflogi i wneud gwisg addas i Maria Stella ar gyfer ei pherfformiad yn y Piazza Vecchia. Drwy ryfedd wyrth, roedd yr hen sguthan wedi mynd allan gyda'r plant lleiaf, gan adael Maria efo mi a Nona. Cawsom amser rhyfeddol o ddifyr yn pori drwy'r dewisiadau, ond gan mai wythnos y *carnivale* ydoedd, penderfynwyd y byddai Maria'n edrych yn ddigon i ddotio arni mewn gwisg Colombina.

Rhyw wythnos yn ddiweddarach, wrth lanhau'r eglwys, gwelais griw o weithwyr yn cario ysgolion a phecynnau ar eu cefnau yn cael eu harwain gan un o'r Brodyr Duon tuag at gapel y Rucellai i'r dde o'r brif allor. Wrth lwc, doeddwn i ddim eto wedi cyrraedd yr ochr honno o'r eglwys, felly, yn raddol gwthiais fy ysgub a'm twb sgwrio o'm blaen i'r cyfeiriad hwnnw er mwyn i mi gael gweld beth oedd yn digwydd. Rhoddodd y Brawd Du – Vincente oedd ei enw – edrychiad digon du i'm cyfeiriad, ei geg yn llinell dynn, wrth gerdded heibio a gadael y dynion yn y capel. Ni chymerais sylw ohono – pa wahaniaeth iddo fo p'run ai dwy awr ynteu pedair y cymerwn i gwblhau fy ngwaith? Yr un fyddai'r cyflog.

Roedd dau o'r gweithwyr yn gosod ysgolion ar y waliau, a dau arall yn gosod byrddau allan ac yn tynnu offer o'u sgrepanau i'w gosod yn rhesi taclus ar y byrddau. Beth oeddan nhw'n mynd i'w wneud? Oeddan nhw'n mynd i ailbeintio'r capel? Doedd bosib, meddyliais,

24

doedd bosib eu bod yn mynd i ddileu'r llun bendigedig o ferthyrdod Santes Caterina o Alecsandria? Na, mynd i beintio'r waliau o amgylch y lluniau oeddan nhw, mwy na thebyg.

Mae'n rhaid fy mod i wedi sefyll yno'n eu gwylio am amser maith heb sylweddoli hynny, oherwydd fe drodd un o'r dynion – y meistr dybiwn i, a barnu o'i ddillad – a syllu'n syth i'm hwyneb. Mi es i oddi yno wedyn yn ddigon sydyn. Ond bob bore wedi hynny, roeddwn yn mynd i gael golwg ar yr hyn oedd yn digwydd. Doeddwn i fawr callach y troeon cyntaf, gan mai edrych a mesur ac edrych wedyn yr oedd y meistr, a'i weithwyr yn ceisio cadw'n brysur drwy lanhau'r offer a'u haildrefnu ar y byrddau. Yna, byddai'r meistr yn dringo ysgol â chwydd-wydr yn ei law ac yn syllu'n fanwl ar rannau o'r murlun, gan floeddio ambell i sylw i lawr at un o'r gweithwyr oedd yn cofnodi'r sylwadau mewn dyddlyfr. Y Brawd Fabian roddodd imi'r wybodaeth a geisiwn. Gyda chynnwrf cynyddol yn llenwi fy meddwl, deallais mai arlunwyr oeddan nhw, wedi dod i wneud ychydig o waith cynnal ar yr hen furluniau gwerthfawr. Arlunwyr! Onid oedd Duw wedi ateb fy ngweddïau ac wedi rhoi'r arlunwyr hyn mor gyfleus yn fy ffordd? Onid oedd hyn yn cadarnhau dilysrwydd fy ngweledigaeth?

Am sawl bore wedyn, mi fûm yn aros y tu allan i'r eglwys nes byddai'r gweithwyr yn dod allan amser cinio. Roedd y meistr yn cerdded i ffwrdd yn fwriadol ar ei ben ei hun bob tro, ond fe arhosai tri o'r gweithwyr i fwyta cig a bara o'u pecynnau. Wrth fy ngweld i'n sefyll yno'r bore cyntaf hwnnw, dyma un o'r dynion yn nodio'i ben arna i a dweud, *'Buongiorno'*. Fel yr aeth y dyddiau ymlaen, dechreuodd sgwrsio ychydig mwy â mi, trafod y tywydd ac ati, fel y bydd dieithriaid, ond doedd hi ddim yn hawdd i mi dynnu sgwrs bellach efo'r gweithwyr, o leiaf nid tan ges i syniad, wrth glywed un ohonynt yn rhegi oherwydd iddo anghofio'i ddiod. Bore drannoeth, mi es i â photel ledr o win coch wedi ei gymysgu â dŵr efo mi i'r eglwys. Disgwyliais am y dynion y tu allan i borth yr eglwys. Gwyliais y tri yn eistedd ar y grisiau carreg a thynnu eu pecynnau bwyd allan. Roedd fy nghalon yn fy ngwddf, a'm llaw chwith yn cydio yng ngleiniau'r rosari ym mhoced fy ffedog. Gorfodais fy nhraed anfodlon i gerdded tuag atynt, gan ymestyn y botel win o 'mlaen.

'Ym, meddwl . . . y . . . ym . . . dach chi isio . . .?' Edrychodd y dyn agosaf ataf i fyny o'i becyn a syllu o'm hwyneb i'r botel roeddwn yn ei chynnig iddo. Hyd yn oed i'm clustiau fy hun, roedd fy llais yn floesg ac aneglur. Carthais fy ngwddf a cheisio siarad eto. 'Gweld chi'n sychedig ddoe, ac, ym . . . ym . . . mae gwin yn hon os hoffech chi beth,' gorffennais ar ras. Daliai'r dyn i syllu ar y botel, ond daeth llais un o'i gyd-weithwyr i'w geryddu.

'Paid â bod mor anfoesgar, Giovanni. Derbynia rodd y Signora!'

Daeth y sgwrsio'n fwy cyfeillgar a naturiol wedi iddynt i gyd ddrachtio'n helaeth o'r botel. Roeddwn i'n falch fy mod wedi ei llenwi hyd at yr ymyl.

'Arlunwyr ydach chi i gyd, ia?' holais yr un a alwent yn Giovanni, yr un mwyaf cyfeillgar a siaradus ohonyn nhw.

'Wel, ia, Signora, mi fasach chi'n gallu'n galw ni'n hynny, mae'n siŵr,' atebodd ag amheuaeth yn ei lais.

Doeddwn i ddim yn ei ddeall. 'Ond . . .' dechreuais, heb wybod sut i eirio fy nryswch, '. . . ond fe ddywedodd y Brawd Fabian mai dyna beth ydach chi!'

'Wel, un o'r petha cynta rydan ni'n ei ddysgu yn ein prentisiaeth ydi sut i arlunio, ma'n wir,' eglurodd, 'ond nid dyna'r cyfan, ddim o bell ffordd. Ma 'na lawar mwy iddi na hynny, credwch fi. Cymerwch chi hanas, i ddechra. Rydan ni'n gorfod gwbod peth wmbrath o hanas, ydan wir. A chemeg, i wbod sut ma metela'n adweithio, y metela roedd yr hen bobol yn eu defnyddio i neud lliwia – mae rhai ohonyn nhw'n anwadal iawn, cofiwch, fasach chi'm yn credu ...'

'Ond dydach chi ddim yn arlunio?' Ni allwn gadw'r siom o'm llais.

'Wel, weithia, 'te, pan ma raid.' Edrychodd yn syn arna i, a dyma fi'n gwthio'r botel win i'w law yn frysiog. Drachtiodd ohoni drachefn, ac roedd fel petai wedi anghofio'i syndod. 'Y mab acw ydi'r arlunydd gora yn tŷ ni,' aeth yn ei flaen yn fodlon. 'Ddylsach chi weld y ffordd mae o'n tynnu llun pob dim dan haul. Dim ond y diwrnod o'r blaen mi ddangosodd o lun roedd o wedi'i dynnu o'r gath fach acw. Mi fasach chi'n taeru 'i bod hi'n fyw! Mi faswn i'n hoffi iddo gal prentisiath efo un o'r arlunwyr mawr – Canaletto, er enghraifft. Ond mi fasa'n rhaid iddo fo weithio'n galad iawn. Ma 'na dipyn o gystadleuath am leoedd felly, coeliwch chi fi.'

'Canaletto?' neidiais ar y gair. 'Ydi o'n un da am dynnu llun seintiau?'

Edrychodd arna i'n syn am yr eildro. 'Wn i ddim wir. Dydw i ddim yn meddwl, rwsut. Tirlunia ydi 'i betha mawr o. Dos 'na fawr neb y dyddia 'ma'n tynnu llunia seintia. Neb yn gofyn amdanyn nhw – wedi mynd allan o ffasiwn, decini. Ond tasa rhywun yn cynnig digon o arian iddo fo, mi fasa'n gneud, ma'n siŵr. Cymrwch chi Tiepolo rŵan, ac ma hi'n stori wahanol iawn. Ma'i lunia crefyddol o cystal bob tamad â'r hen feistri, ydyn wir. 'Dach chi 'di gweld ei lun o Santes Theodora yn eglwys Padua? Naddo ...? Ew, campwaith, wir i chi.'

'Tiepolo? Ble mae o'n byw?'

Ysgydwodd ei ben yn drist. 'Yn anffodus, Signora, mi fuodd o farw ryw ...' petrusodd am eiliad, yna trodd at ei gyd-weithwyr oedd wedi dechrau chwarae dis. 'Pa bryd fuo'r hen Tiepolo farw, hogia? Dos 'na'm llawar, nagos?'

'Canaletto, 'ta,' torrais ar ei draws unwaith eto.

27

Roeddwn wedi dechrau sylweddoli y gallai hwn siarad fel melin bupur. 'Ble mae hwnnw'n byw?'

'Be?' meddai'n hurt, fel pe bawn i'n siarad iaith dramor.

'Canaletto,' meddwn drachefn. 'Ble mae o'n byw? Pa stryd, pa ardal o Firenze?'

Dechreuodd gyfarth chwerthin, a daliodd i chwerthin nes bod y dagrau'n llifo i lawr ei ruddiau. Roeddwn i wedi mynd i deimlo'n hollol annifyr, a'm hwyneb yn fflamgoch. Tynnodd glwt o'i boced o'r diwedd, a sychu ei ddagrau.

'Maddeuwch i mi, Signora, wn i ddim be ddoth drosto i.' Pesychodd. 'Dach chi'n gweld, yn Venetia mae Canaletto'n byw, nid yn Firenze.' Mae'n rhaid ei fod o'n ŵr bonheddig yn y bôn, oherwydd pan sylwodd ar fy anniddigrwydd, gofynnodd yn dawel, yn garedig, 'Chwilio am arlunydd ydach chi?'

Allwn i ddim o'i ateb yn onest. Gwelais fy hun drwy ei lygaid o: gwraig oedd yn gorfod glanhau'r eglwys i ennill ei thamaid beunyddiol. Pam fyddai rhywun fel fi angen arlunydd – oni bai ei bod yn wallgof! Mwmbliais rywbeth am fy mrawd, ac etifeddu llawer o arian.

'Ma 'na arlunydd da yn Firenze – Benedetto ydi i enw fo – yn byw yn ymyl y Duomo, yn y Via dello Studio. Deudwch wrth eich brawd am fynd ato fo,' meddai wrth roi ei becyn bwyd gwag yn ôl yn ei sgrepan ac ysgwyd y briwsion oddi ar ei diwnic. Cododd ar ei draed, ac wedi diolch i mi am y gwin, trodd yn ôl am yr eglwys i hysio'i gyd-weithwyr o'i flaen. Cyn mynd i mewn drwy'r porth, galwodd dros ei ysgwydd, 'Ond mae o'n ddrud uffernol. Gobeithio bod eich brawd 'di etifeddu ffortiwn!'

Chefais i ddim cyfle i wneud ymholiadau pellach ynglŷn â'r Benedetto 'na am wythnosau lawer, oherwydd roedd y *carnivale* yn prysur agosáu. Disgynnodd y dyddiau i batrwm hynod o undonog, gydag oriau ymarfer Maria yn ymestyn yn ddidrugaredd wrth i'r diwrnod mawr ddynesu. Fel yr ymestynnai oriau ei hymarferiadau, ymestyn hefyd wnâi'r amser a dreuliai'r ferch fach yn crio yn fy mreichiau, cymaint oedd ei hofn o sefyll ar lwyfan o flaen tyrfa enfawr o bobl. Ond doedd dim troi ar ei rhieni – roedd y ddau'n benderfynol o'i gweld yn ennill arian iddynt. Wnes i ddim siarad â Giovanni wedyn – roedd arna i ormod o gywilydd, ac erbyn dechrau'r *carnivale*, roedd y dynion wedi cwblhau eu gwaith ac wedi gadael yr eglwys.

Gwenodd Ffawd ar bobl Firenze yn ystod wythnos y *carnivale*, a chafwyd un o'r cyfnodau hyfryd hynny o fis Chwefror pan mae'r haul yn tywynnu a'r glaw a'r gwynt yn diflannu, gan roi rhagflas i ni o'r haf crasboeth oedd i ddod. Roedd hi'n anoddach cerdded i'r eglwys bob bore, cymaint oedd yr hwrlibwrli a'r ffwdan wrth i fasnachwyr osod eu stondinau yn y strydoedd ac ym mhob *piazza*, a'r gweision dinesig yn codi llwyfannau ar gyfer yr holl berfformiadau fyddai'n digwydd, yn gerddoriaeth, dramâu a bwrlesgiau. Roedd y ddinas yn orlawn, a phoblogaeth y ddugiaeth gyfan yn heidio i fwynhau'r gorymdeithiau a'r gwisgoedd anhygoel, pawb yn cael gwyliau, ac wrth gwrs yn mwynhau'r holl yfed a bwyta oedd yn draddodiadol cyn cychwyn ar gyfnod y Grawys.

Wna i byth anghofio'r noson cyn dechrau wythnos y *carnivale* y flwyddyn honno, y noson cyn perfformiad cyntaf Maria Stella. Bu gweiddi a ffraeo dibaid drwy'r dydd yn ein tŷ ni. Mae'n syndod nad oedd pawb – Lorenzo, yr hen sguthan a'i phlant ieuengaf – yn fud erbyn diwedd y dydd, cymaint oedd eu sgrechian a'u bytheirio, a'r cyfan wedi'i anelu tuag at Maria druan. Erbyn i mi gyrraedd adref o'r eglwys amser swper, gallwn weld ei bod wedi hurtio'n llwyr. Safai ynghanol llawr y gegin a'i dwylo dros ei chlustiau, ei llygaid ar gau yn dynn, tra oedd ei theulu bondigrybwyll yn ei hamgylchynu gan weiddi bygythiadau a rhegfeydd arni os na fyddai hi'n canu y diwrnod canlynol. Torrodd fy nyfodiad i ar draws y syrcas, diolch i'r drefn, a gyrrais bawb ond Maria allan o'r gegin er mwyn i mi gael paratoi swper.

Treuliais y chwarter awr cyntaf yn ei chofleidio a'i chysuro nes iddi dawelu digon i'm helpu drwy osod y bwrdd a pharatoi'r *pasta*. Pan ddaeth pawb yn ôl i'r gegin i fwyta, esgusododd ei hun a mynd i'w hystafell, a diolch i'r drefn bu'r hen sguthan yn ddigon call, am unwaith, i adael iddi fynd heb ffwdan. Wedi i mi sicrhau bod popeth ar y bwrdd a bod anghenion pawb wedi'u diwallu, dilynais hi. Roedd hi'n eistedd ar ei gwely'n cyfogi i bowlen bridd. Deallais gan Nona yn ddiweddarach fod y fechan wedi treulio'r rhan fwyaf o'r diwrnod yn cyfogi nes bod dim ar ôl yn ei stumog. Pan welodd fi, dechreuodd grio eto, rhyw udo bach anobeithiol a thorcalonnus. Doedd dim amdani ond ei chofleidio, ac yno y bu'r ddwy ohonom yn eistedd, hithau'n crio a minnau'n ei siglo 'nôl a 'mlaen i'w chysuro, nes bod y diwrnod wedi diflannu o'r ffenest a'r sêr yn disgleirio yn yr awyr ddu.

A dweud y gwir, roeddwn wedi mynd yn boenus iawn yn ei chylch. Sut allai hi ddal i grio fel hyn heb wneud niwed iddi hi ei hun? Roedd yn rhaid i mi geisio'i thawelu rywfodd. Roedd fy mreichiau wedi cyffio erbyn i mi ei gollwng o'r diwedd. Croesais at ei chwpwrdd a thynnu ei rosari o'r drôr. Codais hi ar ei thraed ac amneidio arni i benlinio, gan osod y rosari yn ei dwylo. Penliniais wrth ei hochr gyda'm rosari innau yn fy llaw.

'Tyrd, *cara mia*,' meddwn wrthi'n dawel. 'Gad i ni weddïo ar y Forwyn Fair a'th nawddsant, Petronilla.' Dechreuais adrodd gweddi'r Ave Maria, ac o fewn ychydig funudau cefais y boddhad o glywed ei llais bach hi, er yn wan ar y dechrau, yn ymuno â mi. Wn i ddim sawl gwaith y gwnaethom ailadrodd y weddi, ond roedd y geiriau cyfarwydd yn gysur mawr iddi, ac ymdawelodd. Pan rois y gorau i adrodd y bader ar un cyfnod, gan feddwl y byddai Maria wedi blino, tynnodd yn galed yn fy llaw a'm hannog i ddal ati, a dyna beth wnes i. Ymhen ysbaid hir wedyn, sylweddolais fod ei llais yn troi'n gysglyd. Tynnais y gleiniau yn dyner o'i llaw, ac ni'm rhwystrodd. Codais hi ar ei thraed a diosg ei dillad, yna ei rhoi i orwedd yn ei gwely. Mewn ymateb i'w chais, addewais y buaswn yn aros gyda hi drwy gydol y nos.

Bore drannoeth, a hithau'n ddiwrnod hyfryd arall, golchais ei hwyneb a'i harwain allan o'r tŷ am dro at lannau afon Arno, gan feddwl y byddai'r awyr iach yn gwneud lles iddi. Roedd ei thiwtor canu wedi rhoi'r bore yn wyliau iddi, er mwyn i'w llais gael seibiant, ond byddai'n ôl yn y prynhawn i wneud ychydig o ymarferiadau ysgafn cyn y perfformiad.

Ni ddywedodd air o'i phen yn ystod ein taith drwy'r dref. Nid edrychodd ar y nwyddau bendigedig oedd wedi eu gosod allan yn ddengar ar y stondinau i demtio'r merched yn ogystal â'r dynion. Ni welodd y jyglwyr na'r dawnswyr, yr acrobatiaid na'r anifeiliaid syrcas wrth i ni gerdded heibio iddynt. Roedd ei llygaid yn llonydd yn ei phen, yn edrych yn syth o'i blaen. Roedd fel cael doli bren neu byped yn cerdded wrth f'ochr, heb droi naill ai i'r dde nac i'r chwith oni bai fy mod yn rhoi cyfarwyddyd iddi wneud hynny. O'r diwedd daethom at yr afon a cherdded ar hyd y Lungarno Acciaioli nes cyrraedd y Ponte Vecchio. Fel arfer, byddai cael dod i edrych ar stondinau'r crefftwyr aur ar y bont yn un o hoff bleserau Maria, ond heddiw nid oedd hyn, hyd yn oed, yn ddigon i'w thynnu o'i llesmair. Gydag ochenaid siomedig, tywysais hi yn ôl i'r tŷ. Roedd yn amser iddi ymarfer eto.

Awr cyn dechrau rhaglen y cyngerdd yn y Piazza Vecchia, fe es ati i'w hymolchi, a'i gwisgo yn nillad y

Colombina. Ceisiais ei chael i gymryd diddordeb yn ei gwisg a'i cholur, ond yn ofer. Safai'n dawel a digyffro, ei llygaid yn llonydd yn ei phen. Roedd hi wedi ymgilio i ryw gornel dywyll ymhell y tu mewn iddi hi ei hun, ac ni allai dim a ddywedwn ei denu yn ôl oddi yno. Pan aethom i lawr y grisiau, rhoddodd Lorenzo freichled aur am ei garddwrn a chadwyn llawn gemau tlws am ei gwddf, ond sefyll yno fel delw a wnaeth Maria, heb yngan yr un gair. Roedd ei chorff, fodd bynnag, yn ufudd, a gadawodd i Lorenzo ei thywys allan o'r tŷ heb unrhyw wrthwynebiad.

Roedd bwrlwm y Piazza Vecchia yn fyddarol. Ni fyddai'r Brodyr Duon yn cael fawr o gwsg drwy gydol yr wythnos, tybiais, er bod yr eglwys rhwng y Piazza a'u celloedd cysgu. Arweiniodd Lorenzo y ffordd, gan wthio'i hun drwy'r tyrfaoedd, a gweddill y teulu'n creu mur gwarchodol o amgylch Maria wrth i ni eu dilyn, nes i ni gyrraedd diogelwch cefn y llwyfan. Arhosodd Lorenzo a minnau wrth ei hochr ac aeth Nona a'r sguthan a'i nythaid i geisio cael lle o flaen y llwyfan. Roeddwn yn falch o bresenoldeb fy mrawd, oherwydd roedd bron cymaint o fwrlwm y tu cefn i'r llwyfan ag a oedd yn y Piazza. Byddai Maria druan wedi cael ei bwrw dan draed droeon oni bai fod Lorenzo yno i'w gwarchod. Teimlwn fy stumog yn corddi o nerfusrwydd ar ran Maria fach. Gwibiodd y rheolwr llwyfan heibio i ni gan weiddi 'Pum munud!' wrth Lorenzo. Roedd y creadur yn rhysio yn ôl a blaen fel dyn o'i go, yn hysio artistiaid i'w lleoedd priodol yn ôl trefn y rhaglen. Ceisiodd Lorenzo siarad ag ef, ond cwta iawn oedd yr ymateb.

Roedd fy mhen yn troi yn y fath brysurdeb anhrefnus, ond deallais gan fy mrawd y byddai Maria'n canu'n weddol agos at ddechrau'r rhaglen, ac roeddwn yn falch o hynny. Teimlwn ar bigau'r drain drwy gydol yr amser aros, a gallwn weld bod fy mrawd yn teimlo'r un cynnwrf. Gorau po gyntaf i ni gael y cyfan drosodd a chael ymlacio.

'Tri munud!' bloeddiodd y rheolwr llwyfan wrth wibio heibio unwaith eto, gan bwyntio at ystol a arweiniai at y llwyfan, hyd y gallwn i weld. Bu bron i mi neidio allan o'm croen pan ddaeth y dyn heibio unwaith yn rhagor a bloeddio 'Dau funud!' yn fy nghlust. Gafaelodd fy mrawd ym mraich Maria a'i llusgo i fyny'r ystol serth, a minnau'r tu cefn iddi rhag iddi faglu a syrthio'n ôl. Roedd ei symudiadau'n fecanyddol hollol, ond aeth yn ei blaen heb ormod o berswâd – nes iddi gyrraedd esgyll y llwyfan. Pan welodd y môr o wynebau oedd yn llenwi'r Piazza, rhewodd ei chorff cyfan heblaw am ei llaw, a gydiodd yn dynn yn f'un i. Ceisiodd fy mrawd ei gwthio a'i thynnu, gan fygwth pob mathau o gosbedigaethau arni, ond roedd Maria wedi magu nerth rhyfeddol yn ei choesau ac nid oedd symud arni. Daeth y rheolwr atom a dechrau chwifio'i freichiau'n wyllt arni i gerdded ar y llwyfan, ond ni chafodd hynny unrhyw effaith chwaith. Rhoddodd Lorenzo slaes iddi ar draws ei phen-ôl, ond unig effaith hynny oedd gwneud iddi afael yn dynnach yn fy llaw. Clywn y cyhoeddwr yn siarad â'r dorf i'w cadw'n fodlon, gan edrych dros ei ysgwydd bob hyn a hyn i weld a oedd yr artist nesaf wedi ymddangos ar y llwyfan. Wrth i'r eiliadau ymestyn heb unrhyw olwg bod y perfformiwr yn dod i'w achub, edrychai'n fwyfwy poenus, os nad yn ofnus, oherwydd gwyddai pawb pa mor ymfflamychol ydoedd tyrfaoedd y *carnivale*.

Doedd dim modd troi'n ôl, felly doedd dim dewis gennyf ond ceisio helpu Lorenzo i gael Maria ar y llwyfan. Wrth geisio agor bysedd y llaw oedd yn gafael mor dynn yn fy llaw chwith, siaradais yn gyflym yn ei chlust.

'Cara mia, cofia'n gweddïau i'r Forwyn Fair a Santes Petronilla,' meddwn yn daer. 'Cofia'u bod nhw'n edrych ar

dy ôl di bob eiliad y byddi ar y llwyfan! Paid ag ofni –
meddylia amdanyn nhw.' A dweud y gwir, roeddwn wedi
mynd i deimlo mor ofnus â'r cyflwynydd, oherwydd fe
redai siffrwd anfodlon drwy'r dorf a allai'n hawdd droi'n
ffrwydrad direol. Roeddwn i'n meddwl bod ei gafael wedi
llacio ychydig wrth glywed fy ngeiriau, ond erbyn hynny
roedd Lorenzo wedi cyrraedd pen ei dennyn. Dechreuodd
binsio breichiau Maria, yna taflodd edrychiad bach slei
tuag ataf fi cyn bloeddio yn ei chlust y byddai ei hoff
Ziannamaria'n cael ei thaflu allan o'r tŷ y noson honno os
na fyddai hi, Maria, yn fodlon gwneud ei dyletswydd.
Roeddwn wedi f'ysgwyd i'r carn. Sut allai o ddweud y
fath beth! Oedd o o ddifrif? Mae'n rhaid fod Maria druan
wedi ei gredu, beth bynnag, oherwydd gollyngodd fy llaw
yn ddisymwth a chymryd camau bach araf a phetrusgar
nes iddi ddod i olwg y dorf.

Croesawyd ei hymddangosiad gyda bloedd o gymer-
adwyaeth o'r gynulleidfa, a sylweddolais fod fy mrawd yn
iawn yn hynny o beth: mae'r galon Eidalaidd galetaf yn
meddalu o weld plentyn, yn arbennig plentyn mor ifanc
a phrydferth â Maria, yn sefyll o'i blaen. Wedi i'r
gymeradwyaeth ostegu, disgynnodd distawrwydd
disgwylgar dros y lle, a phawb yn barod i flasu'r nodau
cyntaf fyddai'n dod o'i genau.

Trawyd nodau agoriadol ei chân gan y gerddorfa
fechan oedd i gyfeilio iddi, ond pan ddaeth yn amser
i Maria ganu ei nodyn cyntaf, bu distawrwydd.
Ailddechreuodd y gerddorfa o'r dechrau eto, ond
digwyddodd yr un peth yr eilwaith. Safai Maria'n fud ar
ganol y llwyfan. Gwelais arweinydd y gerddorfa'n
gwneud arwyddion ar y cyflwynydd, a hwnnw'n gwneud
dim ond codi ei ysgwyddau mewn ymateb. Daeth sawl
'Brava!' a 'Coraggio!' o'r dorf, ac un yn gweiddi, 'Canta per
noi, piccola usignola!' Gwelais gefn Maria yn dechrau
crynu, ac roedd yn rhaid i mi wneud rhywbeth.

34

Syrthiais ar fy ngliniau gan afael yn fy rosari. Caeais fy llygaid yn dynn a gweddïo. '*Ave Maria, gratia plena . . .*' dechreuais, ond roedd yn anodd anwybyddu fy mrawd a oedd wrthi'n hisian bygythiadau, a'r rheolwr llwyfan a oedd yn ceisio cael y perfformwyr nesaf i fyny i'r llwyfan i gymryd lle Maria. Roedd bygythiadau fy mrawd yn fwy taer fyth o glywed geiriau'r rheolwr. Gallai weld bod yr arian i Maria ar fin diflannu o'i grafangau. '*Ora pro Maria, Mater Dei,*' gweddïais, '*ora pro Maria, Santa Petronilla . . .*'

Daeth sŵn bychan i'm clustiau, nodyn bach ansicr o wddf Maria. Mae'n rhaid fod y dorf wedi ei glywed hefyd, oherwydd roedd eu geiriau calonogol yn fwy brwdfrydig. Clywais hi'n carthu ei gwddf ac ailganu'r nodyn, ychydig yn fwy hyderus y tro hwn, a dechreuodd y fiolin ei dilyn yn ysgafn. Yna gallwn glywed sawl 'Hisht!' o'r gynull-eidfa wrth i rai o'r gwrandawyr droi ar eu cymdogion a mynnu tawelwch. Cododd ei llais yn gadarn a chryf, ac ymunodd y gerddorfa â hi o'r diwedd, a phob un o'r chwaraewyr yn dod i mewn fel y gallai nes bod pawb yn ddiogel dan reolaeth yr arweinydd. Arhosais ar fy ngliniau mewn diolchgarwch drwy gydol ei pherfformiad wrth i'r nodau peraidd esgyn i dawelwch yr hwyrddydd. Allwn i ddim rhwystro'r dagrau rhag llifo i lawr fy wyneb, cymaint oedd fy llawenydd, ac addewais i'r Forwyn Fendigaid a Santes Petronilla y byddwn yn cyflawni fy mwriad o gyflwyno darlun i'r eglwys nid yn unig er mwyn fy enaid tragwyddol, ond hefyd er mwyn talu'n ôl ychydig o'm dyled iddynt.

Wedi i Maria orffen ei pherfformiad, roedd y gymeradwyaeth yn fyddarol. Roedd y geiriau am ragor – '*Bis, bis!*' – yn gymysg â bloeddiadau o '*bella ragazzina*' a '*bella cantanta*', a hyrddiwyd blodau dirifedi o amgylch ei thraed. Dechreuodd Maria eu codi i'w breichiau a chuddio'i hwyneb ynddynt, ac aeth y dorf yn wallgo.

Roedd yr ystum wedi ennill calon Firenze gyfan. Yn y diwedd roedd yn rhaid i'r cyflwynydd – a Lorenzo – ei hebrwng o'r llwyfan fel y gallai'r rhaglen fynd yn ei blaen, â Lorenzo'n casglu pob tusw o flodau a phob anrheg a phob darn o arian a daflwyd ar y llwyfan i Maria.

IV

'Mmmm . . . 'tydi hyn yn braf, Ziannamaria!' ochneidiodd Maria'n fodlon. Gorweddai ar wastad ei chefn ar un o feinciau'r llong, a'i phen ar fy arffed. Cynhesid ni gan heulwen ysgafn mis Mawrth, ac er bod y gwynt yn fain, roeddan ni'n dwy wedi cilio i gysgodi mewn gornel glyd. Edrychais i lawr arni gan wenu.

'Rwyt ti yn llygad dy le, *cara mia*,' atebais, ond wnes i ddim ychwanegu'r hyn oedd yn fy meddwl: roeddan ni'n cael heddwch bendigedig oddi wrth yr hen sguthan. Roedd honno a'i nythaid wedi llochesu yng nghrombil y llong ac yn teimlo'n wael, deallais o sgwrs un o'r llongwyr.

Wedi i'r *carnivale* ddod i ben, roedd hwyliau arbennig o dda ar fy mrawd. Daeth adref un diwrnod a thocynnau llong yn ei law. Roedd am ein gweld yn mwynhau ein hunain, meddai'n rhadlon, tra oedd yntau'n gweithio'n galed yn y *questura* yn hela lladron. Tocynnau i deithio ar long i lawr afon Arno o Firenze i Pisa oedd ganddo, un i'r hen sguthan a'i nythaid, un i Maria ac un i minnau. Roedd Nona'n rhy hen i deithio. Yn well na hynny, ychwanegodd, gan chwifio darn o bapur, roedd ganddo ganiatâd i ni gael mynediad i gwrt allanol *palazzo*'r Arch-ddug Leopold i weld Brenin a Brenhines Napoli a Sisili ar eu hymweliad â'r Arch-ddug. Roedd yr hen sguthan wedi gwirioni. Un o Pisa oedd hi, a gwnaed trefniadau i ni oll aros gyda'i theulu yn y ddinas.

'Dach chi'n meddwl bod y Contessa Camilla wedi 'nghlywed i'n canu, Ziannamaria?' meddai Maria wedyn mewn llais dioglyd. Roedd wedi gofyn y cwestiwn hwn sawl tro yn ystod wythnos y *carnivale*, a'r un oedd fy ateb innau.

'Dydw i ddim yn credu, Maria fach, neu fe fyddai'n siŵr o fod wedi anfon neges atat ti.' Er nad oeddwn wedi cyfarfod y Contessa, roeddwn wedi clywed cryn dipyn amdani gan Maria, a gwyddwn o'r sgwrsio ei bod yn foneddiges garedig.

'Byddai,' cytunodd hithau. Sythodd ei chefn ar y fainc galed. 'Mi fasa'n well o lawer gen i gael mynd yn ôl i Modigliana ati hi na mynd i Pisa,' ychwanegodd. Ganed Maria yn nhref Modigliana, pan oedd ei rhieni'n cadw'r carchardy yno. Roedd y Palazzo Borghi, cartref haf y Contessa, gyferbyn â'r carchardy, ac yn ôl Maria, byddai hi'n arfer treulio'i hafau'n byw gyda'r Contessa, fwy neu lai, gan fwynhau moethderau'r *palazzo*.

'Rydw i'n caru'r Arglwyddes,' aeth yn ei blaen. 'Roedd hi'n gadael i mi gysgu efo hi fel rydach chi'n ei neud, Ziannamaria, ac roeddwn i'n cael ei galw hithau'n Zia hefyd, er bod Papa'n dweud nad yw hi'n perthyn dim i ni.'

'Wel nag ydi, wrth gwrs,' atebais gan chwerthin. 'Mae hi'n wraig fonheddig, a ninnau'n ddim ond pobl gyffredin.'

'Mi hoffwn i fod yn wraig fonheddig, a chael dilladau crand a gemau a gweision a morynion.' Gwingodd eto ar y fainc a throi ar ei hochr, ei phen yn dal ar fy arffed. 'Mi fasach chithau'n gallu rhoi'r gorau i lanhau'r eglwys a bod fel morwyn fach i Mama.'

Chwarddais yn uchel y tro hwn. 'Wel, dwyt ti ddim wedi gwneud yn rhy ddrwg dy hunan yn ddiweddar! Edrych ar y ffrogiau newydd roddodd Papa i ti, ac mae dy sgidiau newydd di gystal ag esgidiau unrhyw foneddiges – a beth am y fodrwy aur yna, a'r wats a'r freichled?'

'Mmm,' oedd yr unig ateb.

Fe fu wythnos y *carnivale* yn un llwyddiannus iawn i Maria fach. Bob nos deuai adref gyda llond ei breichiau o flodau, a'i thad yn cario'r holl anrhegion a daflwyd ati. Roedd llythyrau'n cael eu taflu hefyd, nodiadau gan foneddigesau'n gwahodd Maria i ganu iddynt yn eu *saloni*. Bu'n rhaid i mi fynd efo hi i ddau *palazzo* yn ystod yr wythnos, ac arswydo o weld yr holl gyfoeth, ac mi fuasai Maria wedi gorfod mynd i sawl un arall oni bai i'r tiwtor canu siarad yn llym iawn â'm brawd.

'Mae un perfformiad y dydd yn fwy na digon i lais mor ifanc,' meddai'n gadarn. 'Fe fyddwch chi'n dinistrio'r cyfan os ydych chi'n mynnu ei bod yn canu gormod.'

Ond roedd y straen yn dweud arni, gallwn weld. Er iddi gael ei chynnal gan y dorf yn ystod pob perfformiad, byddai'n dod adref wedi ymlâdd yn llwyr, ac roedd olion dagrau ar ei hwyneb bob bore. Un diwrnod, dywedodd na allai fynd i ganu'r noson honno gan fod ganddi gur mawr yn ei phen. Aeth fy mrawd yn wallgo! Llusgodd hi gydag ef o'r tŷ ac i'r Bargello, a phan ddaeth yn ei hôl yr oedd hi'n wyn fel y galchen. Aeth yn syth i'w hystafell i guddio, a'r noson honno fe aeth i'r Piazza Vecchia heb unrhyw brotest. Deallais wedyn fod fy mrawd wedi dangos yr hen offer poenydio a chelloedd y carcharorion iddi, ac wedi bygwth ei thaflu hi i mewn gyda nhw pe byddai'n gwneud castiau felly eto. A dyna fo wedyn yn gwario ar ddilladau a gemau a gwyliau iddi! Un rhyfedd oedd fy mrawd, ac mor anwadal yn ei ymddygiad tuag at Maria. Allwn i ddim o'i ddeall, wir.

Roedd y gwres ysgafn a symudiadau'r llong yn llesmeiriol. Mwythais ei phen yn synfyfyriol, a chaeai hithau ei llygaid yn braf. Ond yr eiliad nesaf daeth bloedd gan un o'r llongwyr ein bod yn dynesu at dref Lastra. Neidiodd Maria ar ei thraed a rhedeg at ganllaw'r llong i gael gweld y dref a'r cei. Roedd y sodlau uchel, coch ar ei hesgidiau newydd yn denu sylw pawb, a rhyfeddais eilwaith at anwadalrwydd fy mrawd: ei gorfodi i wisgo esgidiau haearn un diwrnod, ac yn prynu esgidiau ffasiynol – ac anaddas – iddi'r diwrnod wedyn. Wrth i'r teithwyr newydd gamu ar fwrdd y llong, roedd Maria yno i'w cyfarch fel petai hi'n gapten, a gallwn glywed ei chwerthin byrlymus wrth iddi gellwair gyda hwn a'r llall. Pleser dihafal fu'r daith honno i ni, yn rhydd o oruchwyliaeth ei rhieni, ac allwn i ddim cofio mwynhau fy hunan gymaint ers dyddiau fy mhlentyndod innau.

Gadawsom y llong yn Santa Croce i dreulio'r noson mewn gwesty cyn dychwelyd i orffen y siwrnai i Pisa y bore canlynol. Roedd chwaer a brawd yng nghyfraith yr hen sguthan yn aros amdanom ar y cei. Gallwn ddweud o'u hwynebau eu bod wedi cael cryn ysgytwad o weld Maria yn ei dillad ysblennydd a'r esgidiau sodlau cochion. Wrth ein harwain i'w cartref yn y dref, gwelwn hwy'n ciledrych arni o bryd i'w gilydd, a'u sgwrs yn troi at arian a chymharu cyflogau yn Firenze a Pisa. Gallwn weld eu bod yn amheus o'r olwg lewyrchus oedd ar Maria. Wedi inni gyrraedd eu cartref – tair ystafell mewn adeilad oedd yn byrlymu o blant – bu'n rhaid iddyn nhw ymddiheuro nad oedd lle i Maria a minnau aros efo nhw, ond bod croeso i ni aros gyda *nona* arall Maria, sef mam yr hen sguthan, yn y stryd nesaf. Ni allai Maria a minnau fod wedi cael gwell newyddion! Felly, gydag addewid i ddychwelyd y peth cyntaf y bore canlynol, cawsom ddianc i flasu a mwynhau ein rhyddid annisgwyl. Pedwar diwrnod o wneud mwy neu lai fel y mynnem! Nefoedd.

Wrth gwrs, nid felly y digwyddodd pethau mewn gwirionedd. Y noson honno, a ninnau ar gychwyn i ddwedud gweddïau'r hwyrnos yn yr eglwys gyfagos, daeth Vincenza Diligenti i'r tŷ, yr hen sguthan iddi, a sbwylio'r cyfan. Roedd yn ddigon clên o flaen ei mam, ac yn ffals o annwyl wrth siarad â Maria.

'Well i mi gadw dy dlysau'n ddiogel,' meddai, gan bwyntio at y fodrwy, y freichled a'r wats – pob un ohonynt yn aur.

'Mi wna i eu gwarchod,' atebais innau'n gyflym. 'Mi fyddan nhw'n hollol ddiogel yma, rydw i'n siŵr.' Bu bron i mi ychwanegu'n sbeitlyd, 'os nad wyt ti am gyhuddo dy fam o ddwyn', ond wnes i ddim am fod yr hen wraig yn bresennol, ac nid oeddwn am frifo'i theimladau hi.

'Ond dydi hi ddim yn ddiogel i chi gerdded o gwmpas y strydoedd efo cyfoeth amlwg fel yna,' ymatebodd yn syth. 'Beth petai dynion yn ymosod arnoch chi?'

'Mi wnawn ni eu cuddio.'

'O na, mae Vincenza yn llygaid ei lle, wyddoch chi,' ymunodd ei mam yn ddidwyll yn y cecru. 'Mae'r dre 'ma wedi mynd yn lle peryglus iawn, a neb parchus yn teimlo'n saff wrth grwydro'r strydoedd.'

Roedd eu dadl mor rhesymol fel na allwn wrthwynebu mwyach heb godi ffrae go iawn, er i mi fod yn hollol amheus o gymhellion yr hen sguthan. Doedd dim amdani ond gadael i Maria sefyll yn wylaidd tra oedd ei mam yn diosg ei thlysau. Aeth yr hen sguthan yn ôl at ei chwaer yn fuan wedi hynny, a'r aur o'r golwg yn ei dillad. Welan ni byth 'mo'r rheina eto, meddyliais yn sarrug, ond ar yr un pryd penderfynais na fyddwn yn gadael iddyn nhw ddiflannu'n llwyr heb wneud safiad yn ei herbyn. Mater o ddewis amser fyddai hi, dyna i gyd. Doeddwn i ddim am godi ffrae yng nghartref ei rhieni a hwythau wedi bod mor garedig â gadael inni aros yno.

Roeddan ni yng nghartref y chwaer yn gynnar y bore trannoeth, a dyma Maria'n herio'i mam yn syth.

'Ga i fy nhlysau'n ôl, Mama? Mae Papa am i mi eu gwisgo pan fydda i'n gweld yr Arch-ddug.'

'Paid â bod yn wirion!' oedd yr ateb. 'Mi fydd pob

41

lleidar a phigwr pocedi o fewn can milltir yn Pisa heddiw. Mi fyddan nhw'n saff efo fi.'

Dechreuodd pawb gerdded mewn hwyliau da tuag at y *palazzo,* pawb, hynny yw, ond Maria a minnau. Gadawsom iddyn nhw fynd o'n blaenau wrth i Maria gicio'i sodlau'n bwdlyd.

'Paid â gwneud hynna,' dwrdiais. 'Mi fyddi di wedi difetha'r sodlau cochion.'

Roedd holl deulu'r hen sguthan yn dod gyda ni, a gallwn weld o'u hymddygiad tuag at eu cymdogion eu bod yn teimlo'n bwysig dros ben yn cael gwylio'r brenin a'r frenhines yn cyrraedd o'n safle oddi mewn i furiau'r *palazzo* tra byddai pawb arall allan yn y strydoedd. Cawsom fynediad i'r cwrt allanol heb drafferth, er bod gweddill y criw wedi cyrraedd ymhell o'n blaenau. Doedd hynny ddim yn syndod i mi mewn gwirionedd, gan fod dillad Maria mor grand â dillad unrhyw foneddiges. Wrth grwydro i mewn i chwilio am le da i wylio'r sioe, fe'n cyfarchwyd gan ŵr llond ei groen oedd yn sefyll ar esgynfaen.

'*Vieni, vieni ragazzina!*' galwodd ar Maria, gan amneidio arni i ymuno ag ef. Estynnodd ei law i'w helpu i ddringo'r tair gris, ond gadawodd i mi ymdrechu gorau medrwn fy hunan. Gallwn weld o'i ymddygiad ei fod yn credu mai morwyn Maria oeddwn i. Dyn canol oed ydoedd – gŵr cyfoethog, a barnu o'i wisg. Un o'r dynion hynny sydd wedi gwneud yn dda yn eu busnes, mae'n debyg, ond heb gefndir digon urddasol i gael gwahoddiad i'r dathlu o fewn y *palazzo.* Ond doeddwn i ddim yn dal dig yn ei erbyn am f'anwybyddu oherwydd roeddan ni wedi cael un o'r safleoedd gorau yn y cwrt i weld y cyfan. Buom yn disgwyl am yn agos i awr, ond doedd hynny ddim yn boen arnom, gan fod pawb mewn hwyliau da, gan gynnwys Maria erbyn hyn, a'r dyn cyfoethog yn ein cadw'n ddiddan gyda'i straeon digrif am nifer o'r wynebau yn y dorf. Roedd yn adnabod pawb, ac yn gwybod eu busnes i gyd, decini!

Pan redodd dau was mewn lifrai i'r cwrt, dechreuodd pawb floeddio a churo dwylo – roedd yr orymdaith ar fin cyrraedd. Deuai seiniau cerddoriaeth o'r balconi uwch ein pennau, er na allwn weld y cerddorion. Roedd Maria'n sboncio yn ei hunfan wrth i'r milwyr fartsio i'r golwg, a'r tu ôl iddyn nhw daeth y goets. Am grandrwydd! Tynnid y goets gan chwe cheffyl claerwyn, eu pennau ar osgo uchel, pob bwcl ar eu ffrwynau'n disgleirio fel aur a phlu estrys o liwiau coch, gwyn ac aur yn chwifio ar eu pennau. Roedd hi'n goets agored fel y gallai pawb weld y teithwyr a'u croesawu, ac wedi'i pheintio'n lliw glas dwfn a blodau'r lili mewn aur yn addurn ar y drysau. Ar ei chefn fe chwifiai baneri'r ddwy wlad: Twsgani, a Brenhiniaeth Napoli a Sisili. Eisteddai ein Harch-ddug ni, Leopold, a'i wraig, yr Archdduges Maria Louisa, a'u cefnau at y ceffylau, a'r Brenin Ferdinand gyda'r Frenhines Maria Carolina yn y sedd gyferbyn. Chefais i erioed olwg agosach ar ein tywysogion nag a gefais y diwrnod hwnnw, a'r ceffylau'n cael eu hatal o fewn llathenni i ni.

"Tydyn nhw'n debyg i'w gilydd, Ziannamaria?' gwaeddodd Maria yn fy nghlust uwchben bonllefau'r dorf, ond cyn i mi allu ateb, aeth y dyn cyfoethog ati i egluro.

'Maen nhw i gyd yn perthyn,' meddai. 'Mae'r Arch-ddug a'r Frenhines Maria Carolina yn frawd a chwaer, ac mae'r Brenin a'r Archdduges hefyd yn frawd a chwaer.' Roedd y dyn wedi troi ei wyneb oddi wrthym ar ôl gwneud ei sylw, ond yn ddisymwth edrychodd eilwaith ar wyneb Maria a chraffu arni. 'Mae gen tithau'r un edrychiad, myn cebyst i! Rhyfedd, yntê? Wyt tithau'n perthyn?'

Chwarddodd Maria'n hapus, ond roedd ei eiriau fel

petaent wedi rhwygo llen o'm meddwl. Edrychais ar y pedwar brenhinol yn fwy manwl. Roedd gan bob un ohonynt wyneb main, gwelw, gyda thalcen uchel a gwefusau culion. Wynebau oeraidd, ffroenuchel, meddyliais, yn arbennig y Brenin Ferdinand. Roedd ganddo amrannau trwm, trwchus oedd yn cuddio hanner ei lygaid, ei berwig cyn wynned â'i glos pen-glin, ei esgidiau uchel fel drychau, cymaint oedd y sglein arnynt, a'i gôt o felfed du ag ymyl o sidan sgarled. Wrth ddod allan o'r goets, gallwn weld bod ganddo gleddyf crand ar ei ochr chwith ac fe gariai ffon fain yn ei law dde. Roedd o'n codi ofn arna i!

Wnaeth o ddim cyboli i edrych ar y dyrfa o gwbl, ond roedd yr Arch-ddug Leopold yn fwy ymwybodol ohonom, a phawb yn bloeddio 'Viva Léopoldo!' nerth eu pennau. Edrychodd o'i gwmpas ar yr holl wynebau yn y cwrt â gwên fechan yn chwarae o gwmpas ei enau. Trodd i edrych i'n cyfeiriad ni, ac fe ddigwyddodd yr eilbeth rhyfedd iawn y diwrnod hwnnw. Gallwn daeru hyd at heddiw ei fod wedi sylwi ar Maria, ac wedi syllu arni am rai eiliadau cyn edrych i ffwrdd yn gyflym. Ond efallai mai rhyw ffansi bach gwirion gennyf i oedd y syniad, oherwydd nid oedd y gŵr bonheddig wrth ein hochr fel petai wedi sylwi. Yn sicr, doedd Maria ddim yn ymwybodol ei fod wedi syllu arni.

'O, 'drychwch ar eu dillad!' meddai, yn llawn cynnwrf. Roedd ei sylw hi wedi ei hoelio ar wisgoedd y Frenhines a'r Archdduges, ac roeddan nhw'n ddigon i ryfeddu atynt, un mewn sidan o liw glasfaen gyda les a rubanau lliw hufen, a'r llall mewn gwisg las golau gyda rhesi o les gwyn yn disgyn yn gawodydd o lewys ei gwisg. Roeddwn yn falch o weld bod y ffasiwn mewn trin gwalltiau wedi newid hefyd, a lliw naturiol y pen yn cael ei adael heb ei orchuddio gan na phowdwr na pherwig. Gwisgai'r ddwy eu gwalltiau wedi eu pentyrru'n uchel, ac roedd gan yr

44

Archdduges gapyn bychan o les ar ei chorun, fel sy'n gweddu i wraig mewn oed, tra gwisgai'r Frenhines flodau bychain o'r un defnydd â'i gwisg yn ei gwallt cringoch.

Wedi i'r orymdaith fynd i mewn i'r palas, a'r ceffylau'n cael eu tywys yn ôl i'w stablau, dechreuodd y dorf wasgaru, ond doedd dim rhyddid i'w gael oddi wrth y dyn cyfoethog. Cydgerddodd â ni allan o'r cwrt ac i lawr y stryd tuag at yr afon, gan gyflwyno gwers wleidyddol oedd yn ymddangos o ddiddordeb mawr i Maria, er nad oedd gen i fawr o awydd gwrando.

'Dach chi'n gweld,' eglurodd, 'mae teulu'r bobol welson ni heddiw'n perthyn i bron bob teulu brenhinol drwy Ewrop gyfan. Roedd mam yr Arch-ddug, yr Ymerodres Maria Theresa, yn ddigon hirben i sicrhau bod ei phlant wedi priodi'n ofalus. Dyna i chi'r Brenin Ferdinand rŵan: rhyw ddiwrnod mi fydd o'n frenin Sbaen, wedi i'w dad o farw, felly bydd ei merch yn frenhines Sbaen. Wedyn mae ei merch arall, Marie Antoinette, eisoes yn frenhines ar Ffrainc enfawr. Eu brawd Joseph yw ymerawdwr yr Ymerodraeth Rufeinig Gysegredig, ac o be dwi'n ei ddeall, mae'n bosib iawn y bydd Leopoldo yn olynydd iddo gan nad oes gan Joseph blant.' Plygodd ymlaen i siarad yn gyfrinachol yng nghlust Maria. 'Ac maen nhw'n deud nad ydi'r hen Leopoldo fawr o eisiau bod yn ymerawdwr ac o dan fawd ei fam fel mae Joseph! Mae'n well ganddo fo aros yma yn Twsgani a chael gwneud fel y myn â ni. Nid bod gen i unrhyw wrthwynebiad, cofiwch. Ddim o bell ffordd.'

'Pam felly, syr?' holodd Maria. Mi faswn i wedi gallu ei thagu. Roedd y dyn yn rhy siaradus, yn rhy hoff o rannu o'i wybodaeth fel roedd hi, heb gael ei borthi fel hyn. Ond roedd y dyn yn amlwg wedi ei blesio gan ei diddordeb.

'Wel, dach chi'n gweld,' ailddechreuodd, 'mae o wedi gwneud cymaint o les i'n gwlad fach ni. Mae wedi sefydlu ysbytai, ysgolion a gwell amodau byw i'r bobol gyffredin, ac mae 'na sôn,' unwaith eto plygodd yn agos at glust Maria, 'mae 'na sôn,' ailadroddodd ei eiriau gyda phwyslais, 'ei fod yn mynd i ddiddymu'r gosb eithaf!'

'Be?' meddwn innau ar fy ngwaethaf. Roedd hyn wedi tynnu fy sylw innau. 'Gadael i lofruddwyr ac ati fyw? Pam?'

'Ar fy ngwir i chi,' atebodd y dyn, gan nodio'i ben yn brudd. 'Eisiau i'r wlad fod yn *oleuedig* mae o, meddan nhw.' Rhoddodd bwyslais sarhaus ar y gair 'goleuedig'. 'Beth petai person dieuog wedi ei gamgyhuddo, a'r gwirionedd yn dod i'r amlwg yn ddiweddarach? Allwch chi ddim rhoi ei fywyd yn ôl i neb, allwch chi?'

Roeddwn wedi cynhyrfu o glywed y newyddion hyn. Dim ond un peth arall roeddwn i am ei wybod, felly dyma fi'n gofyn i'r dyn, 'Pa bryd fydd hyn yn digwydd? Meddwl am y peth maen nhw, ia?'

'Wel, 'chydig mwy na hynny, meddan nhw. Mae gen i ffrind sy'n gwybod y pethau 'ma. Dwi'n meddwl ei fod o wedi sôn y bydd y peth yn ddeddf erbyn y flwyddyn nesa.'

Y flwyddyn nesa! Beth fyddai hyn yn ei olygu i mi, tybed? Roeddwn wedi llwyddo i gladdu'r digwyddiad hwnnw yn ddwfn yn fy meddwl, oherwydd roedd lladd Pietro Baldacci yn ddibwys yn fy meddwl o'i gymharu â'r pechod anfaddeuol a gyflawnwyd gennyf yn gynharach y noson honno, y pechod oedd yn gymaint trymach baich ar fy enaid na marwolaeth Pietro. Daeth y dyn hwn â'r cyfan yn fyw yn ei ôl. Ond ai drwg ynteu da oedd hynny?

Clywais rywun yn galw fy enw, a gwelais frawd yng nghyfraith yr hen sguthan yn prysuro tuag atom, a'i wynt yn ei ddwrn.

'Ble dach chi 'di bod?' holodd. 'Mae Vincenza'n mynd o'i cho yn disgwyl amdanoch chi! Brysiwch!'

Wedi dweud ffarwél wrth y dyn cyfoethog, roedd yn rhaid i ni frasgamu i wynebu ein tynged: ffrae arall gan yr hen sguthan. Roedd ei hwyneb yn fflamgoch o ddicter pan gyrhaeddon ni dŷ ei mam, ond ceisiodd ei gorau i ffrwyno'i thymer o flaen y bobl ddieithr oedd yn eistedd yn yr ystafell. Deallais ei bod wedi gwahodd rhai o'i hen ffrindiau a'i chymdogion i gael te efo ni i ddathlu ymweliad y Brenin, a'u bod i gyd yn disgwyl amdanom i gael dechrau bwyta. Roeddwn i'n ddiolchgar fod y bobl hynny yno, neu mi fuasai wedi ymosod arnon ni fel y byddai'n arfer ei wneud. Wedi i'r bwyd gael ei glirio, cyhoeddodd yr hen sguthan fod Maria yn mynd i ganu i'w gwesteion, a'i bod wedi cael gafael ar offeryn *pianoforte* ar gyfer yr achlysur. Roedd hyn yn newyddion i Maria a minnau. Yn anffodus, dewisodd Maria yr eiliad honno i fod yn wrthryfelgar.

'Rhaid i mi gael fy wats, fy modrwy a 'mreichled yn ôl cyn y gwna i ganu,' atebodd yn herfeiddiol.

Disgynnodd distawrwydd anghyfforddus dros y cwmni, ac fe gododd – na, fe chwyddodd – yr hen sguthan ar ei thraed, ei hwyneb wedi gwelwi'n sydyn. Aeth fy llaw yn reddfol i chwilio am y rosari yn fy mhoced, a dechreuais adrodd fy mhader dan fy ngwynt.

'Rwyt ti'n mynd i ganu RŴAN!' mynnodd.

'Na.'

Prin y gallai Vincenza goelio'r hyn roedd yn ei glywed, ac roeddwn innau'n gweddïo y byddai Maria'n tawelu ac yn ufuddhau. Er bod rhan helaeth ohonof yn ei hedmygu am ei dewrder, roedd profiad yn dweud wrthyf nad dyma'r lle i wneud safiad. Gallwn weld bod ei mam yn gwneud ymdrech i'w rheoli ei hun.

'Paid ti â meiddio siarad fel yna efo fi eto,' bygythiodd, ac roedd y llais tawel a ddaeth o'i genau yn llawer mwy dychrynllyd na'r bloeddio arferol. Roedd yn ddigon i godi arswyd arnaf. 'Dechreua ganu.' Ceisiodd symud cyhyrau ei hwyneb i wneud siap gwên, ond heb lwyddo. Roedd ei llais yn hollol ffals wrth iddi ychwanegu, 'Er mwyn i'n ffrindiau gael mwynhau dy lais hyfryd.'

Gwelais gefn Maria'n sythu, ac edrychodd i fyw llygaid ei mam, a'r funud honno gallwn weld y tebygrwydd rhyfeddol rhyngddi hi a'r teulu brenhinol a welsom yn gynharach. Bu'n fud am rai eiliadau, a gweddïais innau'n daer. Gwyddwn ym mêr fy esgyrn fod gwaeth i ddod. Edrychodd Maria o amgylch y cwmni disgwylgar cyn herio ei mam unwaith eto a dweud, 'Bara beunyddiol! Dyna'r cyfan sydd ei angen ar y rhain!' Amneidiodd â'i braich at y cwmni. Trodd ar ei sawdl i adael yr ystafell ond cyn iddi gyrraedd y drws roedd ei mam ar ei hôl.

'*Batarda!*' sgrechiodd, wedi llwyr anghofio'i chynull-eidfa gegrwth.

Sylweddolodd Maria beth oedd ar fin digwydd, a rhuthrodd allan, a'i mam yn dynn ar ei sodlau, i geisio dihangfa yn ei hystafell wely. Heb wybod beth i'w ddweud wrth y gwesteion syfrdan, rhedais innau oddi yno.

Roedd llais yr hen sguthan yn bygwth a rhegi ei merch i'w glywed drwy'r tŷ, os nad drwy'r stryd a'r strydoedd cyfagos, a sgrechiadau Maria fel rhyw adlais tor-calonnus, ac wrth ddringo'r grisiau gallwn glywed twrw dyrnau'n taro yn erbyn cnawd, hyd yn oed drwy'r drws caeedig. Trodd sgrechiadau Maria'n gnewian diobaith, a dychrynais am fy mywyd. Beth oedd yr hen sguthan yn ei wneud iddi? Rhuthrais am y drws a'i agor, a gweld yr ast yn dyrnu Maria ar ei thrwyn a'r druan fach yn syrthio'n anymwybodol i'r llawr. Neidiais ar gefn yr hen sguthan heb oedi, a'i llusgo o gyrraedd corff Maria rhag iddi ei lladd. Efallai fod ei thymer wyllt wedi dychryn hyd yn oed Vincenza ei hunan, oherwydd ymdawelodd ddigon i mi allu ei gwthio o'r ystafell a chau'r drws yn glep ar ei hôl.

Diolch i'r drefn, nid arhosodd Maria mewn llewyg am fwy na munud neu ddau. Wrth i mi geisio'i chodi ar y gwely, agorodd ei llygaid a griddfanodd mewn poen.

Roedd y marciau coch lle cawsai ei churo yn dod yn fwyfwy amlwg, ac ofnwn y byddai cleisiau wedi ymddangos erbyn y bore. Cymerais glwt a'i drochi yn nŵr y stên ymolchi i lanhau'r gwaed o'i thrwyn, ac wrth i mi ei wasgu yn erbyn ei ffroenau, peidiodd y gwaedlif yn weddol sydyn.

Treuliais weddill y noson yn ymgeleddu Maria, yn golchi ei briwiau a cheisio'i chysuro, ac wedi llwyr anghofio am y meddyliau a ddaethai i'm pen wrth weld yr Arch-ddug a'i deulu yn gynharach yn y dydd. Roedd Maria wedi dychryn am ei bywyd, fel roeddwn innau. Doeddwn i erioed wedi gweld Vincenza'n colli rheolaeth yn llwyr arni ei hun fel hyn ac yn ymddwyn mor dreisgar. Beth fyddai'n digwydd nesaf? Doeddan ni ddim am fentro gwrthdaro â'i mam eto, felly fe arhosodd Maria a minnau yn y tŷ am weddill ein harhosiad yn Pisa. A dweud y gwir, roedd y druan fach wedi gwanhau drwyddi, ac roeddwn yn pryderu na allai wynebu'r siwrnai yn ôl i Firenze. O leiaf roedd gan yr hen sguthan ddigon o ras i gadw o'n golwg.

Pan ddaethom wyneb yn wyneb â hi wrth fynd ar fwrdd y llong ddeuddydd yn ddiweddarach, roedd yn ymddwyn fel pe na bai dim wedi digwydd rhyngddi hi a'i merch. Roedd ei chyfarchiad yr un mor surbwch – ond tawel – ag erioed, a throdd i ddiflannu unwaith eto i grombil y llong gydag Antonio, Guiseppe a'r babi. Gafaelais yn ei braich i'w rhwystro, ac roedd ei syndod o gael ei thrin fel hyn yn ddigon i gau ei cheg am eiliad a rhoi cyfle i mi gael dweud yr hyn a fwriadwn.

'Vincenza Diligenti,' meddwn yn dawel ond yn gadarn. Roeddwn wedi troi'r geiriau drosodd yn fy meddwl sawl gwaith yn ystod y ddeuddydd blaenorol. 'Mae'n hen bryd i ti ymddwyn yn fwy mamol tuag at dy ferch. Mi allet ti fod wedi ei lladd hi'r diwrnod o'r blaen! Beth fyddai Lorenzo'n ei ddweud?'

Syllodd arnaf yn fud am funud, a gwelais ei llygaid yn culhau; yna, gyda symudiad sydyn ysgydwodd ei hun yn rhydd o 'ngafael.

'Chafodd hi ddim ond ei haeddiant,' atebodd heb unrhyw arwydd o edifeirwch. Camodd yn araf tuag ataf, a gallwn daeru i mi weld ei gwrychyn yn codi fel un rhyw hen ast fawr hyll, ond daliais fy nhir heb dynnu fy llygaid oddi ar ei hwyneb. 'A phaid ti byth, *byth* â meiddio gafael yna'i fel'na eto, ti'n deall?'

'Oes gen ti ddim cywilydd ohonot dy hun?' mentrais ymlaen. 'A beth am dlysau'r ferch? Ei wats? Ble maen nhw? Mae Maria eisiau nhw'n ôl!'

'Wel chaiff hi ddim! Mae hi wedi colli pob hawl arnyn nhw.'

'Does gen tithau ddim hawl i'w cadw nhw chwaith!' gwylltiais. 'I Maria y prynodd fy mrawd y pethau yna, nid i ti. Rho nhw'n ôl iddi hi rŵan!'

'Hy! Pwy wyt *ti* i ddeud wrtha i be i'w neud?' oedd ei hymateb sbeitlyd.

'Mi fydd yn rhaid i mi ddeud y cyfan wrth Lorenzo felly, yn bydd? Beth ddeudith o, tybed!' Gallwn weld bod fy ngeiriau wedi sobri ychydig arni. Gwyddai gystal â minnau – os nad yn well – am dymer wyllt fy mrawd annwyl. Adar o'r unlliw oedd y ddau ohonyn nhw yn y cyswllt yna. Manteisiais ar ei heiliad o wendid i daro'r hoel i'r pren. 'Wyt ti'n meddwl y byddai'n hoffi clywed sibrydion fod ei wraig yn lleidr? Wyt ti'n meddwl dy fod ti uwchlaw'r gyfraith oherwydd dy fod yn wraig i blismon?'

Rhywsut neu'i gilydd, roeddwn i wedi dweud y peth anghywir. Yn hytrach nag ildio mewn cywilydd, roedd yr hen sguthan fel petai wedi adennill ei hyder, a dechreuodd wrthymosod. Taflodd ei phen yn ôl.

'Maria roddodd y pethau i mi, yntê Maria?' meddai, a'i llais yn llawn malais. Gwenodd yn fygythiol ar ei merch, ac o gil fy llygaid gallwn weld y fechan yn cysgodi'r tu ôl i mi mewn ofn.

'Celwydd noeth!' meddwn innau, ond cyn i mi allu dweud rhagor, tynnodd y gwynt yn llwyr o'm hwyliau.

'Gofyn i mi eu rhoi yn anrheg i'r Forwyn Fair, yntê Maria? Felly dyma fi'n eu rhoi yn rhodd i'r eglwys gadeiriol yn Pisa.' Gwenodd yn fuddugoliaethus arnaf. 'Dyna pam na alla i eu rhoi nhw'n ôl iddi, siŵr iawn. Mi ddylet ti gymeradwyo rhoi anrhegion i'r eglwys, a thithau mor grefyddol! Teimlo'n biwis am fy mod i wedi gallu rhoi mwy i'r eglwys na thi, wyt ti?' ychwanegodd, yn amlwg yn mwynhau ei chlyfrwch ei hun a'm hanniddigrwydd innau. 'Hy! Hen ferch grebachlyd fuost ti 'rioed a dyna be fyddi di byth.' Trodd ar ei sawdl gan alw'r bechgyn ar ei hôl. Rhoddodd Antonio gic i Maria wrth gerdded heibio, a chwarddodd ei fam i'w gymeradwyo.

Doedd dim amdani ond ceisio gwneud Maria'n gyfforddus ar fwrdd y llong. Roedd dagrau mud yn rhowlio i lawr ei gruddiau, ac wedi i ni eistedd am sbel mewn distawrwydd, gofynnodd i mi, 'Pam mae Mama'n fy nghasáu i gymaint?'

Pam yn wir? Doedd gen i ddim ateb i'w gynnig, er i gnewyllyn bach o syniad lechu yng nghefn fy meddwl, syniad a wrthodai ddod i'r amlwg. Bu cyfnod maith rhwng yr adeg pan adewais ein cartref i briodi a'r amser y gadewais fy ngŵr i ddod i Firenze at fy mrawd, ac yn ystod y cyfnod yna ni welswn Lorenzo o gwbl. Priododd, a symud i Modigliana lle ganed Maria, ac yna ddau fab arall, heb i mi wybod dim o'i hanes, a heb wybod dim am ei wraig na'i deulu. Pan symudais i Firenze, a chlywed hanes y teulu, meddyliwn ar y dechrau mai'r gofid o golli ei dau fab hynaf o'r frech wen ychydig ddyddiau wedi iddynt gyrraedd Firenze, a Maria ei hun yn holliach, oedd wedi troi meddwl Vincenze yn erbyn Maria. Ond wrth eistedd ar y llong, daeth syniad arall i'm meddwl. Tybed ai cenfigennus oedd y fam o'i merch? Cenfigennus o'i phrydferthwch i ddechrau, efallai, ac yna'n genfigennus o'r holl sylw a roddai ei gŵr i'r ferch, a'r anrhegion drudfawr a roddai iddi? Ceisiais egluro fy syniad i Maria, ac efallai fod fy ngeiriau wedi rhoi rhywfaint o gysur iddi.

Ymhen hir a hwyr, mewn ymdrech i godi ei chalon ymhellach, penderfynais ddweud wrthi am fy syniad herfeiddiol – ond nid y rheswm y tu ôl iddo, wrth gwrs.

'Wyddost ti beth ddwedodd dy fam, ei bod hi wedi rhoi mwy i'r eglwys nag y gallwn i byth?' dechreuais, a nodiodd hithau ei phen. 'Wel, doedd hi ddim yn iawn. A dweud y gwir, roedd hi'n bell ohoni!' Chwarddais yn ysgafn, a daeth gwên fach ansicr i'w gwefusau. 'Gwranda ar yr hyn sydd gen i mewn golwg . . .' ac amlinellais sut yr oeddwn am chwilio am arlunydd i lunio darlun eglwysig o ferthyrdod un o'r seintiau er mwyn gallu ei gyflwyno i'r Brawd Fabian yn Santa Maria Novella. 'A wyddost ti beth?' meddwn wedyn. 'Rydw i am i'r arlunydd ddefnyddio dy wyneb di fel model.'

Roedd y beth fach wedi gwirioni'i phen! Buom yn trafod am amser maith pa fath o ddarlun yr hoffem ei gael, ond roedd hi hefyd yn ddigon craff i weld y gwendid yn fy nghynllun.

'Sut ydach chi am dalu am y llun, Ziannamaria?'

'Mi gymrith gryn amser i mi hel yr arian, mae'n siŵr, *cara mia,*' ochneidiais, 'ond rydw i'n sicr y bydd Duw gyda ni. Mi ddangosith Ef y ffordd i ni rywsut.'

'Ziannamaria, mae gen i syniad!' Roedd wedi cynhyrfu drwyddi. Eisteddodd i fyny, a phob arwydd o'i gwendid wedi diflannu. 'Os ydi Mama'n gallu cymryd fy anrhegion i'w rhoi i'r eglwys, yna fe alla i wneud yr un peth! Mi alla i guddio rhai anrhegion rhag Papa a'u rhoi i chi, ac yna fe gawn ni ddigon o arian mewn chwinciad!'

Doeddwn i ddim yn hoffi'r syniad o gelu pethau oddi

wrth fy mrawd; dwyn oddi arno, mwy neu lai, yn union fel ei wraig. Byddai'r ddwy ohonom yn disgyn yn is na'r hen sguthan wedyn. Ond ar y llaw arall . . .

'Gawn ni weld,' meddwn gan wenu.

Bore trannoeth, wedi noson arall yn Santa Croce, roedd golwg ddigon gwantan ar Maria eto. Roeddwn yn bryderus yn ei chylch, felly fe ofalais ei bod yn gyfforddus ar y fainc a mynd yn ôl i'r lan cyn i'r llong hwylio. Roeddwn wedi sylwi ar stondin yn gwerthu croen oren candi mewn siocled, ffefryn Maria, a rhedais yno i brynu pecyn o'r losin iddi, yn y gobaith o godi ei chalon. Pan gyrhaeddais yn ôl ar y llong, roedd Maria'n sgwrsio â gŵr ifanc hynod o olygus. Wrth fy ngweld i'n agosáu, torrodd gwên enfawr ar draws ei hwyneb.

'Mae Duw wedi ateb ein gweddïau, Ziannamaria! Dyma Roberto, ac mae o'n arlunydd.'

Roedd y cysgodion yn ymestyn o gorneli'r ystafell i amgylchynu'r hen wraig a'r lleian wrth ei gwaith. Sythodd hithau ei chefn a rhwbio'i llygaid. Prin y gallai weld y papur o'i blaen, heb sôn am yr ysgrifen fân, ddestlus a orchuddiai'r pentwr o ddudalennau wrth ei phenelin. Roedd ei garddwrn ar dân a phenderfynodd ymweld â'r infirmarium *i gael eli gan y Chwaer Dorothea. Sylweddolodd toc fod y llais wedi tewi ers rhai munudau, a chododd o'i chadair i weld a oedd popeth yn iawn. Roedd llygaid yr hen wraig ar gau, a thybiodd Cecilia ei bod wedi syrthio i gysgu. Yn sicr roedd ei hwyneb yn welwach nag ydoedd rai dyddiau ynghynt, pryd y dechreuwyd ar y gwaith o gofnodi ei hanes, a'r rhychau o boen yn ymddangos yn ddyfnach. Byddai'n rhaid iddi gael gair gyda'r Uchel Fam. Trodd i dacluso'r bwrdd ar gyfer y bore.*

'Wedi blino, cara mia*?'*

Dychrynwyd hi gan floesgni llais yr hen wraig. Edrychodd

dros ei hysgwydd ar y gwely, a gwelodd ddau lygad blinedig a chlwyfus yn syllu arni.

'Beth am roi'r gorau iddi tan y bore,' cynigiodd. 'Rydym ein dwy wedi ymlâdd.'

Ni wrthwynebodd yr hen wraig.

V

Rhwbiodd Roberto'r cwsg o'i lygaid wrth gamu allan o'r gwesty digysur, y gorau y gallai ei fforddio wedi iddo wario mwy nag a ddylsai yn y dafarn y noson cynt. Roedd yn argoeli'n dda am ddiwrnod braf arall, y gwanwyn wedi cyrraedd gyda'i addewidion fyrdd. Dechrau newydd, yn ategu'r dechrau newydd yn ei fywyd yntau. Un diwrnod arall, ac fe fyddai yn Firenze! Cerddodd yn galonnog tuag at yr afon a'r cei. Cariai ei holl eiddo ar ei gefn, ac roedd y baich yn un ysgafn. Gwelodd ffynnon o ddŵr croyw ar ei ffordd, ac arhosodd i yfed yn ddwfn ohoni. Agorodd ei sgrepan a thynnu'r unig fwyd oedd ganddo ar ôl o'r hyn roedd ei fam wedi ei roi iddo ar gyfer ei siwrnai: talpyn o fara sych. Daliodd y bara dan y dŵr am eiliad neu ddwy i'w feddalu, yna dechreuodd ei gnoi wrth ailgychwyn am y cei.

Cafodd fraw o weld bod nifer dda o'r teithwyr eisoes ar y llong, ac ofnai ei fod yn hwyr, ond yna gwelodd wraig fach ganol oed yn ei gadael ac yn anelu am un o'r stondinau bwyd ar y cei oedd yn gwneud busnes da drwy gynnig amrywiaeth o fwydydd i'r teithwyr ar gyfer eu siwrnai hir. Daeth i'r casgliad, felly, nad oedd gormod o frys wedi'r cyfan.

Wrth gamu ar ei bwrdd, sylwodd ar ferch ifanc yn lledorwedd ar un o'r meinciau yn erbyn ochrau'r llong, a bachgen tua deg oed yn sefyll wrth ei hymyl. Roedd y ddau'n amlwg yn ffraeo â'i gilydd, a phobl yn dechrau

55

syllu arnyn nhw wrth i'w lleisiau godi. Yn ddisymwth, rhuthrodd y bachgen ymlaen a rhoi cic hegar i'r ferch yn ei phen-glin, gan wneud iddi sgrechian mewn poen. Heb aros i feddwl, brasgamodd Roberto ato a rhoi clustan iddo nes i'r bachgen droi mewn syndod a braw a syllu'n gegrwth ar ei ymosodwr. Yna dechreuodd grio. Rhedodd tuag at y grisiau a arweiniai i lawr i grombil y llong gan sgrechian am ei fam.

Cynigiodd Roberto ei hances boced lân i'r ferch i sychu ei dagrau, a diolchodd hithau iddo yn addfwyn iawn. Dechreuodd gerdded i ffwrdd i chwilio am rywle i eistedd, ond galwodd y ferch arno i aros gyda hi rhag ofn i'w mam ddod i fyny a'i chosbi am fod Antonio yn crio.

'Eich brawd oedd hwnna?' holodd Roberto mewn syndod. Nid oedd wedi sylwi ar unrhyw debygrwydd rhwng y ddau blentyn. Ni fuasai wedi ymyrryd pe bai wedi amau mai ffrae deuluol oedd hi.

'Ia, syr. Hoffech chi eistedd fan hyn?'

Derbyniodd ei gwahoddiad gyda gwên. Roedd yn beth fach dlos dros ben, â'i llygaid gleision a'i gwallt lliw castan. Yr unig frycheuyn ar ei phrydferthwch oedd ei thrwyn, a oedd yn rhy rufeinig ei siâp i gyd-fynd â'r ddelwedd glasurol o brydferthwch. Dechreuodd ddyfalu sut y buasai'n ail-greu lliw ei chroen, pa liwiau i'w cymysgu â'i gilydd i gael yr union liw hufen meddal yna, ac wedyn ei gruddiau mewn lliw fymryn yn gynhesach. Ni chysylltodd ei feddwl liw gwelw ei gruddiau â chyflwr ei hiechyd, fodd bynnag. Ond yna sylwodd ar y düwch o dan ei llygaid: un ai nid oedd wedi cysgu'n dda, neu roedd yn wael ei hiechyd.

'Beth sy'n bod, syr? Oes baw neu rywbeth ar fy wyneb?'

Teimlodd yn euog wrth sylweddoli ei fod wedi bod yn anghwrtais, ac wedi syllu ar y ferch fach yn hirach nag oedd yn dderbyniol.

'Maddeuwch i mi!' ymddiheurodd gyda gwên. 'Artist ydw i, ac roeddwn i'n astudio lliw eich croen!'

Daeth hyn â gwrid deniadol i'w gruddiau, gan roi iddynt y lliw oedd ar goll ynghynt. Teimlodd reidrwydd i ddweud rhagor, i gynnal tipyn o sgwrs.

'Gan nad oes neb yma i'n cyflwyno yn y dull arferol, gadewch i mi gyflwyno fy hun: Roberto Rinaldi. Arlunydd ar ei ffordd i Firenze i ddechrau bywyd newydd!'

'Maria Stella Petronilla Chiappini,' meddai'r ferch yn ei thro. 'Cantores, ar ei ffordd adref o Pisa i Firenze.'

Chwarddodd ar ei hefelychiad plentynnaidd o ffurfioldeb oedolion. Tybiodd fod hon yn dipyn o gymeriad. Cofiodd yn sydyn am y fam a ofnai mor amlwg, a throdd ei ben i edrych at y grisiau. Doedd neb yno, diolch i'r drefn. Nid oedd am gael ei gyhuddo gan fam ddicllon o fod wedi ymosod ar ei phlentyn. Roedd y ferch, Maria Stella, wedi sylwi ei fod wedi edrych draw i'r cyfeiriad hwnnw.

'Ddaw hi ddim bellach,' meddai gyda boddhad. 'Mi gaiff Ziannamaria a minnau lonydd rŵan.' Daeth golwg bryderus i'w hwyneb. 'Ond ble mae Ziannamaria? Mi fydd y llong yn cychwyn unrhyw funud! Allwn ni ddim o'i gadael ar ôl.'

Roedd lefel ei llais wedi codi mewn pryder. Cododd Roberto i edrych dros y canllaw ar y cei, a gwelodd y wraig fach ganol oed yr oedd wedi sylwi arni ynghynt yn prysuro at y llong, a phecyn yn ei llaw. Cododd un o'r morwyr hi'n ddiseremoni a'i gosod yn ddiogel ar fwrdd y llong wrth i ddynion eraill ddatod y rhaffau a gadwai'r llong wrth y cei. Roedd y siwrnai wedi dechrau.

'Ziannamaria!' galwodd y ferch. 'Fan hyn! Dowch yma!'

Gwelodd wraig yn croesi atynt, ac er ei bod yn gwenu, edrychai'n bryderus.

'Ziannamaria,' meddai'r ferch drachefn. 'Mae Duw

wedi ateb ein gweddïau, Ziannamaria! Dyma Roberto, ac mae o'n arlunydd!'

Edrychodd y wraig arno yn llawn chwilfrydedd. Rhoddodd y pecyn a gariai i'r ferch heb dynnu ei llygaid oddi ar Roberto.

'Arlunydd, ddwedsoch chi?' Roedd yn rhy brysur yn ei astudio i sylwi bod y ferch yn ceisio diolch iddi am y losin – sylwodd Roberto fod y pecyn yn llawn o ddarnau siocled a chroen oren ynddo.

'Ia,' atebodd. 'Wel, hynny ydi, mi *fydda* i'n arlunydd yn y man. Mynd i Firenze i gario 'mlaen gyda 'mhrentisiaeth ydw i.'

'Cario 'mlaen?' meddai'r wraig mewn syndod.

Eglurodd wrth y ddwy ei fod wedi ei brentisio'n wreiddiol i arlunydd yn Lucca, lle roedd gan ei rieni argraffdy a'u busnes eu hunain. Ond roedd yr arlunydd wedi dioddef gwaeledd difrifol yn ddiweddar, a bu'n rhaid iddo roi'r gorau i'w fusnes. Bu'n ddigon caredig, fodd bynnag, i drefnu lle i bob un o'i brentisiaid gydag arlunwyr eraill, heb iddynt golli'r blynyddoedd o brentisiaeth a dreuliasent gydag ef.

'Rydw i wedi bod yn ddigon ffodus i gael lle gyda'r Meistr-arlunydd Benedetto yn Firenze,' ychwanegodd.

'O,' meddai'r wraig, yn llawn edmygedd, 'y Benedetto sy'n byw yn Via dello Studio, dach chi'n feddwl?'

'Ia,' atebodd Roberto. 'Ydach chi'n ei adnabod o?'

'Dim ond gwybod amdano,' meddai hithau, a sylwodd fod mymryn o liw wedi codi i'w hwyneb, fel petai'n swil.

Erbyn hyn roedd y wraig wedi eistedd wrth ochr y ferch, a gwahoddodd Roberto i eistedd gyda nhw. Edrychodd o'i gwmpas a gweld pentwr taclus o raffau wedi eu clymu'n fwndel. Llusgodd y bwndel at y fainc ac eistedd arno. Yna, aeth y ferch fach ati i gyflwyno'r ddau i'w gilydd yn ffurfiol. Deallodd Roberto ei fod yn siarad â

Signora Anna Maria Chiappini, modryb y ferch fach a'i gwarchodwraig. Ond roedd ei hadnabyddiaeth o'r arlunydd Benedetto wedi ennyn ei ddiddordeb, ac roedd am wybod rhagor am y ddwy.

'Rydach chi'n ymddiddori mewn darluniau, felly?'

'O ydw wir. Does dim yn well gen i nag edmygu'r darluniau a'r murluniau yn eglwys Santa Maria Novella.'

'A beth am y Duomo? Fyddwch chi'n mynd yno hefyd? A'r Uffizi?'

Edrychodd y wraig braidd yn ddryslyd am eiliad cyn ateb.

'Na, dydw i ddim wedi bod yno eto. Does dim llawer ers i mi symud i Firenze o'r wlad.'

'Rhaid i chi wneud yr ymdrech. Rydw i'n siŵr y byddwch wrth eich bodd. Mae cynifer o weithiau'r hen feistri yno, maen nhw'n addysg ynddynt eu hunain: Giotto, da Vinci, Michelangelo, Raphael, Caravaggio, Tiziano, a'm ffefryn i, Botticelli.'

'Botticelli! Rydw i wedi gweld un o'i ddarluniau yn Santa Maria Novella!'

'*Y Doethion yn Addoli*?'

'Ia,' cytunodd y wraig. 'Dywedodd y Brawd Fabian – fy nghyffesydd yn Santa Maria Novella – fod yr arlunydd wedi rhoi portread ohono fo'i hun yn y darlun hwnnw.'

'A phortread o Cosimo de' Medici, ei fab Giovanni a'i ŵyr Giuliano.'

Edrychodd y wraig arno'n llawn edmygedd.

'Fe hoffwn i petawn i wedi cael addysg. Mae'r Brawd Fabian yn ceisio'i orau i 'nysgu, ond mae arna i ofn 'mod i'n cael trafferth ei ddilyn yn aml. Mae o'n sôn am gymaint o bethau technegol, ond yn y bobol mae fy niddordeb i.'

'Beth hoffech chi ei wybod, Signora? Mai Alessandro di Mariano di Vanni Filipepi oedd enw iawn Botticelli, ond

fod pawb yn ei adnabod fel *Il Botticello* – y gasgen fach –
a'i fod yntau ymhen amser wedi dod i ddefnyddio'r enw
Sandro Botticelli? Neu'r ffaith iddo fod yn un o ddilynwyr
Savonarola, ac iddo losgi ei waith ei hun o'r herwydd?'

'Pwy oedd Savonarola?' holodd y wraig yn ddiniwed.

Ni wyddai Roberto fawr amdano heblaw ei enw, a
dweud y gwir, ond nid oedd am gyfaddef hynny.

'Rhyw offeiriad yn Firenze erstalwm efo daliadau od.
Roedd llawer yn ei ddilyn ar un adeg, ond yna fe'i
cyhuddwyd o heresi, a'i losgi'n fyw.'

'Ych a fi!' meddai'r wraig, ond ni wyddai Roberto beth
y ffieiddiai ato: yr heresi ynteu'r llosgi'n fyw. Aeth yn ei
flaen.

'Ac yna mae'n ffaith fod ganddo ofn priodi – ei hunllef
waethaf fyddai hynny, meddai.' Nid oedd am ychwanegu
mai'r gred oedd fod Botticelli yn wrywgydiwr, fel y credid
yr oedd Michelangelo a da Vinci. Yn wir, ar adegau
byddai Roberto'n gwamalu gyda'i ffrindiau na allai fyth
fod yn arlunydd mawr gan ei fod mor hoff o ferched!

Datblygodd y sgwrs, a gwibiodd yr amser heibio wrth
iddo adrodd pob hanesyn a wyddai am yr hen arlunwyr,
yn ogystal â rhai a greodd ei hun. Gwrandawai'r wraig
yn eiddgar, er i'r ferch fach ddechrau hepian cysgu.
Diflannodd Lastra y tu ôl iddynt, a phan ddaeth yn
amser cinio, roedd yn ddiolchgar o gael rhannu bwyd y
ddwy. Roedd digon ohono i'w gael, gan mai prin yr
ymdrechodd y ferch i fwyta dim. Sylwodd ei bod yn
edrych yn fwy gwelw wrth i'r diwrnod fynd yn ei flaen.
Syrthiodd y ferch i gysgu, ei phen ar arffed ei modryb, ac
arhosodd fel hynny drwy gydol rhan olaf y siwrnai.
Manteisiodd yntau ar y cyfle i dynnu ei bapur a'i bensel
allan o'i sgrepan, a gofyn caniatâd y wraig i wneud
braslun neu ddau o'r ferch. Cytunodd hithau'n syth, yn
amlwg wedi ei phlesio.

Roedd yn ymwybodol o'i llygaid yn ei larpio wrth iddo

weithio, yn gwylio pob symudiad o'i law yn awchus, a'i thafod yn rhedeg dros ei gwefusau mewn symudiadau bach chwim, nerfus. A sylwodd drwy gil ei lygaid fod ei dwylo'n rhedeg yn ddiddiwedd ar hyd gleiniau ei rosari. Oni bai ei bod hi'n ei wylio mor ofalus, buasai wedi hoffi gwneud braslun ohoni hithau hefyd: braslun ar gyfer cymeriad mewn côr o bobl, efallai, i bortreadu – beth tybed? Roedd hi fel llygoden fach nerfus, yn fychan o gorff ac yn chwim ei symudiadau, ac eto roedd rhyw anwyldeb yn ei chylch, rhyw ddiniweidrwydd hoffus, ac roedd cariad y ddwy at ei gilydd yn amlwg i bawb. Ac yna dyna'i diddordeb yn yr arlunwyr a'u gwaith. Sawl gwraig gyffredin arall fyddai â'r un anian, yr un awch am gelfyddyd? Gyda'r meddyliau hyn yn troelli yn ei ben, daliodd ati i fraslunio nes y clywodd un o'r morwyr yn cyhoeddi y byddent yn cyrraedd Firenze ymhen ychydig funudau. Dechreuodd osod ei offer yn ôl yn ei sgrepan, a dyna pryd y gofynnodd y wraig ei chwestiwn tynged-fennol.

'Fasech chi'n hoffi gwneud darlun go iawn o Maria? Gan ddefnyddio paent olew?'

Syllodd arni mewn dryswch, ac ychwanegodd hithau, 'Mi faswn i'n talu, wrth gwrs.'

Syfrdanwyd Roberto gan ei chais. Neidiodd dwy broblem i'w feddwl yn syth. Onid oedd hi'n gwybod na chaiff prentis dderbyn gwaith ar ei liwt ei hun? Fod hynny'n torri amodau'r brentisiaeth? Yn ail, sut oedd gwraig fel hon yn mynd i'w dalu? Ac eto, edrychai'n wraig hollol ddidwyll. Weithiau byddai merched yn cuddio'u cyfoeth drwy wisgo'n gyffredin iawn. Efallai fod hon yn un o'r merched hynny: yn sicr roedd y ferch fach mewn dillad ac esgidiau drudfawr. Ond yn flaenaf yn ei feddwl yr oedd y sicrwydd y byddai comisiwn fel hwn, beth bynnag ei werth, o gymorth mawr iddo'n ariannol, os llwyddai i'w gadw'n gyfrinach oddi wrth ei feistr!

'Mi fyddai'n bleser gennyf, Signora,' atebodd, gan foesymgrymu a chroesi ei fysedd y tu ôl i'w gefn. 'Ond bydd yn rhaid i chi aros am ychydig. Rhaid i mi blesio Meistr Benedetto yn gyntaf.'

'Does dim brys,' atebodd hithau, gan roi pwniad ysgafn i'r ferch i'w deffro er mwyn gofyn iddi ysgrifennu eu cyfeiriad ar ddarn o bapur. Gwnaeth hithau hynny.

Wrth iddo ddechrau sylweddoli beth roedd newydd addo'i wneud, neidiodd oddi ar y llong tra oedd y morwyr yn dal i'w chlymu wrth y lan, heb ddisgwyl am y bompren. Trodd i chwifio'i fraich arnynt cyn bwrw i ganol prysurdeb afieithus y ddinas enwog.

Nid rhyw lencyn gwirion o'r wlad oedd o – rhywun nad oedd wedi gweld wynebau mwy na thri pherson ar y tro, ac eto roedd wedi ei gyfareddu gan y ddinas. Roedd Lucca yr un mor brysur, yr un mor hynafol, ond nid hanner mor gyfoethog. Roedd fel chwaer dlawd i'r brifddinas, a phob dim yn ei chylch yn eilradd a di-lun. Cerddodd i fyny o'r afon ar hyd arcedau'r Uffizi a heibio i'r Palazzo Vecchio, lle y gofynnodd i werthwr orenau sut i gyrraedd y Via dello Studio, a chael ei anfon yn syth yn ei flaen gyda'r cyngor i gadw'i lygad ar do crwn y Duomo. Os cyrhaeddai furiau'r Duomo, yna roedd wedi cerdded yn rhy bell.

Gwelodd arwydd yr arlunydd ryw hanner ffordd i lawr y Via dello Studio, ac arwydd llai oddi tano'n dweud bod y gweithdai yng nghefn yr adeilad. Cerddodd Roberto i'r cyfeiriad hwnnw, a chyflwyno'i hun i'r jermon o arlunydd oedd yn gyfrifol am y prentisiaid. Arweiniodd hwnnw ef at yr ystafell lle byddai'n cysgu, ynghyd â thri phrentis arall. Rhoddwyd amser iddo ymolchi a thwtio'i hun, yna byddai'r jermon, Sebastiani, yn ei gyflwyno i'r meistr.

Yn y man, roedd y ddau'n sefyll y tu allan i ddrws mawr derw oedd wedi ei gerfio â dail derw. Cnociodd

Sebastiani'r drws yn ysgafn, a chlywodd Roberto lais merch yn dweud wrthynt am fynd i mewn.

'Dydi'r meistr ddim yn ei ôl eto, Sebastiani,' meddai'r ferch brydferthaf a welsai Roberto erioed wrthyn nhw. 'Rhaid i chi ddod yn ôl fory.'

Trodd y ferch i edrych ar Roberto, gan ei lygadu o'i gorun i'w sawdl fel petai'n stalwyn yn y farchnad, neu'n darw a oedd i'w werthuso cyn gadael iddo redeg gyda'r heffrod. Gafaelodd Sebastiani yn ei fraich a'i dywys allan, gan gau'r drws ar eu holau. Wrth i'r ddau gerdded yn ôl tuag at y gweithdai, aeth merch arall heibio iddynt ac i mewn i'r ystafell, merch oedd yr un mor brydferth â'r llall, ond mewn ffordd wahanol. Tra oedd y gyntaf yn dywyll ei gwallt, ei llygaid a'i chroen, roedd hon mor olau ag angel. Ni allai Roberto dynnu ei lygaid oddi arni nes i Sebastiani roi proc iddo a sibrwd yn ei glust.

'Paid hyd yn oed â meddwl am y peth, 'ngwas i,' rhybuddiodd, 'neu mi gei di dy sbaddu gan y meistr!'

'Pwy ydyn nhw?' holodd Roberto, ond anwybyddodd Sebastiani ef.

Yn ddiweddarach, wrth ddod i adnabod ei gyd-brentisiaid, y mentrodd holi eto.

'Merched y meistr ydyn nhw?'

Gwenodd un, a chwarddodd y ddau arall.

'Ei ferch e yw'r un wallt golau, Benedetta,' atebodd Paolo, y cleniaf o'r tri, 'a'r llall yw ei wraig e, Isabella, yr un bryd tywyll.'

'Ei *wraig* o? Dyn ifanc ydi Benedetto, felly?'

Chwarddodd y tri y tro hwn.

'Nage, y twpsyn! Ma fe'n ddigon hen i fod yn dad i ti ac yn dad-cu i Isabella! Ail wraig – neu drydedd – yw hi,' meddai Paolo wedyn. 'Ond cymer ofal: ma fe mor eiddigeddus o'r ddwy, does wiw i neb o'r prentisiaid hyd yn oed edrych arnyn nhw heb wneud iddo fe golli'i dymer.

Os wyt ti'n breuddwydio am yr ogoneddus Isabella, cadw hi'n ddiogel yn dy freuddwydion, ac yn unman arall!'

Nid Isabella oedd wedi mynd â bryd Roberto, fodd bynnag, ond Benedetta, y ferch euraid.

VI

Cafodd yr hen wraig gryn fraw pan gerddodd yr Uchel Fam i mewn i'w chell gyda'r Chwaer Cecilia fore trannoeth. Sylwodd fod y ferch ifanc yn gwisgo rhwymyn gwyn ar arddwrn ei llaw ysgrifennu.

'Wyt ti wedi brifo, cara mia?' holodd, gan ofni yn ei chalon y byddai hyn yn rhoi diwedd ar ei hymdrech i gyffesu. Ond gwenodd yr Uchel Fam arni, fel petai'n gallu darllen yr hyn oedd yn ei chalon.

'Rydw i am gymryd ei lle am sbel, Anna Maria, iddi gael gorffwys ei braich.'

Gwyliodd yr hen wraig y ddwy yn edrych drwy'r papurau ar y bwrdd bach, yr ieuengaf ohonynt yn siarad yn ddistaw ac yn tynnu sylw at hyn a'r llall, a'r hynaf yn nodio'i phen mewn dealltwriaeth. Yna, gyda gwên fach i gyfeiriad y gwely, llithrodd Cecilia o'r ystafell. Eisteddodd yr Uchel Fam wrth y bwrdd.

'Ewch ymlaen, Anna Maria,' gorchmynnodd. Edrychodd ar y dudalen olaf yn ysgrifen Cecilia. 'Roeddech chi newydd ffarwelio â Roberto wrth iddo adael y llong yn Firenze.'

Cafodd yr hen wraig gryn drafferth wrth geisio hel ei meddyliau at ei gilydd. Roedd wedi cynefino â phresenoldeb y lleian ifanc, Cecilia, ac nid oedd ei pharchus ofn o'r Uchel Fam a phwysigrwydd ei swydd a'i dyletswyddau yn gymorth iddi ganolbwyntio. Ac roedd hi'n teimlo mor llesg. Nid oedd ei chwsg anesmwyth wedi adfer dim arni, ac roedd yn sicr fod y boen yn ei chylla yn cynyddu. Ond er mwyn ei henaid tragwyddol, roedd yn rhaid brwydro ymlaen . . .

Bu gennyf wendid erioed am brydferthwch mewn wyneb dyn, ond roedd gan Roberto fantais ychwanegol: roedd yn swynwr heb ei ail. A'i wên! Mor hyfryd oedd gweld gŵr ifanc a rhes o ddannedd cyn wynned. Ni allai unrhyw fonheddwr fod yn berchen ar ddannedd cystal â'r rhain. Sawl tro, yn ystod y dyddiau wedi i ni ddychwelyd i Firenze, bûm yn dyfalu tybed ai mab i deulu parchus ond gweddol dlawd ydoedd, â'i ddillad trwsiadus a glân, ond heb fod yn foethus. Ond y rhan fwyaf o'r amser, roedd fy meddwl ar gyflwr Maria fach.

Nid oedd hi'n ddim gwell. A dweud y gwir, gwaethygodd yn gyflym ar ôl i ni gyrraedd adref, ac roedd ei thad a minnau'n bryderus iawn yn ei chylch. Torrodd brech allan ar ei chroen, nid y frech wen na'r frech goch, nac unrhyw frech arall y gallem ei henwi, ond roedd ei chorff cyfan yn rhwyllwaith o goch, porffor a gwyn. Roedd twymyn arni hefyd, ac ofnwn y gwaethaf. Eisteddais gyda hi am sawl noson, yn taro cadachau oer ar ei thalcen i ostwng ei gwres, ond er bod hynny'n ei gwneud yn fymryn esmwythach, nid oedd yn gwella dim.

'Rhaid iddi fynd i'r ysbyty,' meddai fy mrawd yn bendant un noson wedi iddo orffen ei waith. Roedd yn arferiad ganddo ddod i edrych amdani bob dydd bryd hynny, er nad oedd ei wraig fondigrybwyll byth yn taro'i phig i mewn.

'Pa 'sbyty, Lorenzo?' holais yn chwyrn.

'Ysbyty'r Archdduges. Yr Ospedale dei Suori di Santa Maria Nuova. Dyna'r unig le all ei gwella.'

'Mi wyddost cystal â minnau nad oes gobaith yn y byd i ni gael lle iddi yn fanna!' gwrthwynebais. 'Mae pobl yn marw yn eu cartrefi cyn i wely gwag ddod ar gael yno.'

Daeth edrychiad penderfynol i lygaid fy mrawd.

'Gawn ni weld,' meddai'n herfeiddiol.

Cefais gryn ysgytwad – ond hefyd ryddhad mawr – pan ddaeth dynion i gyrchu Maria i'r ysbyty y diwrnod canlynol. Roedd y peth yn anhygoel. Chlywais i 'rioed am neb a gafodd fynd mor sydyn i'r ysbyty ag y cafodd Maria yr adeg honno. Wyddwn i ddim pa ddylanwad oedd gan fy mrawd ar y doctoriaid, na'r Archdduges o ran hynny, ond syrthiais ar fy ngliniau i ddiolch ac i weddïo dros yr Archdduges a'i theulu.

Ni chefais fynd i'w gweld hi yn ystod y pythefnos cyntaf, ond yna daeth nodyn o'r ysbyty yn gofyn am fwydydd ysgafn, maethlon a fyddai'n gymorth i Maria gryfhau. Brysiais i orffen fy ngwaith yn yr eglwys ac yna euthum ar f'union i ymweld â'r beth fach gan gario stên yn llawn o gawl cyw iâr a thameidiau bychain o *vermicelli* iddi. Gofynnais i un o'r Chwiorydd ble roedd gwely Maria, a chefais fy arwain drwy ystafelloedd a choridorau di-ri nes cael fy ngadael wrth ddrws agored ystafell olau, wyngalchog a thri gwely ynddi. Roedd Maria ar ei heistedd yn y gwely agosaf at y ffenestr, yn sgwrsio'n afieithus ag un o'r Chwiorydd oedd yn twtio'r cynfasau, a honno'n chwerthin yn ysgafn am rywbeth roedd Maria wedi ei ddweud. Ni sylwodd arnaf yn sefyll a'i gwylio o drothwy'r drws: roedd fy nghalon mor llawn o lawenydd o'i gweld gymaint gwell fel na allwn darfu ar eu hwyl. Sylweddolais bryd hynny pa mor unig y bûm yn ystod ei habsenoldeb o'r tŷ, a chymaint roeddwn wedi colli ei hwyneb bach annwyl. Ond yna trodd Maria ei phen a'm gweld.

'Ziannamaria!' Roedd ei phleser yn amlwg i bawb. 'Ziannamaria, dach chi 'di dod!' Gwenodd y Chwaer ac amneidio arnaf i ddod yn agosach, gan gymryd y stên o'm llaw ar gyfer pryd bwyd nesaf Maria. Awgrymodd yn gynnil y dylai Maria ymdawelu rhag iddi amharu ar y cleifion eraill yn yr ystafell ac yna fe'n gadawodd i sgwrsio.

Cofleidiais y fechan a gwasgodd hithau ei breichiau am fy ngwddf nes roeddwn bron â thagu. Roedd yn rhaid i mi ddweud hanes pawb a phopeth wrthi, a minnau yn fy nhro yn ei holi hithau am ei hafiechyd a'i thriniaeth yn yr ysbyty. Roeddwn yn falch o glywed am garedigrwydd a gofal tyner y Chwiorydd. Roedd ein dyled i'r Archdduges yn enfawr, ac awgrymais i Maria y dylem roi diolch yn y fan a'r lle. Dechreuodd Maria godi o'i gwely ond fe'i rhwystrais hi, gan ddweud y byddai Duw yn deall yn iawn pam na allai fynd ar ei gliniau i siarad ag Ef.

Wedi inni orffen ein gweddi, nid oedd gennyf fawr mwy i'w ddweud. Edrychais o'm cwmpas ar y cleifion eraill a gweld hen wraig eiddil yn cysgu'n drwm – neu yn anymwybodol – yn un gwely a gwraig ganol oed a'i chroen yn afiach o felyn yn y llall. Roeddwn ar fin gwneud rhyw sylw amdanynt pan ofynnodd Maria, 'Ydach chi wedi clywed gan Roberto?'

'Naddo, *cara mia*, ond mi ddaru'n rhybuddio ni, yn do? Rhaid iddo fo gael amser i ymgyfarwyddo â'i waith newydd a phlesio'i feistr cyn cyboli efo ni, wsti.' Cofiais yn sydyn fy mod wedi bwriadu trafod un agwedd bwysig o'n cynllun efo Maria cyn gynted ag y byddai'n ddigon da i sgwrsio'n synhwyrol, a phenderfynais yn y fan a'r lle mai dyma'r amser gorau i wneud hynny. '*Cara mia*, wyt ti wedi meddwl pa santes fyddet ti'n hoffi ei phortreadu?'

Meddyliodd yn ddwys am funud, ei thalcen llyfn yn crychu. 'Wn i ddim, Ziannamaria. Pwy hoffech chi i mi fod?'

Roeddwn wedi meddwl llawer am hyn, a cheisiais fynegi fy syniadau mewn ffordd syml, daclus.

'Wel, mi fyddai'n rhaid iddi fod yn santes ifanc,' dechreuais, 'ac mae'r rhan fwyaf o'r rheini'n ferthyron.'

'Mi hoffwn i fod yn ferthyr,' ymatebodd Maria. 'Pa ferthyr alla i fod, Ziannamaria?'

'Gad i ni weld,' meddwn i'n araf. 'Mae Santes Caterina o Alecsandria yn un posibilrwydd. Ti'n cofio? Fe ryddhaodd Duw ei rhwymau tra oedd ei phoenydwyr yn ceisio'i thorri ar yr olwyn, ac esgynnodd hithau i'r nefoedd ato.'

'Hmm,' meddai Maria. 'Beth am Santes Agatha?'

'Wel ia,' atebais ychydig yn amheus. Ym mhob darlun a welswn o'r santes hon, roedd ei bronnau noeth yn cael eu harddangos ar hambwrdd, wedi'u torri i ffwrdd fel rhan o'i hartaith. Roedd meddwl am orfod gofyn i Maria ddadwisgo o flaen Roberto yn gwneud i mi betruso, a ph'run bynnag, doedd ei chorff hyd yma ddim yn ddigon aeddfed. 'Mae Petronilla, dy nawddsant di, yn bosibilrwydd hefyd. Fasa ti ddim yn hoffi bod yn ferch i Sant Pedr yn y darlun?'

'Iawn,' atebodd Maria'n araf, ond gallwn weld nad oedd hynny'n apelio llawer ati. Cynigiodd enw arall. 'Beth am Santes Agnes?'

'Rwyt ti'n iawn,' cytunais, 'efallai fod honno'n fwy addas. Hi ydi nawddsant y morynion, wedi'r cyfan.'

Cyn i ni allu trafod ymhellach, daeth y Chwaer yn ei hôl a gofyn i mi adael. Nid oedd am i Maria orflino, meddai, ond byddai croeso i mi ddychwelyd y diwrnod canlynol. Edrychai Maria braidd yn ddagreuol wrth i mi ei chusanu, ond addewais y byddwn yn mynd i'w gweld bob dydd, a bodlonodd ar hynny.

Bu Maria yn yr ysbyty am dros ddeufis, a byddwn yn treulio pob prynhawn yn selog gyda hi. Bob dydd roedd yn arferiad gennym drafod ymhellach nodweddion yr amrywiol seintiau y gallai Maria eu portreadu, a phob tro fe ddeuem i'r casgliad mai gwell fyddai disgwyl nes clywed gan Roberto a gofyn ei farn ef cyn gwneud y penderfyniad terfynol. Fe ddois i adnabod nifer o'r Chwiorydd hefyd, a chyn pen dim roeddwn yn cynnig eu cynorthwyo gyda'r glanhau a chadw'r cleifion yn lanwaith. Derbyniwyd fy nghynnig yn ddiolchgar. Wrth gerdded adref o'r Ospedale dei Suori di Santa Maria

Nuova, daeth yn arferiad i mi ddilyn llwybr a'm harweiniai heibio i'r Duomo ac i lawr stryd y Via dello Studio, yn y gobaith, mae'n siwr, y byddwn yn cael cip ar Roberto, ond wnes i ddim, er i mi un prynhawn fentro ymweld â'r Duomo, a'r gweithiau celf yr oedd Roberto wedi sôn amdanynt, a rhyfeddu at allu dyn i glodfori Duw.

Erbyn i Maria ddod yn ôl atom o'r diwedd, roedd yr haf wedi cyrraedd. Roedd y fechan yn dal yn eithaf gwan, a rhybuddiwyd ei thad y byddai'n rhaid iddi dreulio'r wythnosau nesaf yn gorffwyso, ac na ddylsai dim ei chynhyrfu. Rhaid cyfaddef mai yn anfodlon iawn y dychwelodd i'w chartref. Ymbiliodd ar y Chwiorydd i adael iddi fyw gyda nhw, a dim ond drwy egluro wrthi y byddwn yn torri fy nghalon pe bai hi'n aros gyda hwy y cytunodd i fynd adref. Addewais innau y buaswn yn gwneud fy ngorau glas i'w harbed rhag y gwaethaf o greulondeb ei theulu, er y gwyddai'r ddwy ohonom mai ychydig iawn o ddylanwad oedd gennyf drostyn nhw mewn gwirionedd. Ond digon tawel fu ein bywydau am rai wythnosau wedyn, y plant eraill yn amlwg wedi eu siarsio i gadw oddi wrth eu chwaer, a hyd yn oed yr hen sguthan yn rhyfeddol o ddistaw – Lorenzo wedi ei bygwth, mae'n debyg.

Wrth i wres yr haul gynyddu, roeddem yn ddiolchgar o ddarbodaeth Lorenzo yn ein galluogi i fyw mewn tŷ mor braf. Roedd cwrt bychan ynghanol yr adeilad, fel a welir mewn tai o'r math hwn, yn agored i'r awyr iach, a ffownten fechan yn ei ganol. Roedd modd eistedd yno unrhyw adeg o'r dydd a chael cysgod o'r haul gan y muriau uchel. Gosodwyd gwely bychan yn y cwrt ar gyfer Maria, ac yno y treuliai ei dyddiau wrth i'w nerth ddychwelyd. Yn raddol, dechreuodd gerdded o gwmpas, ac er bod y gwres yn annioddefol, erbyn canol Awst roedd wedi dod ati ei hun yn llwyr. Dyna pryd yr ailddechreuodd y gwersi canu a'r gwersi *pianoforte*, ac y llwyddodd Lorenzo i gael cytundeb newydd ar gyfer Maria. Roedd i ganu yn y Teatro Nuovo ym mis Hydref, fel rhan o gytundeb a fyddai'n para am chwe mis.

Diolch i'r drefn, roedd gennym wythnosau cyn gorfod wynebu hynny, wythnosau o gerdded strydoedd hyfryd Firenze yn edmygu ei hadeiladau, yn ymweld â'r eglwysi a'u holl drysorau, a mwynhau prydferthwch y ddinas yn union fel y gwnâi'r holl ymwelwyr tramor, a chefais fwynhad pleserus o ddarganfod diddordeb angerddol Maria yn y gweithiau celf. Treuliasom sawl prynhawn yn astudio'r darluniau yn yr eglwysi mawrion, gan gyferbynnu dulliau gwahanol arlunwyr yn ein ffordd ddiniwed ein hunain, a chael sgyrsiau dwys yn trafod a chymharu'r modd yr oedd yr arlunwyr yn portreadu'r gwahanol seintiau – yn arbennig y rhai benywaidd. Roedd hyn i gyd, wrth gwrs, oherwydd ein bwriad i gomisiynu darlun yn yr un cyfrwng. Ond ein hoff bleser oedd astudio wynebau'r merched ifainc yn y darluniau, a'u gweld nid fel y seintiau yr oeddan nhw'n eu cynrychioli, ond fel nhw eu hunain. Pwy oeddan nhw? Pam wnaeth yr arlunydd ddewis y ferch arbennig honno ar gyfer ei ddarlun: oherwydd ei phrydferthwch, ynteu ei daioni, neu ryw rinwedd arbennig a welai ynddi? Neu ai gweithio i gomisiwn caeth ydoedd, yn gorfod derbyn ei fodelau heb gael cyfle i'w dewis? Treuliasom oriau'n sgwrsio a dyfalu ynghylch hyn.

Roedd Maria wedi magu rhyw aeddfedrwydd newydd yn dilyn ei harhosiad yn yr ysbyty, rhyw hunanfeddiant nad oedd yn perthyn iddi cynt. Roedd bellach yn ddeuddeg oed, a gallwn weld bod ei chorff, hefyd, yn dechrau aeddfedu. Edrychai fwyfwy fel merch ifanc, ac nid fel y plentyn yr oedd hi cyn ei salwch. Oherwydd hyn, Maria fyddai'n cymryd yr awenau yn aml ac yn penderfynu i ba gyfeiriad yr aem bob dydd. Hi, hefyd, oedd am i ni barhau i chwilio am Roberto yn stryd y Via dello Studio. Dychrynais am fy mywyd un diwrnod, wedi sawl siwrnai seithug, pan gyhoeddodd ei bod wedi blino cerdded y stryd gan ddisgwyl i ffawd fod yn garedig wrthym a chyflwyno Roberto o'n blaenau, a'i bod am fynd at dŷ Meistr Benedetto a gofyn yn blwmp ac yn blaen am yr arlunydd ifanc.

'Allwn ni ddim gwneud hynny!' meddwn mewn braw.

'Pam?' Roedd ei llais yn herfeiddiol, a daliodd i gerdded yn bwrpasol tuag at stryd yr arlunydd.

'Allwn ni ddim, dyna i gyd,' atebais yn bendant, gan afael yn ei braich i'w harafu. 'Dydi o ddim yn iawn. Mi ddeudodd Roberto y byddai'n cysylltu efo ni pan fyddai'n barod.'

'Ond 'tydi o ddim wedi gwneud hynny byth, Ziannamaria! Am ba hyd ydan ni i fod i ddisgwyl?'

Ochneidiais yn anfodlon. Roeddwn innau wedi gobeithio y byddem wedi clywed ganddo bellach. 'Mae'n well i ni fod yn amyneddgar, rhag ofn inni achosi helynt efo'r Meistr Benedetto,' llwyddais i'w hargyhoeddi yn y diwedd, er mawr ryddhad i mi fy hun. Cerddasom oddi wrth y Duomo, i lawr heibio'r Palazzo Vecchio ac i oriel yr Uffizi i fwynhau cyfoeth di-ben-draw ei darluniau enwog. Wrth edrych arnynt, byddem yn trafod, gyda rhyfeddod, pa fath o le oedd Firenze erstalwm gyda chynifer o arlunwyr, cerflunwyr, gweithwyr efydd a gofaint aur, penseiri a seiri meini yn cyd-fyw yno. Y fath fwrlwm ysbrydol a chreadigol! A'r holl egni hwn yn cael ei sianelu at un diben: clodfori a gogoneddu Duw. Mi fuaswn wedi bod wrth fy modd yn cael byw yr adeg honno! Cytunai Maria â mi. Lle digon cyffredin ydoedd Firenze bellach.

Ond heddiw, un llun arbennig oedd gennym mewn golwg i'w astudio unwaith eto, hoff lun Maria: darlun Tiziano o'r Fenws Urbino. Roedd hi wedi ei chyfareddu gan y ferch fach ar ei gliniau yn y cefndir, ei chefn atom, a'r wraig – ei mam, efallai? – yn sefyll drosti ac yn torchi ei llewys. Gwelai gyffelybiaeth, meddai, rhwng y ferch fach a hi ei hun, oherwydd, yn ôl dehongliad Maria, roedd y ferch ar fin cael ei chosbi gan y fam, a honno'n torchi ei llewys er mwyn ei tharo'n galetach. Roedd gen i fy amheuon. Roedd yn edrych yn debycach i mi fod y fechan ar ei gliniau'n chwilota mewn cist am ddillad i'r ferch noethlymun, ddigywilydd a orweddai mor awgrymog o rywiol ar flaen y cynfas.

Wedi inni orffen astudio'r llun, buom yn crwydro gweddill yr oriel cyn penderfynu mynd i chwilio am ddiod o goffi. Wrth gerdded i lawr y grisiau o'r Uffizi, chwaraeodd Rhagluniaeth ran feddylgar yn ein bywydau unwaith eto. Pwy oedd yn cerdded i fyny tuag atom ond Roberto! Gwenodd yn hapus wrth ein gweld, gan foesymgrymu a thynnu ei het i'n cyfarch. Cefais yr argraff nad oedd yn edrych llawn cystal ei wedd â phan y gwelswn ef gyntaf ar y llong. Roedd ei wyneb ychydig yn feinach, efallai, a'i ddillad heb fod mor drwsiadus. Fe ddois i'r casgliad nad oedd yn cael digon o fwyd gan ei feistr newydd, ac nad oedd yna forwyn i edrych ar ei ôl yn briodol. Sylwais hefyd ei fod yn talu mwy o sylw i Maria nag a wnaethai ar y llong, a hawdd oedd deall pam: roedd yntau hefyd wedi sylwi ar y newid ynddi, yr aeddfedu. Teimlais reddf warchodol yn fy meddiannu. Byddai'n rhaid i mi gadw llygaid barcud ar hwn.

Griddfanodd yr hen wraig.

Rhoddodd yr Uchel Fam ei hysgrifbin i lawr yn syth a chroesi at y gwely.

'Ydych chi mewn poen, Anna Maria? Fasech chi'n hoffi i mi alw'r Chwaer Dorothea atoch chi? Rwy'n siŵr y gall hi roi rhywbeth i chi i leddfu'r boen.'

Ond ysgwyd ei phen a wnaeth yr hen wraig.

'*Awn ymlaen,*' sibrydodd.

'*Na wnawn wir,*' atebodd yr Uchel Fam yn bendant. '*Mae'n bryd i chi orffwys. Daw Dorothea atoch chi cyn gynted â phosib, rwy'n addo. Rhaid i chi ymdawelu.*'

VII

Gwrandawodd Roberto'n astud cyn agor drws y gweithdy mor dawel ag y gallai. Doedd dim smic i'w glywed yn unman – pawb ar awr eu *siesta* – a'r haul yn grasboeth. Roedd yr un mor ofalus wrth groesi'r cwrt ac anelu at gefn y tŷ, a'r ardd fechan, breifat oedd i'r chwith o'r ceginau. Yno yr oedd *loggia* bychan lle roedd i gyfarfod Benedetta, gan fod ei thad oddi cartref ar waith comisiwn mewn *villa* newydd yn Fiesole. Ei bryder mwyaf oedd y byddai'n cyfarfod Isabella. O'r diwrnod cyntaf roedd honno wedi ei lygadu, a phob cyfle a gâi yn gwneud ystumiau cusanu – ac eraill llawer mwy awgrymog – pan nad oedd ei gŵr yn eu gwylio. Roedd arno'i hofn am ei fywyd. Y peth olaf oedd ei angen arno oedd meistres orawyddus i'w gael yn ei gwely. Gwyddai'n iawn i ble y gallai hynny ei arwain, ac nid oedd am ddilyn y trywydd hwnnw. Roedd gwir angen iddo gwblhau ei brentisiaeth. Pe byddai'r amgylchiadau yn wahanol, wrth gwrs, byddai wedi bod wrth ei fodd yn manteisio ar yr hyn a gynigid iddo, a hynny gyda chydwybod glir. Mewn gwirionedd, roedd rhan ohono'n gresynu na allai ddisgyn i freichiau'r hyfryd Isabella. Roedd meddwl amdani'n gorfod dioddef sylw priodasol ei gŵr yn ddigon i godi cyfog arno. Bwbach o ddyn oedd Benedetto, sylweddolodd Roberto yn fuan iawn ar ôl dechrau gweithio iddo, dyn a haeddai gael ei wneud yn gwcwallt. Doedd ganddo fawr o barch at chwaeth artistig ei feistr chwaith, er iddo orfod cydnabod fod ei dechneg yn ddifai. Dilynai Benedetto'r syniadaeth ddiweddaraf ym myd y celfyddydau, syniadaeth y neo-glasurwyr, tra oedd yn well ganddo ef yr arlunwyr dyneiddiol. Doedd arlunwyr fel Botticelli, gwyddai'n dda, ddim yn cael y clod haeddianol gan wybodusion y dydd.

Cyrhaeddodd y *loggia* yn ddiogel, ond doedd dim hanes o Benedetta. Eisteddodd ar y fainc garreg yng nghysgod hen goeden olewydd i ddisgwyl amdani. Hap a damwain fu dechrau'r cyfeillgarwch rhyngddo ef a Benedetta, yn dilyn un digwyddiad bach syml. Roedd ei chi anwes, stwcyn bychan blewog gwyn, wedi syrthio i'r pwll pysgod un prynhawn wrth geisio dal pysgodyn. Roedd yntau wedi rhedeg i'r ardd mewn ymateb i sgrechiadau Benedetta, a phlymio i'r pwll i achub y ci. Datblygodd eu cyfeillgarwch yn raddol wedi hynny, ambell wên fan hyn, ambell gyffyrddiad fan draw, a chael sgwrs fach bob tro roedd hi'n rhydd oddi wrth ei theulu. Tybiai ei fod wedi syrthio mewn cariad am y tro cyntaf erioed. Roedd ei deimladau tuag at Benedetta'n bur wahanol i'r rhai a goleddai tuag at ei llys-fam, Isabella. Teimlai'n warchodol ohoni, yn dyner, yn ofalus o'i theimladau. Dim ond yn ei funudau mwyaf sinigaidd y byddai'n fodlon cyfaddef bod elfen fechan o falais tuag at ei feistr yn ei garwriaeth â hi.

Aeth amser heibio heb unrhyw olwg o Benedetta. Dechreuodd bryderu. Beth petai rhywun yn ei weld fan hyn? Nid oedd y prentisiaid i ddod ar gyfyl y lle. Byddai cael ei ddal yno'n ddigon i ddifetha'i brentisiaeth. Pe byddai'r ddau'n cael eu gweld gyda'i gilydd, buasai o leiaf yn gallu gwneud rhyw esgus ei fod wedi dod i'r ardd, fel o'r blaen, i achub y ci, neu helpu Benedetta, neu unrhyw esgus arall a ddeuai i'w feddwl. Ond byddai'n anodd iddo gyfiawnhau bod yno ar ei ben ei hun fel hyn. Gwthiodd ei hun ymhellach yn ôl i gysgodion yr hen goeden nes bod ei gefn yn pwyso yn erbyn y boncyff garw. Yn y diwedd rhoddodd y gorau i obeithio'i gweld. Mae'n rhaid fod rhywbeth wedi digwydd i'w chadw'n gaeth yn y tŷ. Gadawodd yr ardd yr un mor ofalus ag y daethai yno, a cheisio penderfynu beth i'w wneud gyda'i amser rhydd. Nid oedd arno awydd mynd i gysgu fel y prentisiaid eraill. Aeth allan i'r stryd, ac yn ddiarwybod iddo'i hun, bron, anelodd tuag at ei hoff le yn Firenze: palas ac oriel yr Uffizi. Pan gyrhaeddodd y grisiau i'r oriel, gwelodd Signora Chiappini'n cerdded tuag ato, a Maria Stella ar ei braich.

Am eneth wahanol! Roedd ei chorff wedi datblygu ers iddo'i gweld ar y llong. Ceisiodd gofio faint o amser oedd wedi mynd heibio ers hynny – chwe mis, tybed? Edrychai'n llawnach ei chroen, beth bynnag, ac roedd gwrid iachus ar ei gruddiau. Syllodd arni gydag edmygedd nes i'r fodryb glirio'i gwddf yn awgrymog. Ond o leiaf roedd y ddwy yn hynod falch o'i weld.

'Rydan ni wedi bod yn disgwyl clywed gennych, syr,' cyfarchodd Maria Stella ef heb flewyn ar ei thafod. 'Mae fy modryb yn awyddus iawn i chi ddechrau ar y gwaith.'

Rhegodd dan ei wynt. Nid oedd wedi anghofio'r comisiwn, ond roedd wedi'i wthio i gefn ei feddwl oherwydd materion agosach ato. Gwenodd yn ymddiheurol arnynt.

'Mae'n ddrwg gen i, Signora, Signorina. Mae'r Padrone Benedetto wedi gwneud i mi weithio'n galetach nag y gallech chi gredu!' Rhedai ei feddwl ar garlam gwyllt. Roedd mwy o angen arian arno nag erioed, os oedd am barhau i geisio ennill calon Benedetta. Mentrodd ymlaen. 'Ond dydw i ddim wedi anghofio amdanoch – rydw i'n gobeithio cysylltu efo chi yn fuan iawn, o fewn mis, mwy na thebyg.' Roedd angen arian arno'r funud honno, mewn gwirionedd. Daeth syniad i'w feddwl. 'Hoffech chi ddod am ddiod fach o lemonêd? Mae stondin yn gwerthu diod ragorol yn y Piazza Signoria.'

Derbyniodd y ddwy ei wahoddiad, ac arweiniodd yntau

hwy i fyny'r stryd i'r sgwâr anferth y tu allan i'r Palazzo
Vecchio. Wedi iddynt eistedd a chael diod, gwenodd yn
ymddiheurol unwaith eto ar Signora Chiappini.

'Mae 'na un anhawster bach,' meddai wrthi.

'Ia? Allwn ni helpu?' gofynnodd hithau.

'Mae'n dda gen i eich bod yn deall!' gwenodd arni.
'Dach chi'n gweld, alla i ddim defnyddio paent y Padrone
i wneud fy ngwaith fy hun, a dydi o'n talu dim i ni'r
prentisiaid – rydan ni'n gweithio am ein bwyd a'n
hyfforddiant yn unig.'

'A dydach chi ddim yn cael llawer o fwyd, chwaith,
decini,' meddai'r Signora'n feirniadol. 'Mi ro' i'r arian i chi
brynu paent ac ati,' ychwanegodd. 'Faint sydd arnoch chi
ei eisiau?'

'Deg *francesconi*,' atebodd yn fyrbwyll. Am eiliad,
gwelodd y sioc ar ei hwyneb, yna gwenodd arno. Teimlai'n
euog wrth iddi wneud trefniadau i gael yr arian iddo.
Cytunwyd i ddod i'r un man, ac ar yr un amser, ymhen
deuddydd.

Dychwelodd Roberto i'w ystafell, a thaflu ei hun ar ei
wely. Roedd yr ystafell yn wag, diolch i'r drefn – y
prentisiaid eraill wedi mynd i chwarae gêm o bêl-droed,
mwy na thebyg. Roedd yn ffieiddio ato'i hun. Cawsai ei
fagu'n barchus gan rieni caredig. Cafodd ei ddysgu i fod
yn onest ac yn eirwir, felly pa fath o ddiawl diegwyddor
oedd o, mewn difrif calon, yn cymryd arian oddi ar
ferched diniwed oedd ddim yn gwybod yn well! Gwingodd
yn anniddig, ei ben yn troi a throsi ar ei obennydd.
Teimlodd rywbeth caled dan y plu, ac wedi chwilota
tynnodd allan ddarn o bapur wedi ei glymu am flwch
bychan. Syllodd arno am ennyd, yna neidiodd at y drws
ac edrych allan er mwyn sicrhau nad oedd un o'r
prentisiaid eraill ar fin dychwelyd. Doedd neb o gwmpas.
Aeth yn ôl i eistedd ar y gwely ac agor y papur. Nodyn
oddi wrth Benedetta ydoedd, yn ymddiheuro nad oedd

wedi cadw ei haddewid yn yr ardd. Roedd ei thad yn ei hanfon i ffwrdd am rai wythnosau, meddai, iddi gael gwyliau yn Faenza gyda'i modryb. Gwnaethpwyd y trefniadau'n barod heb ymgynghori â hi, ac roedd coets ei modryb eisoes wedi cyrraedd i'w chludo'r diwrnod hwnnw. Byddai'n torri ei chalon, ond gobeithiai y byddai Roberto'n aros yn ffyddlon iddi, fel y byddai hi'n ffyddlon iddo yntau. Yn y blwch roedd gwddfdlws a phortread miniatur ohoni arno. Syllodd ar ei llun, yna cusanodd ef yn dyner.

Ar ei phen ei hun y daeth y Signora Chiappini â'r arian iddo. Roedd Maria Stella yn gorffwys, meddai wrth Roberto. Trosglwyddodd yr arian iddo gan eu cyfrif yn ofalus o bwrs bach o felfed du a ruban du i glymu'i geg.

'Diolch yn fawr i chi, Signora. Mae cael rhan o'r arian ymlaen llaw fel hyn o gymorth mawr, wyddoch chi. Yn ogystal â'm galluogi i brynu'r lliwiau angenrheidiol, mae o fel rhoi gwarant ar ein trefniant – yn ei wneud yn gomisiwn go iawn.'

'Dyna ni, 'ta,' meddai hithau. 'Rydan ni'n deall ein gilydd rŵan. Elli di roi unrhyw syniad i mi pa bryd y byddi'n gallu meddwl am ddechrau?'

Roedd ei ffordd ddiymhongar o ofyn ei chwestiwn yn pigo'i gydwybod. Penderfynodd wneud ei orau iddi. Wedi'r cyfan, onid oedd ganddo wythnosau rhydd cyn i Benedetta ddychwelyd?

'Mae pethau'n gwella rŵan,' atebodd. 'Mae gen i hanner diwrnod rhydd bob dydd Iau. Beth am i ni gyfarfod ddydd Iau nesaf, i ni gael trafod eich anghenion yn fanwl?'

'Ardderchog!' gwenodd hithau'n hapus arno, a'i hwyneb wedi gloywi.

'Mae'r Loggia del Mercato Nuovo – y farchnad dan do

– yn lle da i gyfarfod. Fydd dim ots beth fydd y tywydd wedyn.' Cytunodd hithau.

Cyn iddi ymadael, rhoddodd becyn yn ei ddwylo.

'Dwyt ti ddim yn cael digon o fwyd ganddyn nhw,' meddai, gan rhoi proc fach ysgafn i'w foch â'i bys. 'Rwyt ti wedi colli pwysau ers i mi dy gyfarfod gyntaf. Bwyta hwnna i gyd rŵan. Fi wnaeth y gacen fy hunan.'

Agorodd y pecyn wrth ei gwylio'n cerdded i ffwrdd, a gweld bod ynddo dalpyn o gaws *pecorino*, tafellau o *prosciutto* a *mortadella*, a'r gacen. Rhoddodd damaid o'r gacen yn ei geg, a phenderfynu'n syth mai hon oedd y gacen *castagnaccio* orau a flasodd erioed.

VIII

Wedi wythnos o orffwys a gofal gan y Chwaer Dorothea, edrychai'r hen wraig fymryn yn gryfach. Roedd yn sicr ar dân eisiau ailgydio yn ei thasg. Gwenodd y Chwaer Cecilia arni'n hoffus. Roedd ei garddwrn hithau wedi elwa o'r egwyl, a theimlai mor awyddus ag Anna Maria i fwrw ymlaen.

Roedd yn wythnos gynhyrfus i'r ddwy ohonom wrth i ni edrych ymlaen at y diwrnod mawr, diwrnod ei pherfformiad cyntaf dan ei chytundeb newydd, er bod oriau ymarfer Maria'n cynyddu wrth i'r dyddiad agosáu. Roeddwn yn falch o sylwi ei bod yn llawer tawelach ei meddwl y tro hwn, a theimlwn ei bod yn edrych ymlaen at berfformio, mewn gwirionedd. Roeddem bellach yn benderfynol na châi fy mrawd gadw'r holl anrhegion a dderbyniai, ac y byddem yn casglu pob dimai a allem er mwyn talu Roberto. Roedd hyn fel petai'n rhoi pwrpas mwy penodol i'w hymdrechion.

Erbyn y dydd Iau, dydd gŵyl Santes Lucia fel roedd yn digwydd – ffaith a roddodd ysbrydoliaeth arbennig i mi ac arwydd pendant o ras Duw – roedd yr hydref wedi cyrraedd, a'r glaw mân yn disgyn yn ysgafn. Roeddem yn gwerthfawrogi doethineb Roberto wrth ddewis y farchnad dan do, ac wedi inni gyrraedd yno roedd y gŵr ifanc yn disgwyl amdanom wrth un o fyrddau'r stondin goffi. Archebais siocled poeth i bawb cyn eistedd a dechrau trafod.

'Bydd angen i mi wneud llawer o frasluniau i ddechrau, gan ddefnyddio pensiliau,' eglurodd Roberto. 'Oes gennych chi destun arbennig mewn golwg?'

'Un o'r merthyron benywaidd,' meddwn innau, 'ond ein bod am ofyn eich cyngor chi cyn dewis yn bendant.'

Eisteddodd Roberto 'nôl yn ei gadair, â rhyw wên gellweirus yn chwarae ar ei wefusau.

'Wel, mae gennych chi ddigon o ddewis, beth bynnag! Pwy fasech chi'n hoffi bod? Dyna i chi Donatilla, a rostiwyd ar radell, Margaret a lyncwyd gan ddraig – ond a chwydwyd allan yn gyfan oherwydd ei chroes, wrth gwrs! Yna mae gennych chi Blandina, a groeshoeliwyd, Perpetua a daflwyd i'r anifeiliaid gwylltion, Antonia o Nicaea a gafodd ei hongian gerfydd ei breichiau, â'i hochrau'n cael eu rhwygo gan gribinau. Cael ei gorchuddio'n araf bach â phyg berwedig cyn ei thaflu i'r tân oedd hanes Potaminaea, ac wedyn dyna i chi Laura, a daflwyd i grochan o blwm berwedig! Oes unrhyw un o'r rheina'n apelio atoch chi?' Chwarddodd yn ysgafn cyn ychwanegu, 'Mae'r dewis yn ddiddiwedd!'

Roeddwn wedi f'arswydo gan ei araith. Synnais at ei wamalrwydd. Sut allai neb restru'r fath ddioddefaint heb unrhyw gynnwrf yn ei lais, heb unrhyw arwydd o gydymdeimlad â'r hyn roedd y trueiniaid hynny wedi ei ddioddef dros eu crefydd? Yn waeth na hynny, eu rhestru fel pe baent yn destun sbort! Am y tro cyntaf, teimlais yn anesmwyth yn ei gwmni, a gadewais iddo wybod hynny. Ymddiheurodd yntau'n syth, gan wneud yr esgus fod ei chwaer fawr, oedd bellach yn lleian, yn arfer ymhyfrydu mewn adrodd hanesion y seintiau wrtho pan oeddan nhw'n blant. Sylwais, fodd bynnag, fod Maria wedi gwrando'n astud arno, ac fel petai wedi pwyso a mesur pob un o'i gynigion cyn eu gwrthod a chynnig ei seintiau ei hun.

'Meddwl am Santes Lucia neu Santes Agnes oeddan

ni'n arbennig,' eglurodd yn dawel. 'Merthyrwyd y ddwy pan oeddan nhw'r un oed â mi.'

'Addas iawn, os ca' i ddweud,' cymeradwyodd Roberto. 'Ond mi fyddai'n well gen i gael eich portreadu fel Agnes cyn i'r blew dyfu dros ei chorff cyfan!' ychwanegodd yn gellweirus.

Cabledd, meddyliais, roedd hyn yn gabledd! Allwn i ddim gadael iddo wamalu ar faterion mor sanctaidd! Brathais fy nhafod, ond edrychais arno'n llym, a syllodd yntau ar y llawr am rai munudau. Sylwais arno'n cilwenu ar Maria, a gwelais y winc fach a roddodd iddi hefyd. Roedd hwn yn dechrau camu dros y tresi, ac roedd yn rhaid i mi roi fy nhroed i lawr yn bendant. Atgoffais ef yn oeraidd mai mater o fusnes oedd hyn, cyn belled ag roedd o yn y cwestiwn.

'Mae'n amlwg, wrth gwrs, na fyddwn i am i Maria ddadwisgo ar gyfer y darlun dan unrhyw amgylchiadau,' ychwanegais, 'ac y bydda i'n bresennol bob amser tra bydd y gwaith yn mynd rhagddo.'

Roedd yn ddigon call i sylweddoli ei fod wedi fy nhramgwyddo, a throdd ataf yn ddwys ei ymarweddiad.

'Wrth gwrs,' atebodd yn syth. 'Faswn i ddim yn fodlon gweithio dan unrhyw amgylchiadau eraill.' Daeth y wên barod yn ei hôl. 'Ydach chi wedi penderfynu'n union pa ran o'i bywyd – neu ei marwolaeth – fyddai'n addas? Portreadu'r merthyrdod yw'r dull mwyaf arferol, wrth gwrs.' Trodd unwaith eto at Maria a rhoi winc fach arall iddi. 'Ac fe wnawn ni'n siŵr y bydd popeth yn weddus er bod y storïau'n dweud mai yn noethlymun y merthyrwyd nifer o'r seintiau!'

Chwarddodd yn uchel wrth weld y gofid ar fy wyneb, ond pan welais fod Maria'n gwenu hefyd, sylweddolais mai tynnu fy nghoes oedd y gwalch. Er hynny, roedd hi'n anodd gwenu arno.

'Maddeuwch i mi os ydw i'n bod yn fusneslyd,' meddai

83

Roberto wedi iddo ymdawelu, 'ond pam ydych chi am gael darlun o Signorina Maria fel santes? Fasech chi ddim yn hoffi cael portread ohoni hi fel y mae? Dyna'r ffasiwn ers amser bellach.'

Meddyliais yn ofalus cyn ateb. 'Eisiau rhoi'r llun yn rhodd rydw i,' meddwn o'r diwedd. 'Yn rhodd i'r Brodyr Duon yn Eglwys Santa Maria Novella.'

Gallwn weld fy mod wedi gwneud argraff arno. Nodiodd ei ben yn ddeallus, a gallwn ddarllen yr hyn oedd yn mynd drwy ei feddwl: os byddai'r Brodyr yn hoffi'r gwaith, roedd gobaith am gomisiynau pwysig a gwerthfawr i ddilyn.

'Gwnaf fy ngorau i chi,' addawodd, fel petaen ni'n deall ein gilydd.

Cyn i ni ymwahanu, tynnodd Roberto fy sylw at anhawster arall oedd yn ein hwynebu.

'Dach chi'n gweld,' eglurodd, 'alla i ddim gweithio ar fy narlun fy hun yn stiwdio'r Padrone, ac rydw i'n gorfod rhannu stafell efo'r prentisiaid eraill, felly fydda i ddim yn cael llonydd o gwbl i weithio ar y llun.' Roedd ei lais yn bryderus, a gallwn weld ei benbleth. 'Fyddai gennych chi rywle i mi weithio ynddo? Dydw i ddim angen lle mawr, os oes yna ddigon o olau.'

Allwn i ddim o'i ateb yn syth. Doeddwn i 'rioed wedi dychmygu y byddai angen i mi ymorol am weithdy! Edrychais ar Maria, ond nid oedd ganddi unrhyw ateb i'w gynnig.

'Peidiwch â phoeni,' ychwanegodd Roberto'n frysiog. 'Fydda i ddim angen llawer ar y dechrau. Gallaf weithio ar y brasluniau yn yr awyr agored. Dydi'r gaeaf ddim ar ein gwarthaf eto, ac mi wnawn ni feddwl am rywbeth pan ddaw'r amser, rydw i'n siŵr.'

Penderfynwyd y byddem yn cyfarfod eto yr wythnos ddilynol, ac y byddai Roberto'n dechrau ar y gwaith bryd hynny. Cerddodd y ddwy ohonom adref mewn tawelwch, wedi ymgolli yn ein meddyliau ein hunain. Sut ar y ddaear fawr oeddwn i am gael gweithdy iddo? Fentrwn i ei adael i mewn i'r tŷ? Roedd Lorenzo allan bob prynhawn, mae'n wir, ond doedd dim dal beth fyddai symudiadau'r hen sguthan a'i nythaid. Gallwn deimlo fy mol yn tynhau wrth feddwl beth fyddai ei hymateb pe byddai'n dod ar draws Roberto a Maria gyda'i gilydd, ac ni fyddai unrhyw eglurhad gennyf fi yn gwneud pwt o wahaniaeth.

Suddodd fy nghalon unwaith eto. Dechreuais fy nghystwyo fy hunan am fod mor ffôl yn cychwyn ar y fath fenter. Pwy o'n i'n feddwl oeddwn i? Ai balchder gwirion ar fy rhan i oedd y cyfan? Ond allwn i ddim tynnu'n ôl bellach oherwydd erbyn hyn roedd Maria yn gymaint rhan o'r cynlluniau â minnau. Ar ben hynny, roedd rhyw chwilen fach o amheuaeth wedi dechrau corddi yn fy nghalon ynglŷn â Roberto. Beth wyddwn i amdano mewn gwirionedd? Doeddwn i ddim wedi hoffi'r ffordd roedd yn siarad mor amharchus am y seintiau, na'r ffordd roedd o'n llygadu Maria. Sut arlunydd oedd o mewn gwirionedd? Allwn i farnu'n gywir ar ôl gweld dim ond rhyw frasluniau bach mewn pensel? A oeddwn i wedi bod yn wirion ac yn fyrbwyll ar y llong? Pam oeddwn i wedi rhoi'r arian iddo mor rhwydd, heb unrhyw sicrwydd na fyddai'n diflannu efo nhw?

Ond wedyn, ceisiais fy nghysuro fy hun, roedd wedi cadw at ei air heddiw, yn toedd? A'r gwir amdani oedd fy mod wedi fy rhwymo fy hun iddo wrth drosglwyddo'r arian. Roedd rhan helaeth o'm celc wedi diflannu'n barod, ac allwn i ddim fforddio talu o'r newydd i arlunydd arall.

Roedd fy amheuon yn ddiddiwedd. Y cyfan allwn i ei wneud fyddai gweddïo'n selog am gymorth Duw i lywio fy llwybr yn ddoethach yn y dyfodol – a chadw llygad barcud ar Roberto.

IX

Syrthiodd ein bywydau i rigol ddigynnwrf: Maria'n canu, minnau'n cynilo arian, a Roberto'n gweithio ar ei frasluniau. Yna cyrhaeddodd y llythyr a ddinistriodd ein dedwyddwch i gyd. Roedd Lorenzo'n gandryll. Galwodd ni at ein gilydd a darllen y llythyr i ni.

'Gwrandwch ar hyn,' meddai. 'Mae wedi ei anfon at Maria:

Fe'th welais di, y seren brydferth, ac fe wrandewais ar dinc soniarus dy lais angylaidd; cyfareddwyd fy nghalon gan y nodau eosaidd. Rwy'n erfyn arnat, fy angel, i ddod am ddeg o'r gloch at fangre ddiarffordd ym muriau'r dref i dderbyn addewidion diffuant dy edmygydd dirgel.'

Chwerthin am ei ben oedd ein hymateb cyntaf. Roedd fel llythyr caru mewn comedi wael, yn llawn gormodiaith.

'Glywsoch chi'r fath hyfrdra haerllug?' tantrodd Lorenzo. 'Ma'r peth yn warthus! Pwy ddiawl ma'r ynfytyn yn feddwl ydi o?' Gwasgodd y papur yn belen a'i daflu i gornel bellaf yr ystafell cyn stompio o'r tŷ. Fe godais y llythyr yn dawel fach wedi i bawb adael, a'i gadw yn fy mhoced.

Gwaethygodd pethau y diwrnod canlynol. Daeth negesydd i'r drws a gofyn am Maria Stella, ond nid oeddwn am adael i rywun-rywun siarad â hi, yn arbennig ar ôl iddi dderbyn y fath lythyr, felly galwais ar ei thad i ddod i'r drws yn ei lle. Ceisiais aros i wrando ar y sgwrs, ond sylwodd Lorenzo arnaf a'm gyrru 'nôl i'r gegin. Ond ymhen ychydig eiliadau, clywn ddrws y tŷ'n cau, a rhuthrais yn f'ôl i weld Lorenzo'n cerdded i lawr y stryd gyda'r negesydd, a'r ddau'n sgwrsio'n ddwys.

Tawedog iawn oedd Lorenzo am weddill y dydd, ac er i mi geisio darganfod pwrpas y negesydd, chefais i ddim ond 'Meindia dy fusnes!' cwta yn ateb. Soniais am y digwyddiad wrth Maria, a bu'r ddwy ohonom yn ceisio dyfalu beth oedd y neges a dderbyniodd ei thad, ond i ddim diben. Roedd yn rhaid i ni fodloni ar aros yn y tywyllwch. Deuddydd yn ddiweddarach, ar ŵyl genedigaeth y Forwyn Fair Fendigaid, roeddem wedi trefnu i gael sesiwn arall gyda Roberto, ond wrth i ni gychwyn allan, rhwystrwyd ni gan Lorenzo.

'Anna Maria, dos â Maria 'nôl i'w llofft a gwisga hi yn ei dillad gora,' gorchmynnodd. Roedd golwg llym ar ei wyneb, felly doedd dim amdani ond ufuddhau.

Ychydig yn ddiweddarach, daeth yr hen sguthan atom yn cario blwch a oedd yn cynnwys ei thlysau; roedd rhyw awyrgylch od, ddisgwylgar o'i chwmpas, awyrgylch na allwn ei ddehongli. Edrychodd yn fanwl dros bob modfedd o gorff a dillad Maria, gan ei phwnio fan hyn a'i phrocio fan arall, ond ar y cyfan edrychai'n fodlon. Yna, agorodd y blwch a thynnu allan ei modrwyau.

'Gwisga'r rhain,' gorchmynnodd, gan estyn pedair modrwy ddisglair iddi. Cymerodd Maria nhw, ond er iddi roi cynnig ar bob bys, roedd y modrwyau'n rhy fawr ac yn llithro i ffwrdd. Gwylltiodd y fam yn gaclwm, ond yna ffrwynodd ei hun, ac aeth i chwilio am gŵyr. Treuliasom y chwarter awr nesaf yn toddi'r cŵyr a'i fowldio y tu mewn i'r modrwyau nes eu bod yn aros yn dynn am fysedd Maria. Gweddïais na fyddai Maria'n dechrau chwysu a thoddi'r cwyr! O'r diwedd, roedd yr hen sguthan yn fodlon, a thywysodd ni i lawr y grisiau ac i'r ystafell orau, ystafell a ddefnyddid ar gyfer ymwelwyr pwysig yn unig, lle roedd Lorenzo'n disgwyl amdanom. Eisteddodd pawb yn stiff a disgwylgar.

'Bydd raid i ti ymddwyn yn sifil gyda'n hymwelydd,' rhybuddiodd ei thad. 'Mae o'n ddyn pwysig iawn.'

'Pwy sy'n dod yma, Mama?' holodd Maria, ond anwybyddwyd ei chwestiwn. Toc, daeth cnoc ar ddrws y tŷ, ac euthum ar f'union i'w agor.

Safai dyn canol oed yno, yn gwisgo siaced las ag ymyl coch, yn union fel siaced y Brenin Ferdinand yn Pisa. Ar ei ysgwyddau gorweddai mantell fechan wen a rhidens aur, ac roedd cynffon ei wallt i'w gweld yn hir dros y goler. Efallai iddo fod yn ddyn hardd ar un adeg, ond bellach roedd yn rhy dew i fod yn ddeniadol.

'*Buon giorno*,' meddai gydag acen od. '*Signorina Maria Stella, per favore?*'

Roedd ei anadl yn drewi a gallwn weld ei ddannedd prin yn felyn o ddiffyg gofal. Camais yn ôl yn gyflym, gan arwyddo arno i ddod i mewn gyda chwrtsi. Tywysais ef i'r ystafell, ac wedi imi agor y drws gwelwn fod Lorenzo a'r hen sguthan wedi plygu yn eu dyblau mewn arwydd o barch.

'Yr Arglwydd Newborough, at eich gwasanaeth, syr, bonheddwr o Brydain,' cyflwynodd y dieithryn ei hun i Lorenzo mewn Eidaleg oedd yn anodd iawn i'w ddilyn. Yna trodd at Maria a dweud wrthi ei fod wedi dod yn unswydd i wrando arni'n canu. 'Mae eich llais peraidd yn lliniaru calon gŵr gweddw unig sydd â dim ond un mab druan yn perthyn iddo.'

Ni allai Maria ei ddeall, ac roedd yn rhaid i'w thad ailadrodd yr hyn a ddywedodd y gŵr wrthi. Pan ddeallodd ei hynt, daeth golwg ystyfnig i'w hwyneb, ac ofnwn y caem yr un helynt ag a ddigwyddodd yn Pisa. Mae'n rhaid fod ei mam yn ofni'r un peth, oherwydd aeth i sefyll yn agos iawn y tu ôl i Maria, yn barod i'w bygwth petai'n gwrthod, mae'n siŵr. Wedi ennyd o ddistawrwydd cododd Maria o'i chadair a chydag ebychiad diamynedd, croesodd at y *pianoforte*. Nid oedd Lorenzo wedi sythu o fod yn ei ddyblau, ac mewn llais gwasaidd, gwahoddodd y bonheddwr i eistedd a gwneud ei hun yn gyfforddus. Galwodd arnaf i gyrchu gwin a chacennau siocled i'r Signore Seisnig, a gadewais yr ystafell. Erbyn i mi gyrraedd yn ôl gyda'r danteithion, roedd Maria wrthi'n canu, a'r Signore'n gwrando a golwg addolgar yn ei lygaid. Rhoddais yr hambwrdd ar y bwrdd bach wrth ei ochr, a mynd i sefyll wrth y drws.

Dwy gân yn unig a ganodd Maria cyn cyhoeddi ei bod wedi blino, ac y byddai'n rhaid iddi orffwys cyn mynd i'r theatr. Wrth iddi groesi ar draws yr ystafell, cododd y Signore ar ei draed ag ymdrech fawr a moesymgrymu, ond roedd yn rhy hwyr, oherwydd roedd ei chefn yn prysur ddiflannu drwy'r drws. Dilynais innau. Aeth Maria yn syth i'w hystafell, ond fe arhosais i ar ben y grisiau i wrando, er na allwn glywed dim o'r sgwrs. P'run bynnag, nid arhosodd y Signore yn hir ar ôl hynny, ac wedi iddo fynd, daeth Lorenzo i fyny'r grisiau atom.

'Wel,' meddai'n fodlon wrth Maria, 'ti 'di gneud argraff dda yn fan'na.'

'Hy!' oedd ei hunig ymateb.

Aeth Lorenzo yn ei flaen heb gymryd sylw. 'Mae o isio dy weld ti eto cyn bo hir. Mae o wedi gofyn fy nghaniatâd i ddod 'nôl 'mhen ychydig ddyddia.'

'Dydw *i* ddim am ei weld *o*!' meddai hi'n chwyrn, ac er mawr syndod i mi, ni wylltiodd ei thad. Yn lle hynny, chwarddodd yn rhadlon.

'Gawn ni weld, gawn ni weld. Mae o'n deud wrtha i ei fod o'n ddyn cyfoethog iawn, gyda stada mawrion yn Lloegr.'

Trodd Maria'i chefn arno heb ddweud yr un gair. Nid

oedd hyn, hyd yn oed, yn ddigon i godi gwrychyn ei thad. Roedd y peth yn anhygoel! Chwarddodd eto, a murmur 'Chi ferchaid!' yn oddefgar cyn ein gadael.

'Ych a fi!' meddai Maria gyda 'sgrytiad. 'Mae'r dyn yna'n ddigon hen i fod yn daid i mi!'

'Dyn yn ei oed a'i amser yn ymddwyn fel 'na!' cytunais. 'Mi ddylai fod arno gywilydd ohono'i hun.'

'Welsoch chi'r gynffon gwallt gwirion 'na oedd ganddo fo?' meddai gan ddechrau pwffian chwerthin.

'Do, ac roedd ei anadl o'n drewi hefyd!'

'Ych a fi!' meddai Maria wedyn. 'Diolch i'r drefn nad oeddwn i'n ddigon agos i'w ogleuo! A'r fantell fach 'na, a'r rhimyns aur – on'd oedd o'n edrych yn wirion?'

Chwerthin am ei ben yn braf yr oedden ni'r diwrnod hwnnw, heb fawr sylweddoli beth fyddai ei ddylanwad ar ein bywydau. Roedd ein cynlluniau i weld Roberto wedi mynd i'r gwellt. Allwn i ddim ond gobeithio y byddai'n cadw at ein harfer ac yn dod eto yr wythnos ganlynol. Doedd wiw i mi anfon neges ato i dŷ ei feistr rhag ofn i mi adael y gath allan o'r cwd – roedd wedi'n rhybuddio na fyddai'r *padrone* yn fodlon iddo weithio ar ei liwt ei hun heb orffen ei brentisiaeth yn gyntaf. Yn waeth na hynny, roedd perygl iddo gael ei droi allan pe bai'n cytundeb yn dod i'r amlwg.

Deuddydd yn ddiweddarach, roedd y Signore yn ei ôl, ac wedi hynny, deuai i'r tŷ bob dydd, ac er iddi wgu a rhincian dannedd yn ei gwmni, fe ufuddhaodd Maria i'w rhieni a chanu iddo bob tro. A dweud y gwir, fe chwarddai'r Signore'n hapus o'i gweld hi'n cuchio arno, a'i galw'n *'mia angioletta giocarellona'* – fy angel bach chwareus. Roedd gan y dyn groen fel gwadn fy esgid. Wrth gwrs, safai Lorenzo wrth ei ochr yn ei borthi drwy'r adeg, yn sgwrsio bob yn ail mewn Eidaleg â Saesneg bratiog, a'r Signore yn ei dro yn brolio'n ddiddiwedd am ei gyfoeth a'i diroedd – a'r ffaith ei fod yn weddw. Gallwn weld y chwant ariangar yn llygaid fy mrawd, er i'r Signore ymddangos yn hollol anymwybodol ohono.

Aeth ein trefniadau gyda Roberto yn rhacs llwyr. Rhwng gofynion y theatr, y Signore yn galw'n ddyddiol, a'i rhieni'n cadw llygaid barcud arni, doedd dim posib i Maria ddianc o'u golwg am eiliad, heb sôn am brynhawn cyfan. Bu'n rhaid i mi fynd ar fy mhen fy hun i'r farchnad newydd ac egluro'r sefyllfa iddo. Derbyniodd fy eglurhad yn ddirwgnach, chwarae teg iddo, gan ddweud y byddai am ddod i'r farchnad bob wythnos p'run bynnag – roedd yn mwynhau gwylio'r bobol a'r marsiandïwyr – ac os byddai Maria yno, gorau oll.

'Cofiwch fod angen lle i beintio arna i,' atgoffodd fi cyn ffarwelio. 'Rydw i wedi gorffen y gwaith braslunio, mwy neu lai, ac yn barod i ddechrau peintio. Ydach chi wedi cael hyd i rywle?'

'Mi feddylia i am rywbeth,' atebais, a'r hen anobaith yn llenwi fy meddwl. Y gwir amdani oedd nad oedd gen i 'run syniad sut i fynd o'i chwmpas hi. Yn sicr allwn i ddim fforddio talu rhent ar weithdy iddo, ac roedd gadael iddo ddod i'r tŷ allan o'r cwestiwn. Byddai'n rhaid i mi weddïo'n daerach nag erioed am ateb i'r broblem.

'Mae hi'n nosi, Anna Maria,' meddai'r lleian yn dawel. 'Rhaid i ni roi'r gorau iddi am y tro.'

'Sut mae dy arddwrn di, cara mia?' holodd yr hen wraig.

'Ddim yn ddrwg,' atebodd hithau'n gelwyddog. Efallai y byddai'n rhaid iddi ofyn i'r Uchel Fam gymryd ei lle unwaith eto.

'Gad i ni ddweud ein pader gyda'n gilydd, 'ta. Mi fydda i'n hoffi cael cwmni wrth ddweud fy "Ave Maria". Mae'n f'atgoffa o'r amser a fu gyda Maria fach.'

Penliniodd Cecilia wrth erchwyn y gwely a rhoi ei dwylo ynghyd.

X

Torrodd Roberto'r wy yn ei hanner yn ofalus uwchben y ddysgl, gan adael i'r gwynnwy ddisgyn iddi a chadw'r melyn yn ddiogel yn y plisgyn. Wedi cael pob diferyn o'r gwynnwy allan, rhoddodd y melynwy mewn dysgl ar wahân. Efallai y byddai'r gogyddes yn gallu defnyddio'r gwynnwy. Ychwanegodd ddwy lwyaid o ddŵr i'r melynwy, yna'n ofalus ddiferyn o finegr a'i guro i mewn yn dda. Yn agored ar y fainc o'i flaen yr oedd ei drysor: y llyfr gwerthfawr, llawlyfr yr artistiaid gan Cennino, y *Libro dell' Arte*. Edrychodd ar y cyfarwyddiadau yn y llyfr unwaith eto, ac ychwanegu diferyn arall o'r finegr a'i gymysgu. Wedi ei fodloni, tywalltodd y gymysgedd i botel wydr lân a chau'r caead yn dynn arni rhag i aer fynd at yr wy. Dyna'r cam cyntaf drosodd.

Safodd yn ôl am eiliad cyn gafael yn y llyfr a darllen dros y cyfarwyddiadau am y cam nesaf. Roedd wedi eu darllen droeon, wedi ymgyfarwyddo â phob tudalen yn y llyfr, ond dyma'r tro cyntaf iddo allu arbrofi gyda'r dechneg o baratoi *tempera*. Dull henffasiwn o baratoi paent ydoedd, paent oedd â nodweddion arbennig yn perthyn iddo, nodweddion oedd yn apelio'n fawr at Roberto. Defnyddid *tempera* gan lawer o'i hoff arlunwyr, arlunwyr oes aur Firenze, ond erbyn hyn paent olew oedd popeth, a'r dechneg o baratoi *tempera* wedi mynd yn angof, bron. Dyna pam roedd y llyfr mor werthfawr iddo. Rhodd gan ei hen feistr ydoedd, wrth iddynt ffarwelio. Roedd y llyfr yn hen, yn gopi o'r gwreiddiol a gyhoeddwyd gannoedd o flynyddoedd ynghynt, ac roedd gan yr awdur gysylltiadau teuluol, drwy ei dad, â'r arlunydd enwog Giotto, meistr ar ei grefft, ac athro penigamp. Roedd y cyfarwyddiadau yn ei lyfr yn eglur a syml. Drwy ddefnyddio'r gyfrol, gobeithiai Roberto y byddai yntau'n gallu peintio â'r cyfrwng arbennig hwn, cyfrwng oedd yn llawn goleuni a phurdeb lliw, nid fel paent olew oedd yn gallu bod mor drwm a thywyll a mwdlyd ei ansawdd.

Roedd y gweithdy'n dawel gan ei bod yn awr y *siesta*. Cawsai ganiatâd grwgnachlyd ei feistr i weithio ar ei liwt ei hun yn arbrofi, gan y byddai'n rhaid iddo ddechrau meddwl cyn bo hir am greu darn o waith prawf ar gyfer diwedd ei brentisiaeth a dyrchafiad i fod yn jermon. Ond wrth gwrs, roedd yn rhaid iddo forol am ei liwiau a'i ddefnyddiau ei hun! Ni fyddai'r Padrone Benedetto yn fodlon talu costau unrhyw brentis ar gyfer ei waith prawf.

Wedi iddo orffen adolygu'r camau nesaf, estynnodd Roberto ei gist fechan llawn droriau pren. Roedd wedi defnyddio'r arian a gawsai gan Signora Chiappini i'w phrynu, ynghyd â nifer o bigmentau powdwr. Yn wir, roedd hefyd wedi prynu anrheg i Benedetta gyda'r arian, ond dim ond canran fechan iawn a wariodd arni: potel bersawr fach o wydr Veneto. Roedd Benedetta wrth ei bodd gyda'r anrheg. Crwydrodd ei feddwl o'i waith. Roedd yn colli Benedetta, ac edrychai ymlaen at y diwrnod y deuai adref o'i gwyliau. Yn ôl y gweision, ni fyddai'n rhaid iddo ddisgwyl fawr hirach, gan fod coets y meistr wedi ei hanfon i dŷ'r fodryb, taith deuddydd. Aeth yn ôl at ei waith.

Cymysgu powdwr y pigmentau oedd y gwaith anoddaf, yn ôl Cennino, ac roedd angen llawer o arbrofi i gael y lliwiau'n gywir. Tynnodd becyn o'r priddliw ocr melyn allan o'r gist a mesur llwyaid fechan ohono a'i roi mewn dysgl borffyri. Aeth ati i falu'r powdwr yn fanach gyda'r pestl. Yn ôl Cennino, nid oedd powdwr ar gyfer paent olew yn ddigon mân ar gyfer *tempera*. Wedi iddo'i fodloni ei hun fod y pigment yn ddigon mân, aeth i nôl y glorian fechan oddi ar y silff a mesur ychydig o'r powdwr yn ofalus. Dyma'r darn hollbwysig. Roedd angen cael cyfartaledd union rhwng y pigment a'r gymysgedd wy. Rhy ychydig o wy, ac fe fyddai'r paent, wedi iddo sychu, yn edrych yn ddwl ac fel sialc. Gormod o wy, ac fe fyddai'n cymryd oesoedd i sychu ac yn ymddangos yn seimllyd a gor-sgleiniog.

Canolbwyntiodd ei holl feddwl ar y mesur, ac oherwydd hyn, ni chlywodd y drws yn agor na sŵn traed yn croesi at y fainc lle gweithiai. Dychrynodd am ei fywyd pan glywodd lais yn sibrwd yn ei glust, a gollyngodd y llwy fesur nes bod powdwr melynfrown yn disgyn fel cen ar y fainc.

'Beth sy gen ti'n fan'na, *caro?*'

Isabella oedd yn sefyll yn agos at ei gefn – yn rhy agos. Ond ni allai gamu'n ôl oddi wrthi oherwydd y fainc. Ceisiodd ymddwyn yn ddidaro.

'*Buon giorno, Padrona,*' meddai'n siriol. 'Mi wnaethoch chi fy nychryn i. Maddeuwch i mi tra bydda i'n sgubo'r pigment oddi ar y fainc. Wnaiff eich gŵr byth faddau i mi os ydw i'n gwneud llanast yn ei weithdy! Esgusodwch fi, ga i fynd heibio? Rydw i angen yr ysgub fach.'

Ceisiodd wthio heibio i Isabella, ond symudodd hithau o'i flaen a'i rwystro. Rhedodd ei llaw dros gynfas ei smoc. Gallai deimlo drwy'r defnydd ei bysedd yn chwarae'n ysgafn ar ei gnawd, yn llithro o'i ysgwydd i lawr ac ar draws ei frest. Ni wyddai sut i ymateb, sut i ddianc heb achosi cynnwrf.

'Beth sy'n bod, Roberto?' gofynnodd yn bryfoclyd. 'Dwyt ti 'rioed ofn dy *padrona*? A hithau'n meddwl cymaint ohonot ti!' Edrychodd yn ffug-bwdlyd arno, a'i bysedd yn dal i redeg i fyny ac i lawr ei frest. Camodd yn agosach ato nes iddo deimlo llawnder ei bronnau'n gwthio yn erbyn ei gorff. 'Oes gennyt ti ddim gair bach caredig i'w ddweud wrthi?'

Chwarddodd Roberto'n ysgafn, er iddo ochneidio oddi mewn. Dyma'r funud roedd wedi ei hofni ers ei gyfarfod cyntaf ag Isabella, y funud y ceisiodd ei hosgoi ar bob cyfrif. Roedd yn brofiadol gyda merched, ac nid oedd yn rhywbeth newydd iddo gael gwraig yn ei thaflu ei hun ato fel hyn. Ond roedd hon yn fwy prydferth na'r rhelyw, yn arbennig o brydferth, yn ifanc, a'i chorff yn nwydus, yn llawer rhy dda i'r hen fwbach Benedetto. Fe allai deimlo'r chwant yn rhedeg drwy ei gorff, a meddyliodd yn sydyn, pam lai? Buasai wrth ei fodd yn gwneud yr hen ddyn yn gwcwallt.

'O oes, *padrona*, mae gen i air caredig i chi, a llawer mwy na geiriau!'

Chwarddodd hithau yn llawn cynnwrf, a chyn pen dim roedd hi'n ei helpu i ddiosg ei smoc a'i grys.

'O, Roberto,' ebychodd wrth wthio'i bysedd i'r blewiach crychiog, du a guddiai ei fron; yna rhedodd ei dwylo dros gyhyrau ei freichiau, ei gefn, a'i stumog. 'Rwyt ti mor berffaith! Mi fyddai Michelangelo ei hun wedi ysu am gael dy ddefnyddio di fel model!' Cusanodd ei ysgwydd, a chodi ar flaenau ei thraed i gyrraedd ei wddf. Trodd y cusanu'n llyfu, ac ildiodd Roberto'n llwyr i'w chwant. O fewn eiliadau, roedd ei dillad hithau yn un pentwr ar y llawr, a rhedodd Roberto i'r cwpwrdd i chwilio am garped neu lenni a ddefnyddiai'r artist ar gyfer ei bortreadau. Gosododd swp ohonynt ar y llawr, a gorweddodd y ddau.

Wrth i Isabella symud yn rhythmig oddi tano, ei hanadlu dwfn a'i griddfannau'n bwydo'i chwant, dechreuodd elfen o falais gymysgu â phleser Roberto. Bob tro yr ymwthiai iddi, a hithau'n ymateb yn swnllyd, yn ei feddwl roedd yn gwthio cyllell i gnawd blonegog ei feistr.

Daethai'r ddau bleser ynghyd: ffwcio Isabella a bradychu ei feistr, cymysgedd hudolus o nwydus a'i gyrrai ymlaen i wthio'n galetach ac yn galetach nes i floedd orfoleddus ddynodi bod Isabella, o leiaf, wedi cyrraedd pen ei phleser. Nid oedd yntau ymhell ar ei hôl, ond wrth iddo yntau gyrraedd ei binacl, agorwyd drws y gweithdy.

'Be ddiawl sy'n mynd ymlaen . . . ! O, chi sy 'na, Padrona!'

Sebastiani a safai yno, yn syllu'n rhyfedd ar noethni'r ddau ar y llawr. Neidiodd Roberto oddi ar gorff Isabella a cheisio cuddio'i noethni, ond nid oedd y wraig fel petai'n malio dim; roedd hi fel petai'n hollol ymwybodol o effaith ei chorff ar ddynion, ac yn ymhyfrydu ynddo.

'Chdi sy 'na, Sebastiani!' meddai'n ddioglyd, heb unrhyw ymdrech i guddio'i hun. Yn hytrach, ymestynnodd ei chorff yn araf a dylyfu gên, ag un fraich yn ymestyn y tu ôl i'w phen a'r llall yn rhedeg dros lyfnder croen ei chluniau, fel parodi o'r *Fenws Urbino*.

Edrychodd Roberto o un i'r llall wrth iddo wisgo'i glos. Roedd rhywbeth yn mynd ymlaen fan hyn, rhywbeth na ddeallai. Roedd llygaid Sebastiani wedi eu hoelio ar gorff Isabella, ond nid fel rhywun nad oedd erioed wedi ei weld o'r blaen. Sylweddolodd mai cynddaredd oedd yn llygaid y jermon, cynddaredd a chenfigen. Fel petai'n ymwybodol o feddyliau Roberto, trodd Sebastiani ei olwg ato ef.

'Gwisga amdanat, y diawl uffar!' rhegodd arno.

'Rŵan, rŵan, Sebastiani! Dim o'r araith yna, os gweli di'n dda! Does dim bai ar Roberto os oes ganddo fo well offer na chdi, ac os ydi'i berfformiad o'n llawer gwell!' Cododd Isabella ar ei heistedd, yn amlwg yn mwynhau pob eiliad o'i phŵer dros y ddau ddyn, ei bronnau trymion yn ymwthio o'i blaen, a'r tethi'n dywyll a llawn yn eu cylch euraid. Agorodd ei choesau'n awgrymog, a gallai Roberto weld y boen, y chwant a'r gynddaredd yn wyneb y jermon. Bron na allai gydymdeimlo ag ef.

Cododd Isabella'n ystwyth a chroesi at Roberto. Rhoddodd ei breichiau am ei wddf.

'Edrych ar hyn, Sebastiani!' gwawdiodd, gan edrych ar y dyn dros ei hysgwydd am eiliad cyn troi ei phen yn ôl at Roberto.

'Fel hyn mae gwneud, i ti gael dysgu!' Heb unrhyw rybudd, gwasgodd ei chorff yn erbyn Roberto, ei llaw yn chwarae ar ei geilliau a'i gwefusau'n cau ar ei geg. Teimlodd ei thafod yn gwthio i gefn ei wddf yr un mor galed ag yr oedd yntau wedi gwthio y tu mewn iddi hithau funudau ynghynt. Clywodd sŵn rhyfedd yn dod o enau Sebastiani, hanner griddfan, hanner cynddaredd anobeithiol. Gollyngodd Isabella ef yr un mor ddisymwth a dechrau gwisgo. Wedi iddi orffen, trodd i siarad unwaith eto gyda Sebastiani.

'Wnawn ni ddim sôn am hyn wrth y meistr, na wnawn? Wedi'r cyfan, pwy wyt ti i achwyn? Mi gefaist ti dy gyfle, ond doedd dy berfformiad di ddim yn ddigon da!' Edrychodd yn bryfoclyd ar Roberto. 'Nid fel y chdi, naci, *caro!*' Meddai wedyn wrth Sebastiani, 'A chofia 'mod i'n wraig ddarbodus i'm gŵr. Mae fy nghyfrifon tŷ i'n gywir i'r geiniog, pob gwariant wedi ei gofnodi'n ofalus. Basa'n anodd i ti egluro wrth Giuliemo pam fod cymaint o boteli *grappa* yn cael eu harchebu bob mis, ac yntau'n casáu'r ddiod! Mi fasa'n siŵr o ddarganfod pwy sydd yn eu hyfed – ar ei draul o!'

Gyda hynny, cerddodd yn fawreddog o'r gweithdy, gan adael Sebastiani a Roberto yn syllu ar ei gilydd. Culhaodd llygaid Sebastiani. Cododd ei fraich a phwyntio'i fys at Roberto.

'Mi gei di dalu am hyn, y twll tin iâr uffar! Gei di weld!'

Aeth yntau allan, ac unwaith eto roedd Roberto ar ei ben ei hun yn y gweithdy, ei brynhawn a'i dawelwch meddwl wedi eu chwalu'n deilchion.

Rhyfeddodd at ei gorff. Sut allai deimlo cynnwrf

rhywiol, ac eto, ar yr un pryd, deimlo'r ysfa i chwydu? Oherwydd dyna oedd canlyniad y gusan olaf a roesai Isabella iddo o flaen Sebastiani. Roedd sylweddoli ei bod hi wedi hudo'r jermon fel y bu iddi ei hudo yntau yn codi pwys arno. Sawl un arall a fu y tu mewn iddi? Pob un o'r prentisiaid? Pob prentis a fu yng ngweithdy ei gŵr ers iddyn nhw briodi? Pob gwas? Pob cardotyn oddi ar y stryd? Teimlodd yn aflan, ac aeth i ymolchi ei gorff cyfan.

Y noson ganlynol, roedd Benedetta i ddychwelyd i'w chartref. Ond cyn iddi gyrraedd, daeth gŵys i Roberto fynd i swyddfa Benedetto. Pan gyrhaeddodd yr ystafell, dychrynodd wrth weld bod pob aelod o'r teulu a'r prentisiaid i gyd yno yn barod. Eisteddai Benedetto y tu ôl i'w ddesg, ei wyneb a'i ymarweddiad yn llym ac yn oer. Safai Isabella y tu ôl i'w gŵr, ac am eiliad ofnai Roberto'r gwaethaf. Ond roedd golwg rhy hunanfeddiannol arni. Doedd bosib y byddai'n ymddwyn fel yna pe bai ei gŵr yn gwybod am yr hyn oedd wedi digwydd rhyngddi a Roberto. Ond eto, gwyddai Roberto mai ef oedd gwrthrych llid Benedetto. Ar yr ochr bellaf i'r ddesg safai Sebastiani, a gwên yn llawn malais ar ei wyneb.

'Wna i ddim goddef lladron dan fy nho!' taranodd Benedetto. 'Dylwn alw'r *sbirri* a'th anfon i'r Bargello am dy drosedd!'

Roedd meddwl Roberto ar goll yn llwyr. Beth oedd yn bod ar y dyn? Am beth oedd o'n hefru?

'Oes gen ti rywbeth i'w ddweud i'th achub dy hun?' meddai Benedetto drachefn, ond ni allai Roberto yngan gair. Edrychodd yn gyflym ar Isabella, ond roedd hi'n syllu allan drwy'r ffenestr. Edrychodd ar Sebastiani a gwyddai yn ei galon mai hwn oedd y tu ôl i beth bynnag oedd yn mynd i ddigwydd nesaf.

'Signor Benedetto,' meddai hwnnw, ' os ca i ddweud

gair, rhoi'r dystiolaeth o flaen pawb?' Cliriodd ei wddf wrth i'r meistr arwyddo iddo siarad.

'Filippo fan hyn,' pwyntiodd at un o'r prentisiaid a rannai'r ystafell wely gyda Roberto. Ni allai Roberto ei oddef, yn wahanol iawn i Paolo. 'Filippo ddaeth ataf, Padrone, a dangos hwn i mi.' Daeth Filippo ymlaen a gosod pecyn ar ddesg Benedetto. Agorodd Sebastiani'r pecyn yn araf a dangos nifer o frwshys paent drudfawr, rhai wedi eu gwneud o sabl coch, y gorau a'r drutaf y gellid eu prynu. Gyda hwy yr oedd nifer o becynnau o bigmentau, i gyd a marc Benedetto arnynt.

'Roedd Filippo wedi gweld Rinaldi yn eu cuddio dan ei obennydd neithiwr, pan oedd o'n credu bod pawb yn cysgu.'

'Celwydd noeth!' bloeddiodd Roberto ar ei draws. 'Welais i 'rioed mohonyn nhw o'r blaen!'

'Mi faset ti'n dweud hynny, siŵr iawn!' atebodd Sebastiani'n gyflym. 'Ond mae gennym ni dyst! Mi welodd Filippo chdi!'

'Welodd y diawl ddim byd o gwbl! Fues i ddim allan o 'ngwely neithiwr!'

'Wedi blino gormod!' ymatebodd Sebastiani'n ffiaidd, gan roi taw ar Roberto. Roedd y trywydd hwnnw'n un llawer rhy beryglus i'w ddilyn.

Cymerodd Benedetto ei dawelwch fel arwydd o euogrwydd.

'Rydw i am fod yn drugarog wrthyt ti, Rinaldi,' meddai. 'Dydw i ddim am ddwyn achos yn dy erbyn, ond mae'n rhaid i ti adael fy nhŷ a'm gweithdy ar unwaith. Yn awr, y funud hon, heb oedi. Daw Sebastiani gyda thi i hel dy bac. Dwyt ti ddim i fynd i'r gweithdy eto.'

Amneidiodd â'i ben at Sebastiani, a gwenodd hwnnw'n fuddugoliaethus. Doedd dim dewis gan Roberto ond ei ddilyn i'r lloftydd a chasglu ei eiddo. Rhoddodd ei lyfr hoff yn ei gwdyn lliain a'i osod yn ofalus yng ngwaelod ei sgrepan. Wrth lwc roedd ei gist fechan wrth ei wely hefyd, a rhoddodd honno gyda'i lyfr. Wedi iddo gasglu popeth, hebryngwyd ef o'r adeilad gan Sebastiani a Filippo. Roedd Paolo yn sefyll wrth y drws i ffarwelio ag ef. Ysgwydodd law Roberto, a theimlodd yntau ddarn o bapur yn cael ei wasgu i gledr ei law, ond ni ddywedodd Paolo yr un gair.

Dilynodd Filippo a Sebastiani ef i lawr y stryd ac i'r stryd nesaf. Yn ddisymwth, teimlodd Roberto'i hun yn cael ei lusgo i ffordd gefn gul, dywyll, ac yno, gyda Filippo'n dal ei freichiau, rhoddodd Sebastiani gurfa egr iddo.

XI

'Sut mae'r boen bore 'ma, Anna Maria?' holodd yr Uchel Fam.

'Ble mae Cecilia?' oedd yr ateb.

Sylwodd yr Uchel Fam, gan wenu'n dawel wrthi ei hun, ar y ffordd yr anwybyddodd yr hen wraig ei chwestiwn, ond ni wnaeth unrhyw sylw am hyn.

'Penderfynais y byddai'n decach iddi hi a mi gofnodi am yn ail,' atebodd. 'Rydych chi'n dweud eich hanes mewn ffordd mor drylwyr, Anna Maria, fel na all un person yn unig gadw i fyny â chi! Nawr 'te, ble roeddech chi?'

Gwaethygodd fy mhroblemau yn sydyn iawn. Roeddem newydd ddychwelyd o'r theatr, a minnau wedi helpu Maria i fynd i'w gwely, pan es i i lawr i'r gegin i gael ychydig funudau i mi fy hun cyn noswylio. Penderfynais wneud diod o lefrith cynnes, siocled a nytmeg i'm helpu i gael noson esmwyth o gwsg. Roeddwn wrthi'n gratio'r nytmeg pan glywais dwrw rhywbeth yn disgyn yn y cefnau. Gwrandewais yn astud am funud neu ddwy, ond roedd pobman yn dawel, felly gorffennais fy ngratio a mynd i eistedd wrth y tân gyda'm diod. Meddyliais mai dychmygu roeddwn i ddechrau, neu heb sylweddoli fy mod wedi pendwmpian a breuddwydio. Breuddwydio fy mod wedi clywed llais yn sisial 'Hisht!' arna i. Clywais y sŵn eto, ac na, nid breuddwydio roeddwn i. Rhoddais fy nghwpan i lawr yn ofalus a cherdded yn araf ar flaenau 'nhraed at ddrws y cefn. Pwysais fy nghlust yn erbyn y pren a gwrando.

'Hisht! Signora Chiappini, ydach chi yna?'

'Pwy sy 'na?' sibrydais yn ôl. Doeddwn i ddim am i Lorenzo ddeffro am bris yn y byd.

'Roberto! Agorwch y drws, yn enw'r Forwyn!'

'Be ar y ddaear fawr wyt ti'n da yma yr amser hyn o'r nos?'

'Agorwch y drws, rydw i'n erfyn arnoch chi! Mi eglura i bopeth wedyn.'

Llusgais y bariau ar agor yn araf bach rhag gwneud gormod o dwrw, a chilagor y drws. Syllais i'r tywyllwch ac roedd yn rhyddhad gweld mai Roberto oedd yno mewn gwirionedd, a'i fod ar ei ben ei hun. Agorais y drws yn lletach, a daeth yntau i mewn i'r gegin. Caeais y drws yn gyflym.

Roedd golwg anarferol o flêr arno, a chariai becyn yn ei law – yr un pecyn ag a welswn ar y llong. Roedd marciau llaid ar ei wyneb a'i ddillad, ac roedd ganddo lygad ddu.

'Be sy 'di digwydd?' holais yn gynhyrfus. 'Wyt ti wedi bod yn cwffio?'

Ysgydwodd ei ben yn gyflym.

'Naddo, siŵr,' atebodd. 'Ond Signora Chiappini, mae'r gwaethaf wedi digwydd!'

Aeth fy llaw i'm gwddf mewn braw.

'Be! Wyt ti . . .?'

'Mae Benedetto wedi fy nhaflu allan o'i dŷ,' meddai'n chwerw. 'Fe glywodd am ein trefniant – un o'r prentisiaid eraill wedi dod o hyd i 'mrasluniau ac wedi eu dangos nhw iddo fo – ac roedd o mor filain nes iddo 'ngorfodi i adael yr eiliad honno. Casglu 'mhethau at ei gilydd ac allan drwy'r drws! Dyna i chi Gristion!'

'Ond . . . ond . . . wyt ti wedi cael swper?' Dyna'r cwbl allwn i ei ddweud wrtho ar y pryd, a ph'run bynnag, byddai cael gwneud rhywbeth â'm dwylo yn gymorth imi ymdawelu ac i leihau fy nghynnwrf.

Ysgydwodd ei ben yn ddiflas, felly dyma fi'n dweud wrtho am eistedd tra byddwn i'n mynd ati i baratoi platiad o wyau a *pancetta* iddo. Rhoddais ragor o lefrith i gynhesu a gwneud diod siocled a nytmeg iddo yntau. Wrth i mi weithio, rhoddodd fwy o fanylion am ei fywyd diflas gyda'r Benedetto 'na, ac eglurodd sut y bu iddo faglu yn y tywyllwch a brifo'i lygad, ond rhyw hanner gwrando oeddwn i mewn gwirionedd. Yr hyn a bwysai ar fy meddwl i oedd pam oedd o wedi dod yma? Beth oedd o'n disgwyl i mi ei wneud? Cefais yr ateb wedi iddo orffen llowcio'i fwyd a gwagio'r gwydriad o win roeddwn wedi ei dywallt iddo.

'Oes gennych chi le i mi aros am ddiwrnod neu ddau, tra ydw i'n penderfynu beth i'w wneud?' gofynnodd yn daer. 'Dach chi'n byw mewn tŷ mawr. Mae'n siŵr fod lle yn y garet neu rywle?'

Ysgydwais fy mhen yn bendant.

'Rydw i'n erfyn arnoch chi! Dim ond am un noson. Does gennyf unlle arall i fynd.'

'Gad i mi feddwl am funud,' plediais. 'Mae 'mhen i'n troi.'

Ymdawelodd yntau. Trodd at y tân i sipian ei ddiod llefrith heb yngan yr un gair. Wyddwn i ddim beth i'w ddweud wrtho. Ar un ystyr, gellid dweud mai fi a'm syniad oedd y rheswm dros ei sefyllfa bresennol. Yn sicr, teimlwn rywfaint o gyfrifoldeb drosto, ac roedd yr euogrwydd yn fy llethu. Ond pa haws oeddwn i o deimlo fel hyn? Fyddai teimladau o'r fath ddim yn datrys fy mhroblem i na'i broblem yntau – yr un broblem yn y bôn. Doedd dim ateb hawdd i'w gael, a theimlais gur mawr yn codi yn fy mhen.

'Gwranda,' meddwn o'r diwedd. 'Tŷ fy mrawd ydi hwn, a does gen i fawr o awdurdod yma. Byw ar ei ewyllys da ydw i. Felly, alla i ddim cynnig llety i ti yma . . . Na, gad i mi orffen,' ychwanegais o'i weld yn agor ei geg i ddweud rhywbeth. 'Wn i ddim beth i'w wneud, os ydw i'n berffaith onest efo ti, ond mi adawa i i ti gysgu yn yr hen stabl am heno, ac fe gawn ni gyfle i feddwl am rywbeth gwell fory. Ond bydd yn rhaid i ti fod allan ar doriad gwawr, a dim eiliad hwyrach,' ychwanegais yn gyflym.

Fe gyffyrddodd ei ddiolchgarwch â 'nghalon. Gadewais ef i fynd i gasglu ychydig o flancedi a gobennydd iddo, yna cymerais y llusern a'i arwain drwy'r ardd dywyll at y stabl. O leiaf roedd hi'n sych ac yn gynnes yno, er bod twrw llawer o draed bychain a chynffonnau'n sgythru o amgylch y llawr llychlyd. Ond doedd hynny'n poeni dim ar Roberto.

'*Buona notte*,' sibrydodd wrth i mi droi gyda'm llusern a'i adael yn y tywyllwch.

Mae'n rhyfedd sut y mae gweddïau wedi ateb fy mhroblemau. Cysur mawr fy mywyd yw fod Duw, o leiaf, yn gwrando arnaf. Treuliais y rhan fwyaf o'r noson honno yn gweddïo. Dydw i ddim yn meddwl i mi gysgu winc, ac erbyn i'r awyr ddechrau goleuo roeddwn ar fy nhraed unwaith eto ac yn gwisgo fy nillad gwaith. Yn y gegin, paratoais fyrbryd bychan a ffrwythau, a'u rholio mewn darn o glwt. Cripiais allan i'r stabl fel yr oedd y sêr yn diffodd, a chwarae teg iddo, roedd Roberto ar fin gadael.

'Hwda,' meddwn gan wthio'r pecyn i'w ddwylo, 'a tyrd yn ôl heno os na fyddi wedi cael lle gwell.'

'*Diecimila grazie!*' atebodd a rhoi cusan ysgafn i mi ar fy moch cyn diflannu allan i'r stryd. Gobeithiwn na fyddai neb yn ei weld yn gadael.

Daeth yr ateb i'm gweddïau y noson honno, yn y theatr o bobman. Byddai'r perfformwyr yn arfer treulio rhyw awr cyn y perfformiad yn ymarfer eu rhannau, ac yn ystod yr amser hwn roedd wedi dod yn arferiad gennyf rannu clecs a chael paned o siocled gydag Emilia, gwraig y gofalwr. Roeddem wedi dod yn ffrindiau da, a hi fyddai'r person y byddwn yn fwyaf tebygol o rannu fy ngofidiau â hi, pe byddwn yn dewis gwneud hynny o gwbl. Sylwodd y noson honno fod golwg flinedig arnaf, ac eglurais innau pam, gydag ychydig bach o gelwydd.

'Mab un o'm ffrindiau o'r hen bentref gyrhaeddodd neithiwr, yn disgwyl i mi roi lle iddo aros,' meddwn gan ysgwyd fy mhen, 'ond mi wyddost sut un ydi Lorenzo.'

Nodiodd hithau mewn cydymdeimlad. Roedd wedi gweld digon ar ei dymer ddrwg yn y theatr, a doedd dim rhaid ymhelaethu.

'Wn i ddim lle caiff o fynd, na wn wir, a does ganddo fo ddim pres – na finna chwaith i allu talu drosto fo.'

'Be ydi ei waith o?' holodd.

'Isio bod yn arlunydd mae o, chwilio am brentisiaeth, 'fallai.'

'Ew, dydi hi ddim yn hawdd y dyddia 'ma, nag ydi?' meddai gan ysgwyd ei phen. 'Ydi o'n un da?'

'Ydi, am wn i, o be welais i o'i waith.'

'Sgwn i,' meddai Emilia wedyn yn araf ac yn feddylgar. 'Sgwn i wir.'

'Be?' gofynnais, â llygedyn o obaith yn codi yn fy nghalon.

'Wel, alla i ddim addo dim, cofia, ond . . .' petrusodd am eiliad, a daeth amheuaeth i'w llygaid. 'Ydi o wirioneddol isio bod yn arlunydd? Fyddai o'n ystyried rhywbeth llai uchelgeisiol?'

'Does ganddo fo fawr o ddewis,' atebais yn sychlyd. 'Mi ddylai fod yn ddiolchgar am unrhyw gyflog y byddai'n ei gael.'

'Wel,' meddai drachefn. 'Cofio'n sydyn wnes i fod helynt yma pnawn ddoe – un o'r peintwyr wedi gadael heb rybudd, a'r rheolwr yn cael strancia. Mae o'n daer am gael rhywun yn ei le.' Cymerodd sip fechan o'i siocled cyn

105

gofyn cwestiwn arall. 'Fyddai'r llanc yn fodlon peintio waliau – o leiaf ar y dechrau? Os ydi o'n dda yn ei waith, mi gaiff gynnig peintio cefndiroedd i'r llwyfan yn y man.'

Daeth fy nwylo at ei gilydd mewn pader ddieiriau. Diolch, Dduw. 'Alla i ddim ond gofyn iddo fo – ond dwi'n siŵr y bydd yn derbyn y cynnig,' meddwn yn ddiolchgar.

'Dydw i ddim yn cynnig y gwaith iddo fo!' meddai Emilia mewn tipyn o fraw. 'Dydi o ddim i fyny i mi. Ond fe ddyweda i wrth y gŵr, ac mi gaiff yntau sôn wrth y rheolwr. Gallai'r dyn sy'n cael y gwaith ddechrau fory. Be ydi enw'r llanc?'

'Roberto Rinaldi.'

'Iawn. Dwed wrtho am ddod draw pnawn fory, tua thri o'r gloch. Fydd neb yma cyn hynny.'

'Ew, dyna ryddhad!' ebychais. 'Siawns y cysga i'n well heno. Dim ond chwilio am lety iddo fo, ac mi fydda i'n hollol dawel fy meddwl.'

'Paid â thrafferthu,' meddai hithau dan wenu. 'Os bydd o'n dod yma i weithio, bydd ystafell iddo yn llofftydd y theatr fel rhan o'i gyflog, a lwfans bwyd.'

Roeddwn ar dân eisiau dweud y newyddion da wrth Roberto. Gwnes esgus i fynd i'r hen stabl ar ôl y perfformiad, ond doedd o ddim yno. Meddyliais yn siomedig ei fod wedi cael rhywle gwell wedi'r cyfan, a bod fy sgwrs yn ofer. Wedi i mi orffen fy nyletswyddau, mi wnes ddiod bach i mi fy hun unwaith eto yn y gegin, gan hanner gobeithio ail-greu amodau'r noson cynt. Chefais i ddim o'm siomi. Wedi i bawb yn y tŷ ddistewi, daeth cnoc ysgafn ar y drws a llais Roberto'n sisial fy enw. Gadewais ef i mewn a mynd ati i baratoi bwyd iddo. Roeddwn wedi cadw rhywfaint o'n swper ni o'r neilltu, a dim ond aildwymo hwnnw oedd raid. Tra oeddwn yn paratoi'r bwyd, eglurais y sefyllfa yn y theatr iddo.

'Nid dyma beth oedd fy rhieni am i mi ei wneud,' meddai ar ôl ysbaid o dawelwch, 'ond mae unrhyw waith yn well na dim byd – yn enwedig os bydd lle i mi fyw yn cael ei gynnig hefyd.'

'Yn union beth feddyliais i,' cytunais yn falch. 'A meddylia, efallai y cei di rwyddach hynt i wneud dy waith dy hun yno. Does neb yn dechrau gweithio tan y prynhawn, ac efallai y byddai'r boreau'n rhydd i ti.'

'Ia, dach chi'n iawn. Mi a' i draw fory i weld a gymeran nhw fi. O, ac un peth arall ...' roedd ganddo'r gras i edrych yn swil wrth ddweud y geiriau nesaf, 'allech chi roi ychydig bach mwy o arian i mi – blaendal y llun, os mynnwch chi, dim ond i mi gael fy nghefn ataf?'

Syllais yn fud arno am eiliad, ond penderfynais mai taw piau hi. Roeddwn am edliw'r arian a roddais iddo ynghynt, yr arian i brynu paent. Doeddwn i ddim wedi gweld unrhyw arlliw ohono, ac yntau ei hun yn cyfaddef wedyn nad oedd yn barod i ddechrau peintio. I beth oedd angen paent, felly, ac i ble'r aeth fy arian? Ond mi es i i bwrs arian y tŷ a rhoi hynny o newid oedd ynddo iddo.

'Ydi'r paent brynaist ti'n saff?' Mynnais wneud rhyw fath o safiad.

'O ydi,' sicrhaodd. 'Mae o yn fy mhecyn i. Faswn i byth yn gadael hwnnw ar ôl, peidiwch â phoeni! Mi fydda i'n barod i'w ddefnyddio cyn bo hir.'

Rhoddodd gusan arall i mi cyn noswylio, a minnau'n dechrau teimlo fel ei fam, neu o leiaf fel ei hoff fodryb. Teimlwn yn ddigalon dros ei rieni os oedden nhw wedi gobeithio'i weld yn arlunydd. Ai fi oedd wedi chwalu'r gobeithion hynny, tybed? Pwn arall o euogrwydd i'w ddodi ar f'ysgwyddau! Ond na, meddyliais wedyn. Gallasai'r llanc fod wedi gwrthod fy nghynnig. Roedd rhywfaint o'r cyfrifoldeb arno yntau.

XII

Clywais gan Emilia y noson ganlynol fod Roberto wedi cael y swydd, ac wedi dechrau ar y gwaith yn syth. Daeth draw ei hunan yn ystod y perfformiad a diolch imi. Arhosodd i glywed Maria, ac wedi iddi orffen cymeradwyodd ei pherfformiad gyda chymaint o frwdfrydedd â phawb arall yn y gynulleidfa, gan weiddi 'Bravissima!' nerth ei ben. Roedd yn disgwyl amdani pan gerddodd oddi ar y llwyfan, ac roedd hithau'n falch iawn o weld ei wyneb hardd, hapus. Mi fuasai wedi dod gyda ni i'w hystafell newid oni bai fod Lorenzo'n disgwyl amdanom. Nid oeddwn wedi mentro dweud wrthi am helyntion Roberto cyn hyn, ond gan ei fod bellach yn ddiogel, adroddais ei hanes wrth i mi gribo'i gwallt cyn iddi fynd i'r gwely.

'O, Ziannamaria,' meddai'n drist, 'pam na chawn i edmygydd fel Roberto yn lle'r hen ddyn penwyn Seisnig yna!'

'Allwn i ddim ond gweddïo, cara mia,' atebais yn ffyddiog.

Wrth gwrs, doedd a wnelo fy ngweddïau ddim byd â digwyddiadau'r dyddiau nesaf. Neu yn hytrach, nid anwybyddu fy ngweddïau a wnaeth Duw, ond gwrando arnynt a phenderfynu, yn Ei ffordd hollwybodus, hollalluog Ei hun, nad oeddwn yn gweddïo am y pethau cywir. Ond nid fel yna yr ymddangosai pethau ar y pryd.

Ymhen ychydig ddyddiau roedd Lorenzo ar ben ei ddigon. Daeth adref o'i waith a'i wynt yn ei ddwrn.

'Dos i wneud Maria'n ddestlus,' meddai wrthyf wrth ruthro i'r gegin. 'Rho ei dillad gora amdani, a phob mymryn o aur a gema sydd yn y tŷ! Mae'n rhaid i ni wneud y sioe ora allwn ni heddiw.'

'Pam, be sy'n digwydd?' holais, ond fel arfer roedd yn fyddar i'm cwestiynau.

Roedd Maria druan yn llawn cynnwrf pan wisgais amdani, fel pe bai ganddi ryw ragargoel o'r hyn oedd i ddod.

'Mi newch chi aros efo fi, yn gwnewch, Ziannamaria?' meddai, a'i llygaid yn dyfrio.

'Siŵr iawn,' atebais innau gan wasgu ei llaw. Rhoddais ei dillad isaf o les amdani i ddechrau, yna ei phais orau o sidan Tsieina, a gwisg uchaf o fwslin gwyn a ruban glas yr un lliw â'i llygaid. Roedd fel paratoi'r oen pasgedig ar gyfer y lladdfa.

Daeth cnoc ar y drws, a heb aros i wybod a oedd hi'n weddus ai peidio, cerddodd ei thad i mewn. Roedd yntau yn ei ddillad gorau, a'i frest yn ymchwyddo'n bwysig.

'Maria, mae ein hawr fawr ni wedi cyrraedd,' cyhoeddodd yn wirion o ddramatig. 'Mi fydd y Signore Newborough yma cyn bo hir, ac mi fydd yn gofyn am dy law mewn priodas! Mi fyddi ditha'n ei dderbyn.'

Aeth Maria'n wyn fel y galchen. Syrthiodd ar ei gliniau o flaen ei thad.

'*O Dio, o Dio! Non posso, Papa, non posso!*'

'Paid â bod yn wirion! Wrth gwrs y gelli di! Rŵan tyrd, siapia hi!'

Creulondeb pur oedd y cyfarfod hwnnw rhwng Maria a'i darpar ŵr. Sefais yn gwylio'r cyfan heb allu codi llaw i'w harbed rhag ariangarwch ei thad na thrachwant y Signore. Ffieiddiwn yn arbennig at yr hen ŵr. Roedd yn hŷn na mi, hyd yn oed, a'i fab yn hŷn na Maria. Sut allai feddwl am Maria yn y ffordd fochynnaidd yna, a hithau mor ifanc, mor bur a diniwed? A gwneud ffŵl ohono'i hun yn y fargen, yn sefyll yno'n gwenu'n braf yn ei ddillad od a chrand tra oedd hithau'n ymbilio arno. Syrthiodd ar ei gliniau o'i flaen, y dagrau'n llifo, a'i dwylo'n erfyn cymaint â'i geiriau.

'Peidiwch â gofyn y fath aberth gennyf, syr! Meddyliwch am fy ieuenctid – dydw i ddim yn barod i briodi neb eto, syr! Alla i byth briodi dyn sy'n ddigon hen i fod yn daid i mi! Allwch chi ddim gweld hynny?'

Y cyfan wnaeth yr hen hurtyn oedd chwerthin! Chwerthin fel petai'r fechan yn chwarae rhyw dric bach direidus arno, ac y byddai'n syrthio i'w freichiau'n gariadus y munud nesaf!

'Angel fy nghalon, mi ddoi di i garu'r hen ŵr hwn, gei di weld!' meddai'n ffyddiog. 'Ac mi ddoi i garu fy nghyfoeth a'm safle, fy stadau, y dilladau crand, y gemau gwerthfawr, y ceffylau heirdd, pob mathau o bethau da fydd yn digwydd i ti ar ôl i ni briodi.'

'Ych a fi! Does arna i ddim isio dim byd o'ch hen bethau chi!' sgrechiodd Maria arno'n sydyn, gan neidio ar ei thraed. 'Alla i ddim o'ch diodde chi, y . . . y . . . y bwbach penwyn! Mi fyddai'n well gen i ddiodda o'r pla na'ch priodi chi! Mi fyddai'n well gen i ddiodda holl arteithiau'r byd na diodda munud fel gwraig i chi!'

'Maria, dyna ddigon!' torrodd ei thad ar ei thraws. 'Ceisia reoli dy hun, wnei di?'

'Na, na, gadewch lonydd i'r fechan,' meddai'r Signore yn llawn hwyliau fel petai newydd glywed y jôc orau erioed. 'Mi fydda i'n hoffi 'chydig o asbri mewn merch. Bydd yn dipyn o her i'w mowldio i'm ffordd fy hun pan fyddwn yn briod.'

'Fydda i byth, byth yn briod â chi, yr hen lyffant hyll!' dechreuodd Maria sgrechian eto. 'Rydw i'n eich casáu chi, dach chi'n deall? Mi fasa'n well gen i farw na'ch priodi chi.'

Gafaelodd ei mam yn ei braich a'i llusgo allan o'r ystafell, a'i sgrechiadau'n atsain o'r parwydydd. Roedd yr hen ffŵl o Sais yn dal i chwerthin yn braf, credwch neu beidio! Ymunodd Lorenzo yn y chwerthin, er bod tinc anesmwyth yn ei dôn.

'Pobol ifanc,' meddai'n ymddiheurol, gan ysgwyd ei ben. 'Sut mae'u deall nhw, deudwch?'

'Popeth yn iawn, syr,' meddai'r Signore. 'Does dim raid i chi ymddiheuro. Dewch i ni gael trafod y telerau. Mi gaiff y cyfreithwyr wneud cytundeb maes o law . . .'

Allwn i ddim goddef gwrando ar eu sgwrs rhagor. Prysurais ar ôl Maria, i'w harbed rhag tymer ddrwg ei mam unwaith eto.

Doedd dim y gallai neb ei wneud i gysuro Maria, druan fach. Treuliai ei dyddiau'n torri ei chalon yn ei hystafell, ac roeddwn yn boenus iawn yn ei chylch. Roedd pythefnos ar ôl o'i chytundeb perfformio, ond bu'n rhaid i Lorenzo ddod o hyd i gantores arall i gymryd ei lle. Golygai hyn, wrth gwrs, nad oeddem yn mynd i'r theatr mwyach, ac felly ni chefais gyfle i ddarganfod sut oedd Roberto'n ymdopi â'i waith newydd. Gobeithiwn y byddai'n dal i gael pob pnawn Iau yn rhydd, ac y deuai i'r farchnad newydd fel ei arfer. Gallwn i gwrdd ag ef wedyn.

Gyda hyn mewn golwg, cychwynnais am y farchnad y dydd Iau canlynol. Sylwais ar ddyn yn sefyll ar gornel ein stryd, fel petai'n gwylio'r tŷ. Gwyddwn ei fod wedi bod yn sefyllian yno ers tridiau o leiaf, a theimlwn yn anghysurus wrth gerdded heibio iddo. Doedd neb ar berwyl da yn ymddwyn fel hyn. Ond cododd ei het arnaf yn ddigon bonheddig a dymuno *buon giorno* i mi. Wedi i mi gyrraedd y gornel nesaf, edrychais dros f'ysgwydd, a gweld ei fod yn fy nilyn. Penderfynais y byddwn yn wynebu hwn yn y fan a'r lle, felly arhosais lle roeddwn i a'i wylio wrth iddo ddynesu ataf.

'Be dach chi isio?'

'Signora Chiappini?' holodd.

Doeddwn i byth yn gwadu mai dyna pwy oeddwn i. Roedd yn well gennyf ddefnyddio fy enw morwynol nag enw'r gŵr.

'Ia?' atebais.

'Signor Michael Carter ydw i,' cyflwynodd ei hun, 'yn gweithio yn swyddfa Llysgennad Prydain yma yn Firenze.'

Sais arall! Ond roedd hwn, yn wahanol iawn i'r rhelyw o'i gydwladwyr, wedi mynd i'r drafferth o ddysgu'n hiaith, a'i siarad bron cystal ag unrhyw Eidalwr.

'Allwch chi roi ychydig o'ch amser i mi, Signora?' aeth yn ei flaen. 'Mae gen i faterion o bwys i'w trafod gyda chi.'

Arweiniodd fi at dŷ coffi cyfagos, ac wedi gofyn i mi am fy newis, archebodd ddau siocled poeth. Roeddwn yn llawn chwilfrydedd. Beth ar y ddaear fawr oedd dyn fel hwn ei eisiau efo fi?

'Mater dwys iawn,' dechreuodd egluro. 'Rydw i'n gobeithio y gallwch chi gadw cyfrinach?' Nodiais fy mhen yn gadarnhaol. 'Mae'n ymwneud â'r Arglwydd Newborough.'

'Y Signore?'

'Ia,' cytunodd.

Rhedodd pob mathau o syniadau gwyllt drwy fy mhen. 'Ai drwgweithredwr ydi o? Ydi o ar ffo?' holais yn hanner gobeithiol. Byddai gweld y Signore'n cael ei garcharu yn ateb holl broblemau Maria fach. Chwarddodd y Sais.

'Na, dim byd o'r fath!' Cyrhaeddodd ein diodydd, a bu distawrwydd rhyngom tra oedd y gweinydd yn eu gosod ar y bwrdd o'n blaen. Erbyn iddo fynd, roedd y Sais wedi troi'n ddifrifol unwaith eto. 'Er, fe allech chi feddwl bod yr hyn sydd gen i i'w ddweud yn waeth.' Ychwanegodd siwgr i'w siocled cyn mynd ymlaen. Roeddwn i'n glustiau i gyd.

'Gadewch i mi egluro. Mae'r swyddfa wedi derbyn llythyr – dienw, fel mae'n digwydd bod. Mae'r llythyr yn cyhuddo'r Arglwydd Newborough o fod yn orffwyll, ac yn honni nad ydi o'n atebol i edrych ar ôl ei fuddiannau na'i fab. Mae'r llythyr yn gofyn i Lysgennad Prydain ddod ag achos o orffwylledd yn erbyn y Signore, a petai'r Llysgennad yn gwneud hynny, mi fyddai Newborough yn cael ei garcharu fel gwallgofddyn.' Cymerodd lymaid bach o'i siocled. 'Mae Syr Horace Mann, y Llysgennad, wedi cymryd John Wynne – y mab – dan ei adain yn barod, er mwyn ei ddiogelwch ei hun. Mae'r llanc yn amlwg wedi dioddef o ddiffyg gofal, ac wedi mynd dros ben llestri.' Roedd ei lais yn llawn beirniadaeth wrth iddo ddweud y frawddeg olaf.

Roeddwn wedi fy syfrdanu! Doeddwn i ddim wedi gweld y mab, nac yn gwybod dim amdano.

'Ond, dach chi'n gweld,' aeth yn ei flaen cyn i mi allu ymateb i'w newydd, 'mae'n rhaid i'r Llysgennad gael tystiolaeth cyn gwneud penderfyniad. Efallai mai malais pur ydi'r llythyr – er bod cyflwr y bachgen yn awgrymu'n wahanol. Dyna pam rydw i wedi dod atoch chi, i ofyn a allwch chi gadarnhau honiadau'r llythyr. Rydw i'n deall bod y Signore yn ymweld â'ch tŷ chi yn ddyddiol?'

'Ydi,' atebais. Roedd fy meddwl yn cythru ymlaen gyda phob mathau o bosibiliadau.

'A beth ydi'ch barn chi?'

'O, mae'r dyn o'i go, does dim dwywaith am hynny,' atebais yn gyflym. 'Meddyliwch, mae o'n mynnu priodi fy nith, a hithau'n ddim ond deuddeg oed! Ac mae o'n chwerthin drwy'r amser. Does dim ots beth mae hi'n ei ddweud wrtho fo, mae'n chwerthin drwy'r cyfan. Rŵan, dydw i ddim yn gweld hynny'n ymateb dyn call, synhwyrol, nag ydi?'

113

Gwrandawodd yn astud ar yr hyn oedd gennyf i'w ddweud am ymddygiad y Signore bob tro y deuai i'r tŷ, ac ar y diwedd pwysodd ymlaen yn ei sedd.

'Fasech chi'n fodlon rhoi hyn i gyd ar bapur, Signora Chiappini? Fasech chi'n fodlon rhoi tystiolaeth mewn llys barn, pe bai raid?'

Dychrynais braidd. Roeddwn i'n berffaith fodlon rhoi fy marn, ond roedd sôn am lysoedd barn yn codi arswyd arna i. Ceisiais ei fodloni gyda rhyw 'efallai' gwantan, ac roedd yn rhyddhad enfawr i mi pan ymadawodd yn fuan wedyn gan addo dod i gysylltiad eto. Arhosais yn y tŷ coffi am beth amser wedyn, a'i eiriau'n rhedeg drosodd a throsodd yn fy meddwl. Y Signore yn wallgofddyn! Rhyfeddais pa mor llac yw pobol yn eu defnydd o eiriau. Mi alwais innau'r gŵr yn wallgofddyn sawl tro, rhaid imi gyfaddef, ond yr hyn a olygwn mewn gwirionedd oedd mai ffŵl ydoedd. Credwn yn hollol gydwybodol ei fod yn ffŵl, ond yn *wallgofddyn*? Doedd ei ymddygiad ddim fel ymddygiad y trueiniaid hynny oedd yn cael eu harwain yn flynyddol o'r gwallgofdai i geisio gras a gwellhad yn Santa Maria Novella. Cymerais fy llymaid cyntaf o'r siocled, ond roedd wedi oeri.

Erbyn i mi gyrraedd y farchnad, roedd y stondinwyr yn cadw eu nwyddau ac yn paratoi i fynd adref. Doedd dim hanes o Roberto. Byddai'n rhaid i mi fynd draw i'r theatr pan gawn gyfle – roeddwn am geisio cadw cysylltiad ag Emilia, p'run bynnag.

Mi es yn syth i lofft Maria ar ôl i mi gyrraedd adref, yn ysu am gael dweud hanes y Sais wrthi. Gorweddai yn ei gwely, ei phen yn drwm ar ei gobennydd. Cefais wên fach ganddi, ond dim cyfarchiad. Rhyw hanner gwrando ar fy stori wnaeth hi, a'i hunig ymateb, wedi i mi orffen, oedd troi ei hwyneb tuag at y wal a dweud nad oedd hi eisiau meddwl am y dyn. Methais gael unrhyw air arall allan ohoni.

Pan gyrhaeddodd Lorenzo adref o'i waith, roeddwn yn barod amdano. Roedd yn rhaid i mi brotestio yn erbyn ei ddifaterwch yn gadael i'w ferch briodi gŵr a gyhuddwyd o fod yn lloerig. Mae'n siŵr ei fod wedi sylwi ar gyflwr meddyliol y dyn, ac wedi ei anwybyddu gan fod y fantais ariannol iddo'i hun yn ormod o demtasiwn. Ond chefais i ddim o'r cyfle. O'r eiliad y camodd i'r gegin, roedd fel dyn o'i go' ei hun.

'Ma'r cyfan wedi'i lofnodi!' chwarddodd gan chwifio rhol o bapur yn uchel uwch ei ben. 'Vincenza?' galwodd i fyny'r grisiau. 'Tyrd lawr i ti gael clywad!'

Wedi i'r hen sguthan ddod i lawr ac eistedd wrth y bwrdd, estynnodd Lorenzo dri gwydr gwin ac agor potel o *prosecco*.

'Rhaid i ni gael dathlu,' dywedodd wrth dywallt y gwin. Rhedai rhyw gryndod drwy'i gorff cyfan fel petai ar fin ffrwydro, a chymaint oedd ei gynnwrf fel iddo dywallt gormod o win i wydr Vincenza a chreu pwll bach euraid, byrlymus ar wyneb y bwrdd.

'Wyt ti wedi'i gael o?' holodd honno. 'Ydi o wedi arwyddo? Faint?'

Yr olaf, wrth gwrs, oedd y cwestiwn pwysicaf i'r ddau. Deallais o'u cyffro mai wedi derbyn telerau priodas Maria Stella oeddan nhw, neu'n fwy cywir, y cytundeb yn nodi'r pris roedd y Sais yn fodlon ei dalu amdani.

'Cant a hannar o filoedd o *francesconi*,' atebodd fy mrawd yn hapus. Sugnodd yr hen sguthan ei gwynt rhwng ei dannedd mewn un hisiad hir. Cefais innau fraw o glywed maint anhygoel y swm. 'Ond nid dyna'r cyfan,' ychwanegodd Lorenzo. 'Ar ben hynny, rydw i'n mynd i gael hannar can *ducat* y mis o lwfans byw, a – gwrandwch ar hyn! – rydw i bellach yn berchen ar stad fonheddig yn Fiesole!'

'O, Lorenzo!' Roedd llygaid yr hen sguthan yn pefrio. Clapiodd ei dwylo fel plentyn bach. 'O, Lorenzo, rydan ni'n mynd i fod yn gyfoethog!' Roedd ei llais yn codi gyda phob gair nes troi'n wich yn y diwedd. Neidiodd i fyny a thaflu ei breichiau am ei gŵr. Dechreuodd y ddau hanner dawnsio, hanner llamu o amgylch y gegin ym mreichiau'i gilydd, yn chwerthin yn afreolus a chymeradwyo'i gilydd oherwydd eu lwc dda. Roedd y fath syrcas yn troi fy stumog. Dim gair am Maria fach, na'i haberth, na'r dioddefaint a fyddai'n para weddill ei hoes. Bu'n rhaid i mi lyncu fy mustl, ac aros am gyfle i ddweud fy marn wrth Lorenzo. Ni pharhaodd eu gorfoledd yn hir yn nhân gwyllt eu dawnsio, a bu raid i'r ddau eistedd yn swp ar eu cadeiriau i gael eu gwynt atynt. Ail-lenwodd Lorenzo'r gwydrau. Codais f'un i o'i gyrraedd, ond er iddo godi ael yn ymholgar, ddywedodd o ddim gair.

'Ma gen i un newydd bach arall i chi, ferchaid,' meddai'n braf wrth flasu'r gwin ar ei dafod. 'Wyddoch chi fod rhyw ddiawl diegwyddor 'di herwgipio mab y Signore?'

Aeth fy ngheg yn sych grimp. Ofnwn y byddai'n sylwi ar fy wyneb a sylweddoli 'mod i'n gwybod eisoes am y digwyddiad – er na ddefnyddiwyd y gair 'herwgipio' gan y Sais.

'Rhywun eisiau swper?' gofynnais yn ffwdanllyd gan droi fy nghefn arnyn nhw a mynd at y tân.

'Rwbath ysgafn,' gorchmynnodd Lorenzo. 'Ia, fel roeddwn i'n deud, ma'r Arglwydd druan mewn gwewyr. A wyddoch chi pwy sy wedi'i herwgipio? Choeliwch chi ddim!'

O gwnawn, meddwn innau wrthyf fy hun wrth dafellu bara i'w grasu.

'Neb llai na'r Llysgennad Prydeinig ei hun!'

Syr Horace Mann, meddwn dan fy ngwynt, yn cofio'r enw o'r pnawn. Cefais fraw am eiliad wrth ofni fy mod wedi dweud yr enw'n uchel, ond ni chymerodd yr un o'r ddau sylw ohonof. Gyda rhyddhad, dechreuais ddarnio dail basil a thafellu tomatos.

'A wyddoch chi be ma'r diawl hwnnw'n ei honni?'

Bod y Signore'n lloerig. Roedd y cyfan fel adrodd y catecism.

'Lol botas maip, wrth gwrs,' ychwanegodd Lorenzo. 'Mae o 'di cal yr hogyn yn ôl erbyn hyn, ond dydi o ddim yn teimlo'n ddiogal yma mwyach. Felly, mae o 'di gofyn i mi a faswn i'n fodlon rhoi'r gora i'r *sbirri* a gweithredu fel gwarchodwr iddo fo.'

'Ond beth am yr Arch-ddug a'i swyddogion?' holodd yr hen sguthan. 'Wyt ti ddim yn atebol iddyn nhw? Elli di adael fel yna?'

'Popeth wedi'i drefnu, Vincenza, paid ti â phoeni. Ma'r Arglwydd 'di sgrifennu at yr Arch-ddug yn gofyn a ga' i fy rhyddhau, ac ma hwnnw 'di cytuno. Mi fasai'n israddol, p'run bynnag, i ddyn o'm safla newydd i i fod yn blismon.'

Wel, dyna dynnu'r gwynt o'm hwyliau! Doedd dim pwrpas ceisio pledio dros Maria ar sail gwallgofrwydd y Signore, felly. Gorffennais baratoi'r *bruschette* a'u gosod ar blât o'u blaenau. Allwn i wneud dim bellach ond cilio a 'nghynffon rhwng fy nghoesau. Gadewais y ddau i'w llwyddiant anwaraidd.

Erbyn bore trannoeth, fodd bynnag, roeddwn wedi ymwroli, a chan nad oedd Lorenzo'n gorfod gadael y tŷ i fynd i'r Bargello, mentrais dynnu sgwrs ag ef. Drwy drugaredd, roedd yr hen sguthan yn brysur gyda'i nythaid.

'Lorenzo,' dechreuais yn ofalus, 'wyt ti'n siŵr dy fod ti'n gwneud y peth iawn?'

Edrychodd arnaf yn syn.

'Be ti'n feddwl?'

'Wel, y dyweddïad 'ma. Mae hi mor ifanc, Lorenzo, ac yntau mor hen!'

'Hy! Syniad da iawn, yn fy marn i. Mae o'n ddigon profiadol i allu gofalu amdani.'

'Ond dydi hi ddim isio'i briodi o, Lorenzo.'

'Isio? Does wnelo isio ddim â'r peth!' Gallwn glywed o'i lais ei fod yn colli amynedd. 'Dydi merch yr oed yna ddim yn gwbod beth ma hi isio. Ac ma'n well o lawer i mi, ei thad, neud y penderfyniad drosti.'

'Ond mae o yn erbyn ei hewyllys, Lorenzo! Mae hi'n torri ei chalon yn y llofft 'na.'

'Be gebyst sy'n bod arnat ti? Alli di ddim deall be dwi'n ddeud? Fi sy'n gwybod beth sy ora iddi hi. Pa ddyfodol gwell allai hi ei gael, dywed? Cario 'mlaen i ganu ar lwyfan nes ei bod yn ddigon hen i gael ei chyfri fel yr actoresa eraill – yn butain? Callia, 'nei di! Fel ma hi, mi gaiff fywyd esmwyth a diogel, a pharch y byd. Ddim dyna be ma pob tad isio i'w ferch?'

O'i osod fel yna, roedd yn rhaid i mi gyfaddef bod y peth yn synhwyrol a chall. Ond gwyddwn ym mêr fy esgyrn nad dyna oedd cymhelliad Lorenzo. Meddyliais yn daer am ffordd arall o'i ddarbwyllo.

'Ond mae Duw weithiau'n cosbi tadau sydd yn tramgwyddo'u merched! Dwyt ti ddim yn ofni hynny, Lorenzo?'

Syllodd arnaf mewn penbleth, wedi anghofio'i ddicter am y tro.

'*Be*? Am be ti'n hefru rŵan?'

'Meddylia am storïau'r seintiau,' plediais. 'Santes Barbara, Santes Cristina. Roedd eu tadau wedi mynnu eu bod yn priodi yn erbyn eu hewyllys, ac fe drawodd Duw nhw'n farw!'

'Dwyt ti'm yn gall!' meddai wedi ennyd o ddistaw-rwydd. 'Dwyt ti 'rioed yn credu'r fath lol?' Ysgydwodd ei ben mewn rhyfeddod. 'Myn uffarn i, mi wyt ti, 'dwyt?' Yna trodd ei lais yn galed, greulon. 'Meddylia am funud, chwaer fach! Rwyt ti isio i mi adael i Maria briodi gŵr o'i dewis hi, wyt ti? Wel, ga i d'atgoffa di o'r llanast wnest *ti* drwy wneud hynny? *"O, dwi'n ei garu o gymaint, Papa! Gadwch i mi'i briodi o!"* ' Dywedodd y geiriau hyn mewn llais gwichlyd, ffals, er mwyn fy mrifo. 'Dwyt ti ddim 'di dysgu o dy brofiad dy hun, dywed? Y peth dwaetha ma merch yn gallu'i wneud ydi dewis gŵr yn gall!'

'Ond Lorenzo . . .' ceisiais f'amddiffyn fy hun, ond roedd fy llais yn floesg.

'Ond dim byd!' meddai hwnnw. "Sgen i ddim 'mynadd efo'r lol 'ma!' Anelodd am y drws, ond cyn iddo fynd allan, taflodd y geiriau creulonaf un ataf dros ei ysgwydd.

'Beth bynnag wnaeth dy ŵr bondigrybwyll i ti, roeddat ti'n ei haeddu pob tamad!'

Sefais yno'n crynu am amser maith wedi iddo fynd. Doedd hynny ddim yn wir! Wnes i 'rioed haeddu beth ddaru hwnnw i mi! Doedd 'na'r un ferch yn y byd yn haeddu hynny! Dim un. Ac mi *roedd* Duw yn cosbi dyn am boenydio merch, os oedd hi'n ferch Gatholig dda. Mi wyddwn i hynny o brofiad. Wn i ddim am faint y bûm i'n ail-fyw digwyddiadau'r noson erchyll honno, y cryndod a'r iasau'n poenydio fy nghorff a'r atgofion yn fflangellu fy meddwl, ond ymhen hir a hwyr, fe ymdawelais. Dringais y grisiau i lofft Maria ac wrth edrych i lawr ar ei chorff yn y gwely, rhedodd iasau drwof o'r newydd. Roedd ei chorff i gyd yn glytwaith o goch a phorffor a gwyn.

XIII

Bu Maria mewn twymyn yn yr ysbyty am fis cyfan, a phawb yn ysgwyd eu pennau'n brudd. Beth oedd yn mynd drwy ei meddwl, tybed, y druan fach, oherwydd roedd mor aflonydd ei chorff, yn troi a throsi ac weithiau'n hanner llamu o'r gwely cyn syrthio'n ôl ar ei chefn yn ei gwendid. Doedd dim posib ei chadw'n dawel. Ambell waith roedd yn gweiddi yn ei chwsg, yr un geiriau bob amser: 'Non posso, non posso!' Mae'n rhaid fod ei thynged yn pwyso'n affwysol ar ei meddwl. Roeddwn i gyda hi bron bob awr o'r dydd, yn cysgu yn yr ysbyty drwy garedigrwydd y Chwiorydd. Gadewais hi unwaith i fynd i weld y Brawd Fabian ac egluro iddo na allwn lanhau'r eglwys oherwydd salwch Maria, ac addawodd yntau y byddai ef a'r Brodyr eraill yn gweddïo drosti. Ar fy ffordd yn ôl i'r ysbyty, galwais i weld fy ffrind Emilia yn y theatr, a gofyn iddi roi neges i Roberto yn egluro'r sefyllfa, ac na allwn ei gyfarfod nes y byddai Maria wedi gwella. Y fi oedd ei hunig ymwelydd, gan fod y Chwiorydd yn mynnu y gallasai beryglu bywyd Maria pe bai eraill yn dod i'w gweld, a'i chynhyrfu o'r newydd. Yn ystod y cyfnodau pan oedd hi'n cysgu'n dawel, os nad oeddwn yn rhy flinedig, roeddwn yn helpu gyda'r cleifion eraill.

Drwy ras Duw, fe ddaeth drwyddi unwaith eto. Ciliodd y dwymyn, ac er ei bod yn wan fel cath fach, roedd gobaith iddi wella'n llwyr. Ond daeth yn amlwg nad oedd gwellhad mor sicr i'w hysbryd. Ei chri barhaus yn ystod

yr wythnosau o gryfhau oedd pam na allai Duw fod
wedi gadael iddi farw. Un pnawn, a minnau'n eistedd
wrth ochr ei gwely, dywedodd, 'Mae'n ddrwg gen i,
Ziannamaria.'

'Am beth, neno'r Tad?' meddwn innau mewn syndod.

'Eich llun chi. Dydan ni ddim wedi gallu gweithio arno
fo erstalwm rŵan.'

A dweud y gwir, prin fy mod i wedi meddwl am y llun
nac am Roberto yn ystod yr wythnosau diwethaf. Roedd
fy mywyd wedi bod mor llawn o bryder yn ei chylch hi fel
nad oedd lle i ddim byd arall.

'Paid â bod yn wirion,' dwrdiais yn ysgafn.

'Ond mae o mor bwysig i chi. Fynnwn i ddim . . .'

'Hisht rŵan. Does dim brys. Pan fyddi di'n well mi awn
ni ati eto.'

Gwenodd arnaf a chau ei llygaid. Meddyliais ei bod
wedi syrthio i gysgu, ond ymhen ychydig, meddai eto,
'Ziannamaria, dwi wedi bod yn meddwl.'

'O ia, *cara mia*, am beth?'

'Dach chi'n gwybod y seintiau 'ma, Santes Agnes a
Santes Lucia, pa un bynnag mae Roberto'n mynd i'w
pheintio i ni?'

'Ia?'

'Mae eu storïau nhw yn debyg iawn i fy stori i, yn
tydyn? Mae pobol yn ceisio gorfodi iddyn nhw briodi yn
erbyn eu hewyllys, yn tydyn?'

'Ydyn?' meddwn wedyn, heb wybod i ble roedd hyn yn
arwain.

'Ac maen nhw'n gwrthod. Mae'n well ganddyn nhw
farw na phriodi, yn tydi?'

'Ydi?' Teimlwn yn amheus iawn erbyn hyn. Beth oedd
yn rhedeg drwy feddwl y fechan?

'Ziannamaria, wnewch chi fy helpu i?' sibrydodd, a
throi ei llygaid yn daer arnaf. Roeddent yn llawn dagrau.
'Ziannamaria, wnewch chi fy helpu i i farw?'

'Gwarchod y Nefoedd, na wnaf!' Am y tro cyntaf yn fy mywyd, roeddwn i'n wirioneddol wedi gwylltio efo hi. 'Paid ti â meiddio meddwl y ffasiwn beth, ti'n deall? Mae'r peth yn amhosib, yn afiach! Y pechod mwyaf yn erbyn Duw!' Roeddwn wedi fy nghynhyrfu i'r eithaf. Aeth rhai eiliadau heibio cyn y gallwn siarad yn dawel efo hi. 'Gwranda, Maria, nid dyna'r ffordd allan ohoni, coelia fi. Mi geisiwn ni feddwl am rywbeth arall, iawn? Ond nid hynny.'

Aeth yn dawel drachefn. Yna, ymhen ychydig, gofynnodd, 'Beth am i mi ymuno â lleiandy, 'ta? Allai'r dyn yna ddim o 'mhriodi i wedyn.'

Meddyliais am ychydig, ond cyn i mi allu ateb, roedd Maria'n siarad eto.

'Dach chi'n meddwl y byddai'r Chwiorydd yn fy nerbyn i yma? Maen nhw'n gwneud cymaint o waith da, ac mor garedig, rydw i'n siŵr y byddwn i'n hapus efo nhw.' Roedd gobaith newydd yn y llais, ac wrth i'r syniad afael fwyfwy ynddi, bywiogodd drwyddi. 'Mi allwn i ddysgu sut i weini ar y cleifion, a hyd yn oed sut i'w trin. Mi allwn i ddysgu bod yn ddoctor!' Petrusodd am eiliad. 'Ydi merched yn cael bod yn ddoctoriaid?'

Ysgydwais fy mhen, nid yn unig oherwydd na wyddwn yr ateb i'w chwestiwn, er i mi amau nad oeddent, ond roedd ei brwdfrydedd sydyn wedi cymryd fy ngwynt.

'Wnewch chi ofyn iddyn nhw, Ziannamaria? Wnewch chi ofyn i'r Uchel Fam a ga i ymuno?'

Doedd dim llonydd i'w gael ganddi. Cytunais innau, er fy mod yn anghysurus, os nad yn ofnus, wrth feddwl am fynd i weld y wraig bwysig honno.

Doedd dim raid i mi fod wedi poeni. Bore trannoeth, ar ôl trefnu y noson cynt, cerddais i mewn i swyddfa'r Uchel Fam. Roedd yn eistedd wrth fwrdd llawn papurau, a golwg brysur arni. Bu bron i mi â throi ar fy sawdl a gadael, ond cododd ei phen o'r papurau a gwenu arnaf.

Roedd yn wên mor addfwyn, mor serchus, fel yr ymwrolais yn syth. Gwahoddodd fi i eistedd, a chynnig paned o goffi i mi.

'A beth alla i wneud i chi, fy merch?' holodd wedi i un o'r Chwiorydd ddod â'r diodydd ar hambwrdd a'u gosod ar ran o'r bwrdd roedd yr Uchel Fam wedi ei glirio ar eu cyfer.

'Cais sy gen i gan Maria Stella,' meddwn.

'A sut mae hi erbyn hyn?'

'Mae'n gwella, diolch.'

'Da iawn. Rydw i'n deall ei bod hi'n mynd i briodi cyn bo hir. Bydd hi angen ei nerth ar gyfer cam mor bwysig yn ei bywyd.'

'Bydd . . . na . . . wel . . . y peth ydi, dach chi'n gweld,' chwiliais yn wyllt am y geiriau gofalus roeddwn wedi eu paratoi'r noson cynt, ond roedd popeth ar chwâl. Pesychais.

'Cymerwch eich amser, fy merch,' meddai'r Fam yn garedig.

Doedd dim amdani ond siarad yn blaen.

'Mae Maria Stella wedi gofyn i mi ofyn i chi a gaiff hi ymuno â'ch Urdd chi, a threulio'i bywyd yn edrych ar ôl y cleifion.'

Roedd yr Uchel Fam yn dawel am gyhyd nes i mi ddechrau anesmwytho eto. Oeddwn i wedi bod yn rhy bowld? Oeddwn i wedi gofyn y cwestiwn yn y ffordd anghywir, wedi difetha siawns Maria?

'Mae treulio'ch bywyd yn gofalu am y cleifion yn ffordd glodwiw o addoli Duw, wrth gwrs,' meddai o'r diwedd. 'Mae'n fraint, ond mae hefyd yn faich sydd yn gallu bod yn drwm iawn ar adegau. Rhaid i'ch ffydd chi fod yn gryf – dydi hi ddim bob amser yn hawdd gweld ffordd Duw pan mae eich calon chi'n gwaedu o weld plant bach yn dioddef ac yn marw. Ond drwy'r cyfan, Duw sy'n eich galluogi i gario'r baich hwnnw. Ei gariad Ef sy'n eich cynnal.' Tawodd am ennyd eto. 'Mae Maria Stella yn ifanc iawn i wneud y fath benderfyniad.'

'Ddim yn rhy ifanc i briodi!' Roedd y geiriau chwerw wedi eu hynganu cyn i mi allu eu rhwystro. 'Mae'n ddrwg gen i, Uchel Fam,' ymddiheurais wedyn.

'Does dim raid i chi ymddiheuro,' atebodd hithau dan wenu. 'Rydw i'n cytuno, fel mae'n digwydd bod. Mae hi'n rhy ifanc i briodi, ond nid fel yna mae'r gyfraith yn ei gweld hi. Efallai y dylen ni ddechrau pwyso ar yr Arch-ddug i godi'r oedran cyfreithiol i ferch briodi o ddeuddeg i bymtheg. Ond maddewch i mi, nid dyna'n problem ar y funud. Mae un peth yn fy mhoeni i braidd.' Arhosodd eto, fel petai hithau'n chwilio am eiriau. 'Rydw i'n cael y teimlad mai chwilio am ffordd i osgoi priodi mae Maria, ac nad ydi hi wedi teimlo galwad i wasanaethu. Ydw i'n iawn?'

Edrychais arni a'm calon yn suddo. Sut allwn i ei hateb yn onest heb ddifetha cyfle Maria? Cymerodd yr Uchel Fam fy nistawrwydd fel arwydd fy mod yn cytuno â hi.

'Dydi hynny ddim yn ddigon, fy merch,' meddai'n addfwyn. 'Mae'n ddrwg gen i, ond mae'r merched eraill sydd wedi ymuno â'r Urdd wedi gwneud hynny oherwydd galwad gref a ffydd fel craig. Fyddai hi ddim yn deg arni hi na neb arall pe bawn i'n cytuno â'i chais.'

'Ond Uchel Fam, tasach chi ddim ond yn gweld y dyn mae hi i fod i'w briodi!' ymbiliais. Ceisiais feddwl am unrhyw ffordd o'i hargyhoeddi. 'Mae o'n hen! Yn ddigon hen i fod yn daid iddi! Rydan ni wedi gweddïo a gweddïo ar Dduw i'w harbed hi rhag ei briodi, ond does dim byd yn tycio!' Dechreuais wylo mewn anobaith.

Cododd yr Uchel Fam a dod ataf heibio'r bwrdd. Penliniodd wrth fy ochr a gafael yn fy llaw.

'Fy merch, fy merch, bydd dawel,' meddai'n garedig.

'Wyt ti'n meddwl bod Duw wedi dy anwybyddu? Wedi troi Ei gefn arnat?'

Codais f'ysgwyddau ac ysgwyd fy mhen. Roedd fy meddwl yn rhy gymysglyd i'w hateb.

'Gwranda,' meddai, gan wasgu fy llaw. 'Ydi o ddim wedi croesi dy feddwl di mai ewyllys Duw ydi iddi briodi'r dyn? Nid ein lle ni fel meidrolion ydi dirnad Ei ewyllys Ef. Dim ond ymhen amser y gallwn weld Ei bwrpas. Ymddirieda ynddo Ef, Anna Maria, a dwed wrth Maria Stella am wneud yr un peth. Mae Ei ffordd yn rhyfeddol – ac yn drugarog.'

Serch ei geiriau cysurlon, roedd fy nghalon yn drom wrth gerdded yn ôl at wely Maria. Roedd yr Uchel Fam yn iawn, wrth gwrs, dyna'r felltith. Byddai'n rhaid i Maria blygu i'r Drefn. Ac eto, roedd cymysgfa ryfedd o feddyliau'n rhedeg drwy fy mhen wrth gerdded y coridorau diddiwedd. Allwn i ddim gwneud unrhyw syn- nwyr ohonynt. Sut mae gwybod beth yw'r Drefn? Sut mae gwahaniaethu rhwng dilyn ewyllys Duw a dilyn eich trywydd eich hunan? Ai ewyllys Duw oedd i'r seintiau ifainc hynny wrthod priodi, yn groes i ewyllys eu tadau? Ac eto, roedd y Brawd Fabian wedi dweud mai balchder yw mynnu eich ffordd eich hun er gwaethaf popeth. Sut mae gwybod y gwahaniaeth rhwng bod yn styfnig ac yn falch, a bod yn ddewr ac yn gyfiawn? Ai ewyllys Duw oedd i'r seintiau ddioddef y fath farwolaethau? Doedd dim trugaredd yn cael ei ymestyn iddyn nhw, ddim mwy nag i Grist ar y groes. Ond efallai y byddai trugaredd yn cael ei ddangos tuag atyn nhw yn y bywyd nesaf. Oherwydd iddyn nhw ddioddef cymaint yn y byd hwn, roeddan nhw yn sicr o le yn y Nefoedd, efallai? Ai dyna'r gwir am Maria? Pe byddai'n dioddef ei phriodas, a fyddai hynny'n sicrhau y gallai osgoi Uffern? A beth amdanaf fi? Os oedd hynny'n wir, a fyddai'n dilyn fod fy nioddefaint wedi bod yn ddigon i'm hachub? Ond yn fy nioddefaint, roeddwn wedi torri un o reolau pwysicaf y Beibl a'r Eglwys. Felly beth sy'n mynd i ddigwydd i mi wedyn? Tragwyddoldeb yn y Purdan? Uffern ar fy mhen? Ochneidiais. Doeddwn i ddim yn deall, wir, ac fe gododd yr holl feddyliau yma gur fel gordd yn fy mhen.

Doedd dim raid i mi fod wedi poeni cymaint am Maria. Pan gyrhaeddais ei hystafell, roedd yn eistedd yn ei gwely, yn gwenu'n siriol arnaf. Credais am eiliad ofnadwy ei bod yn ffyddiog y byddwn i wedi llwyddo, a wyddwn i ddim sut i'w siomi. Ond na, nid felly roedd hi.

'Ziannamaria! Rydw i wedi dod o hyd i'r ateb! Mi wn i sut i osgoi priodi'r hen lyffant 'na!'

'Sut, *cara mia*?'

'Wel, sylweddolais yn sydyn mai Protestaniaid ydi'r Saeson, yntê? Ni all merch Gatholig dda briodi Protestant!'

Roedd yr ateb mor syml – y syndod oedd nad oeddan ni wedi meddwl amdano ynghynt. Anghofiais yn syth am f'ymweliad poenus â swyddfa'r Uchel Fam, ac nid oeddwn am edliw wrth Maria fod y cyfan, fy ngwewyr meddwl a'm dewrder, wedi bod yn gwbl ddianghenraid. Wrth synfyfyrio ynghylch ein sgwrs yn ddiweddarach, roeddwn yn diolch i'r Nefoedd nad oedd yr Uchel Fam wedi cytuno â'm cais. Roedd hi'n ddoeth, wrth gwrs, yn ddoethach o lawer na mi, ac wedi deall Maria i'r dim.

'O *cara mia*!' Roedd fy ngorfoledd gymaint â'i gorfoledd hithau. Clywais hi'n chwerthin am y tro cyntaf ers oesoedd, ac roedd y sŵn yn fiwsig i'm clustiau.

Cryfhaodd yn fuan wedi hynny, ac roedd yn eiddgar i ddychwelyd i'w chartref a chael dweud wrth yr 'hen lyffant', fel roedd hi'n ei alw, am anghofio'r syniad o'i phriodi. Yn hyderus, felly, y dechreuasom ar y paratoadau i adael yr ysbyty.

Rhyw gartref digon rhyfedd y daethom iddo: y rhan fwyaf o'n heiddo wedi ei roi mewn cistiau yn barod ar gyfer mudo i'r *villa* yn Fiesole. Dim ond aros i Maria gael dod adref oedd y teulu cyn gadael y ddinas. Cododd hyn fraw ar Maria. Nid oedd am fynd i Fiesole a bod dan rwymedigaeth i'r Signore.

'Papa,' meddai, prin hanner awr wedi iddi gyrraedd y tŷ. 'Papa, alla i ddim priodi'r Signore!'

Ebychodd ei thad. 'Paid â dechra hyn eto, neno'r tad! Ma'r cwbl wedi'i drefnu.'

'Ond Papa, dydych chi ddim yn deall! Dydi o ddim yn bosib i mi ei briodi o! Mae o'n Brotestant, ac mi rydw innau'n Gatholig.'

Rydw i'n siŵr y buasech chi wedi gallu taro Lorenzo i lawr gyda phluen! Agorodd ei geg i ddweud rhywbeth, yna'i chau eto. Cerddodd o'r ystafell gan gau'r drws gyda chymaint o glep fel y bu i'r ddwy ohonom neidio. Ond roeddem yn gwenu fel giatiau ar ein gilydd! Llwyddiant ysgubol! Roeddwn yn falch yn fy nghalon nad oedd ariangarwch fy mrawd wedi gafael cymaint yn ei enaid nes y gallai anwybyddu deddfau ein crefydd. Dawnsiodd Maria ataf a rhoi cusan swnllyd ar fy moch. Gafaelodd amdanaf a'm harwain mewn dawns o amgylch y lle.

Byr fu ein gorfoledd. O fewn yr awr roedd Lorenzo yn ei ôl, a'r Signore i'w ganlyn. Ni wastraffodd hwnnw eiliad cyn taflu ei hun ar ei liniau o flaen Maria a datgan ei gariad diderfyn tuag ati.

'Mi wna i droi'n Fwslem, mi wna i droi'n Iddew, yn eilunaddolwr, dim ond i ti gytuno i fod yn wraig i mi!' addawodd yn ei ffordd ddi-chwaeth arferol. Cadwodd at ei air hefyd. O fewn deuddydd roedd yn derbyn hyfforddiant gan offeiriad i'w baratoi ar gyfer ei dröedigaeth. Roedd y llygedyn olaf o obaith oedd gan Maria yn deilchion. Ond o leiaf fe gawsom ychydig mwy o amser cyn symud i Fiesole, gan i'r Signore orfod treulio amser yn trefnu'r hyfforddiant.

Roeddwn i'n falch iawn o'r cyfle i gael ychydig amser i

mi fy hun. Er fy mod wedi gorfod claddu f'anghenion fy hun yn ystod salwch Maria, doeddwn i ddim wedi anghofio amdanynt. Yswn am weld y Brawd Fabian, a mwynhau ei sgwrs ddysgedig am drysorau'r eglwys. Yswn am gael llonydd i eistedd yno'n dawel yn gweddïo a myfyrio ar ei champweithiau. Yn bennaf oll, yswn am gael cysylltu â Roberto unwaith eto ac ailddechrau ar ein gwaith. Wedi'r cawl cymysglyd o feddyliau a'm poenodd yn yr ysbyty, roeddwn yn fwy penderfynol nag erioed i wireddu fy mwriad, a chyflwyno llun i'r Brodyr Duon. Gan na ddeuai Maria allan o'i hystafell, ac nad oedd am imi aros yno'n gwmni iddi, manteisiais ar y cyfle i ddilyn fy nhrywydd fy hun.

Roeddwn wedi penderfynu na allwn ailafael yn fy ngwaith yn yr eglwys gan fod tair milltir rhwng Fiesole a'r ddinas, ac felly pan es i i weld y Brawd, eglurais na fyddwn yn dod 'nôl i weithio. Dymunodd y gorau i ni yn ein cartref newydd, ac aeth i ffwrdd i ysgrifennu nodyn o gyflwyniad i mi ar gyfer yr offeiriaid yng nghadeirlan Fiesole. Tra oeddwn yn aros iddo ddychwelyd, fe'm difyrrais fy hun drwy astudio'r campweithiau unwaith eto, a chwarae gêm â mi fy hun yn ceisio penderfynu ble byddai fy llun i'n cael ei arddangos.

Wedi imi adael yr eglwys, mi es i i weld Emilia yn y theatr.

'Dwi'n falch dy fod wedi galw heibio,' meddai wedi i ni gofleidio a holi hanes ein gilydd. 'Mae gen i nodyn i ti fan hyn, oddi wrth Roberto.' Cododd a mynd at ei chwpwrdd.

'O, be 'di hanes y llanc, felly? Dydi o ddim yma?' holais wrth iddi chwilota ymysg y pentyrrau anhrefnus o bapurau oedd yn blith draphlith ar ben y cwpwrdd.

'Chlywaist ti ddim? Mae ei fam o'n wael, ac mae wedi mynd adref i helpu ei dad.'

Ymgroesais wrth glywed y newydd, a gwneud addewid

tawel y byddwn yn dweud 'Ave Maria' drosti, er nad oeddwn erioed wedi ei chyfarfod.

'Pryd ddigwyddodd hyn, felly?'

'Pedwar diwrnod yn ôl. Gadawodd Roberto'r diwrnod wedyn.' Daeth yn ôl ataf, a'r nodyn yn ei llaw. Cymerais y papur a'i roi yn fy mhoced.

'Wyt ti ddim am ei ddarllen o?' holodd Emilia.

'Mi wnaf hynny ar ôl imi gyrraedd adref,' atebais, heb gyfaddef na allwn ddarllen. Maria oedd yn darllen popeth oedd ei angen i mi. Un o flinderau mawr fy mywyd yw na ddysgais i erioed sut i ddarllen nac ysgrifennu. 'Pa bryd ydach chi'n ei ddisgwyl yn ôl?'

'Wn i ddim,' atebodd Emilia. 'Rhyw wythnos, mae'n siŵr . . . dim mwy na phythefnos, mi dybiwn.'

Gadewais hi'n fuan wedyn. Pan ddarllenodd Maria'r nodyn i mi, roedd yn dweud yr hyn a ddywedodd Emilia, fwy neu lai. Addawodd Roberto y byddai'n cysylltu efo mi eto cyn gynted ag y byddai'n ôl yn Firenze.

'Anna Maria, mae gennych chi ddawn anhygoel i ddweud stori, ond yn anffodus dydi fy ngallu i i gofnodi ddim cystal! Mae'n rhaid i mi erfyn arnoch chi i roi'r gorau iddi am heno, ac fe ddaw Cecilia yn ei hôl bore fory. Nawr, gawn ni weddïo gyda'n gilydd?'

XIV

Daliodd Roberto'r panel at y golau, ond ni allai weld a oedd ansawdd yr haenau o *tempera* yn ddigonol. A oedd angen haen arall, neu a allai feddwl am orffen y llun a rhoi farnais dros y cyfan? Symudodd at y ffenestr, ond nid oedd digon o oleuni yn y fan honno chwaith. Wynebai'r ffenestr tua'r de, ac roedd y golau a ddeuai drwyddi'n rhy felyngoch iddo allu barnu'n gywir. Doedd dim amdani ond mynd â'r panel i lawr i'r stryd i allu gweld yn well.

Rhedodd i lawr y chwe rhediad o risiau o'i ystafell yng ngaret y theatr ac allan i oleuni'r stryd. Daliodd y panel i'r golau unwaith eto. Panel bychan ydoedd, rhan o'i waith arbrofi gyda'r cyfrwng *tempera*. Daethai o hyd i hen ddarnau o goed wrth i weithwyr mewn stryd gyfagos chwalu adeilad ar gyfer ei ailadeiladu. Manteisiodd Roberto ar ei gyfle a gofyn am ganiatâd i fynd â rhai o'r styllod llawr. Roedd y pren wedi ei sychu dros ganrifoedd mewn awyrgylch sych, gynnes, gan ei wneud yn berffaith i'w bwrpas. Roedd wedi gorfod ailsychu pob darn ar ôl ei dorri a'i lyfnu, wrth gwrs, yn unol â chyfarwyddiadau Cennino, ac yna wedi gludo'r darnau at ei gilydd i wneud nifer o banelau o wahanol feintiau, gan ddefnyddio rysáit Cennino ar gyfer y glud: caws meddal a chalch. Bellach, roedd wedi peintio'i lun cyntaf gan ddefnyddio'r cyfrwng arbennig hwn. Syllodd yn hir a beirniadol ar ei waith, darlun bychan o geriwb bochgoch, a thelyn aur yn ei ddwylo. Ar y cyfan, roedd yn fodlon. Efallai, gyda'r darlun nesaf, y buasai'n well rhoi ychydig mwy o haenau ar y mannau tywyll ac, os gallai fforddio'i brynu, ychwanegu ychydig o bowdwr aur pur i bwysleisio'r goleuni'n adlewyrchu oddi ar y delyn.

Doedd o ddim yn ymwybodol o gwbl o'r cerddwyr yn y stryd yn syllu arno wrth fynd heibio, ond pan ddaeth un o gymdogion y theatr, siopwr o'r enw Vienello, i'w gyfarch, roedd yn rhaid iddo dynnu ei sylw oddi ar y darlun.

'Beth sydd gen ti'n fan'na, gyfaill?' holodd y siopwr. 'Ga' i weld?'

Rhoddodd Roberto'r darlun yn ei ddwylo.

'Dydw i ddim wedi'i orffen eto,' eglurodd. 'Mae angen rhoi farnais arno.'

Nid atebodd Vienello, ond craffodd yn fanwl ar y darlun. Trodd y panel drosodd i syllu ar y cefn, a sylweddolodd Roberto ei fod hyd yn oed yn craffu ar y coedyn a'r asiadau rhwng y planciau.

'Ydi o ar werth?' gofynnodd Vienello yn y man.

'Wn i ddim,' atebodd Roberto gan godi ei ysgwyddau. 'Doeddwn i ddim wedi meddwl am y peth. Dysgu fy hun i ddefnyddio'r hen ddulliau ydw i – arbrawf ydi hwnna, mewn gwirionedd.'

'Arbrawf llwyddiannus iawn, ddwedwn i,' atebodd Vienello. Edrychodd eto dros y darlun. 'Yn null Botticelli, ie?'

'Ie,' atebodd Roberto gyda mwy o ddiddordeb. 'Ydach chi'n gyfarwydd â'i waith, syr?'

'Cyfarwydd iawn, a llawer o'r hen feistri eraill hefyd. Mi fydda i'n gwerthu darluniau yn fy siop. Faint gymeri di am hwn?'

Ni wyddai Roberto sut i'w ateb. Cododd ei ysgwyddau unwaith eto.

Cynigiodd y dyn swm iddo ddaeth â gwên lydan i'w wyneb.

'Iawn, syr! Ond gadewch i mi orffen y darlun yn gyntaf.'

'Wyt ti am ddefnyddio'r hen ddulliau o wneud hynny hefyd?'

'Siŵr iawn, syr. Mae gen i rysáit yn barod.'

'O'r gorau. Tyrd â'r llun draw i'r siop pan fydd yn barod. Mi gei di dy arian bryd hynny.'

'Iawn, syr. Diolch yn fawr, syr!'

Roedd Roberto'n dal i wenu pan ddaeth ei ffrind Paolo heibio. Pan daflwyd Roberto allan o weithdy Benedetto, roedd Paolo wedi ysgrifennu amser a man i'r ddau gyfarfod yn ddiweddarach ar ddarn o bapur, a'i wthio i law Roberto wrth iddyn nhw ysgwyd dwylo. Byth ers hynny, roedd y ddau wedi cyfarfod o leiaf unwaith yr wythnos.

'Beth sydd 'da ti i fod mor hapus yn ei gylch?' holodd Paolo o weld wyneb ei ffrind.

'Wedi gwerthu fy llun cyntaf!'

'*Bravissimo,* Roberto! I bwy, felly?'

'Tyrd efo fi i gadw'r llun, ac yna mi awn ni allan am ddiod i ddathlu. Mi eglura i'r cyfan i ti.'

Gyda chostrel o win o'u blaenau a dau wydr, adroddodd Roberto hanes ei werthiant cyntaf, yn ogystal â'r clecs diweddaraf o'r theatr, y merched ifainc hwyliog, y gwaith. Wrth adrodd yr hanes, sylweddolodd Roberto gymaint roedd y bywyd newydd hwn yn dygymod ag ef mewn gwirionedd. Roedd y meistr arlunydd yn y theatr yn ddyn diog, ac ar ôl iddo ddod yn ymwybodol o ddawn Roberto, roedd wedi gadael iddo wneud y gwaith y dylai ef ei hun fod wedi ymgymryd ag ef, ond ar yr un pryd yn mynnu cadw'r clod iddo'i hun. Ac roedd gan Roberto ryddid i ddefnyddio'r stiwdio olau unrhyw bryd y dymunai, os oedd wedi gorffen ei waith ei hun. Doedd dim raid iddo guddio na chelu dim.

'O ie, bron i mi anghofio!' meddai Paolo wrth iddyn nhw ddechrau ar eu hail wydriad. 'Mae hwn 'da fi i ti.'

Tynnodd lythyr o'i boced a'i roi i Roberto.

'Pam na fasat ti wedi rhoi hwn i mi ar y dechrau?' cwynodd Roberto. Agorodd y llythyr a'i ddarllen yn gyflym cyn ei wthio i boced ei siaced. Byddai'n ei ddarllen yn fwy manwl yn ei ystafell.

'Anghofio,' atebodd Paolo. 'Roedd newyddion mor dda 'da ti. Be nei di 'da'r arian?'

'Prynu rhagor o bigmentau – a brwshys gwell. Rhaid cael y rhai gorau i'r busnes *tempera* 'ma.'

Aeth yr awr nesaf heibio gyda'r ddau'n trafod eu crefft. Gŵr ifanc o Sisili oedd Paolo, yn dywyll ei groen ac yn fyr o gorff, er bod y corff hwnnw'n llydan a chryf, fel ci tarw. Daethai'r ddau'n ffrindiau ychydig ddyddiau wedi i Roberto ddechrau gyda Benedetto, gan fod y ddau y tu allan i gylch dethol y prentisiaid eraill: Roberto am mai hwyrddyfodiad ydoedd, a Phaolo oherwydd ei fod yn dod o Sisili, o'r de, ac roedd pawb yn Firenze yn gwybod pa mor israddol oedd deheuwyr. Sylweddolodd Roberto yn fuan iawn fod Paolo'n cymryd eu cyfeillgarwch o ddifrif, ac roedd yn ffyddiog y byddai Paolo'n cadw cyfrinach ei garwriaeth gyda Benedetta, ac yn fodlon bod yn llatai iddyn nhw.

'Trueni na fyddet ti'n dod i'r gwersi yn yr Accademia del Disegno, 'achan,' meddai Paolo yn y man. 'Mae'r Meistr yn fodlon i ti ddod, er nad wyt ti gyda Benedetto mwyach. Fe ddwedodd e ddoe ddiwetha y byddai'n falch o dy weld ti'n dod unwaith eto.'

'Do wir? Ond alla i ddim fforddio talu.'

''Sdim ots am 'ny. Fe ddwedodd e fod yr Accademia'n gallu noddi rhai disgyblion arbennig, ac y dylet ti wneud cais.'

'Mi feddylia i am y peth,' atebodd Roberto. 'Beth am fynd i'r Piazza Signoria? Mi fydd y dawnswyr allan o'r theatrau cyn bo hir, ac efallai y cawn ni dipyn o lwc yno!'

Roedd y wawr ar fin torri pan ymlwybrodd Roberto i fyny'r holl risiau unwaith eto a thaflu ei hun ar ei wely, ei ben a'i stumog yn corddi. Syrthiodd i gysgu'n syth. Pan gafodd ei ddeffro gan y gwydriad o ddŵr oer a daflodd ei feistr dros ei wyneb, griddfanodd mewn poen. Llwyddodd i wneud ei waith, fodd bynnag, a phan ddaeth yn amser cinio, penderfynodd gipio awr fach o gwsg ychwanegol cyn mynd allan i'r Mercato Nuovo i gyfarfod Signora Chiappini a Maria Stella, yn ôl eu harfer wythnosol.

Tra oedd yn disgwyl iddynt gyrraedd, agorodd ei lyfr braslunio a gadael i'w law yrru ei bensel unrhyw ffordd a fynnai. Crwydrai ei feddwl hwnt ac yma mewn ffordd ddigon pleserus. Pan edrychodd i lawr, gwelodd ei fod wedi tynnu llun merch ifanc, un o'r gwerthwyr rubanau yn y farchnad. Aeth ati a'i gyflwyno iddi â gwên. Roedd hi wedi gwirioni.

Bellach, roedd yn dechrau pryderu am Signora Chiappini. Roedd hi'n arbennig o hwyr. Gobeithio nad oedd dim anffawd wedi digwydd iddi, na Maria. Roedd wedi dod yn hoff iawn o'r Signora. Mewn rhyw ffordd, roedd yn ei atgoffa o'i fam. Edrychai mor swil, mor ofnus, ac eto roedd rhyw gadernid dan yr wyneb. Erbyn hyn gwyddai mwy am ei hamgylchiadau, ac roedd wedi dod i sylweddoli'r aberth a wnâi wrth roi arian iddo. Ac roedd ei chefnogaeth a'i chymorth ymarferol yn ystod yr helynt gyda Benedetto wedi cyffwrdd ei galon. Dyna pam roedd yn benderfynol o wneud y darlun iddi, beth bynnag oedd ei amgylchiadau. A phan fyddai wedi ei gwblhau, ni fyddai'n gofyn am unrhyw dâl ganddi. Byddai'n anrheg, i ddiolch iddi am fod o leiaf fel modryb iddo, os nad fel mam.

Diflannodd yr haul heibio'r adeiladau, a sylweddolodd

na fyddai hi'n dod. Penderfynodd ddychwelyd yr wythnos ganlynol. Mae'n siŵr fod rhywbeth wedi ei chadw draw y tro hwn. Ond aeth pedair wythnos heibio heb iddo'i gweld. Roedd arno ofn mynd draw i dŷ ei brawd i ofyn amdani, gan ei fod yn amlwg nad oedd am i'w brawd ei weld, ac eto roedd yn poeni'n fawr yn ei chylch.

Wrth geisio malu carreg asur yn bowdwr un noson, penderfynodd y byddai'n mynd i'r stryd lle roedd hi'n byw a holi'r cymdogion ac unrhyw weision a welai. Ond roedd y garreg asur yn galetach nag y tybiodd, mor galed fel na allai ei thorri â'r offer oedd ganddo yn ei ystafell. Nid am y tro cyntaf, melltithiodd ei hunan am fod mor wirion â dewis gwneud popeth mor gywir ag y gallai. Nid oedd y gwerthwyr lliwiau'n paratoi asur y dyddiau hyn, gan nad oedd yn addas ar gyfer paent olew, felly ei unig obaith oedd malu'r garreg ei hunan. Byddai'n rhaid iddo fynd i chwilio am forthwyl o'r gweithdy yn y selerydd. Ond fe fyddai'r lliw yn werth yr ymdrech. Y lliw hwn oedd yn gwneud yr awyr yn narluniau Botticelli mor arbennig. Ar ei ffordd i lawr y grisiau, cyfarfu â Paolo ar ei ffordd i fyny.

'Llythyr arall i ti,' oedd ei gyfarchiad.

Rhoddodd Roberto ei fwriad i chwilio am forthwyl o'r neilltu, ac aeth y ddau allan i'r dref.

'Chredet ti byth!' meddai Paolo pan oedd y ddau'n eistedd yn gyfforddus a photel o win o'u blaenau.

'Be?'

'Ti'n gwybod y llun 'na werthest ti? Yr un o'r ceriwb bach a'i delyn?'

'Ia?'

'Ma fe'n hongian ar wal parlwr Benedetto!'

'Beth?'

'Wir i ti! Fe orchmynnodd i bawb ohonon ni, y gweision a'r prentisiaid, fynd yno i'w edmygu! Darganfyddiad pwysica'r flwyddyn, medde fe wrthon ni. Gwaith gwreiddiol un o'r hen feistri, bron yn sicr gan Botticelli, ond efallai un o'r disgyblion yn ei stiwdio. Fe wnes i ei 'nabod e'n syth! Rown i bron â marw isie chwerthin! Wn i ddim sut y llwyddes i gadw wyneb syth! Wnes i esgusodi fy hun yn y diwedd, ac ynte'n dal i draethu ar odidowgrwydd y grefft yn y llun! Rown i yn fy nyble, yn esgus griddfan mewn poen pan own i mewn gwirionedd yn ceisio mygu'r chwerthin!'

'Ond sut . . .? Dydw i ddim yn deall! Sut mae o gan Benedetto?'

'Siŵr fod y siopwr 'na wedi'i werthu ymlaen,' cynigiodd Paolo. 'Anrheg i Isabella oedd y llun, ta beth, yn ôl y meistr.'

'Mae'n rhaid fod Vienello wedi'i werthu drwy dwyll!' ebychodd Roberto. 'Y diawl diegwyddor!'

'Ond roeddet ti wedi gwneud ymdrech i heneiddio'r farnais ac ati.'

'Nag oeddwn i ddim! Dyna'r un peth nad oeddwn am ei wneud. Efelychu'r hen ddulliau, ia, a defnyddio'r hen ddull o wneud farnais, ond nid er mwyn twyllo pobol! Wnes i 'rioed heneiddio'r farnais.'

'Mae'n rhaid mai Vienello wnaeth, 'te. Roedd y farnais yn edrych fel taset ti'n disgwyl mewn llun dros ddau gan mlynedd a hanner oed.'

'Wel, y diawl!' ebychodd Roberto drachefn. 'Mi fydd Vienello'n edifar am hyn!'

'Dere 'mlaen! Dyw e ddim y tro cynta na'r tro ola y bydd rhywun yn twyllo yn ein byd ni! Mae pethe fel 'na'n digwydd bob dydd! Anghofia fe, ac ŷf rhagor o'r gwin 'ma.'

Pan nad oedd sôn am Signora Chiappini am y chweched tro, aeth Roberto 'nôl i'w ystafell i geisio sgwennu nodyn ati. Gallai ei wthio dan ddrws y gegin, efallai, neu fynd draw wedi iddi dywyllu a galw ei henw'n ysgafn, fel y gwnaethai o'r blaen. Roedd wrthi'n ceisio dewis y geiriau cywir pan ddaeth cnoc ar ei ddrws. Paolo oedd yno, a'i wynt yn ei ddwrn. Roedd teithiwr o Lucca wedi galw yn y gweithdy'r prynhawn hwnnw, meddai, gyda neges i Roberto. Addawodd Paolo wrth y dyn y byddai'n pasio'r neges ymlaen, heb ddatgelu nad oedd Roberto yn y gweithdy mwyach. Darllenodd Roberto'n gyflym. Roedd ei fam yn ddifrifol wael, heb fawr o obaith gwella, ac roedd ei dad am iddo ddychwelyd i Lucca ar unwaith.

XV

'Mae'n ddrwg gen i, cara mia!' Roedd llais yr hen wraig yn gryfach y bore hwn na'r tro diwethaf i Cecilia gofnodi ei hanes. 'Wnes i 'rioed ddychmygu bod fy nghyffes yn mynd i achosi niwed i berson arall! Rydw i mor hunanol ag erioed . . . sut mae dy arddwrn?'

'Peidiwch â phoeni,' gwenodd y Chwaer Cecilia arni'n addfwyn. 'Dydi hyn ddim yn beth newydd. Os bydda i wedi gweithio am oriau yn y sgriptorium, *mae'r un peth yn digwydd. Nawr, gadewch i mi weld beth oedd y geiriau diwethaf i'r Uchel Fam eu hysgrifennu.'*

'Rydw i'n gwybod i'r dim, 'mechan i. Roeddwn i newydd dderbyn y nodyn oddi wrth Roberto. Wyt ti'n barod i ddechrau?'

Roedd yn fendith, mewn gwirionedd, ein bod yn symud i Fiesole, er bod y Signore a'i fab yn mynnu dod i fyw efo ni. Ond roedd y *villa* mor helaeth, a'r gerddi a'r gwinllannoedd mor eang fel ein bod, ar y cyfan, yn gallu eu hosgoi ac eithrio ar adegau megis prydau bwyd. Hyd yn oed wedyn, ychydig iawn a welsom ar y mab. Roedd yn un ar bymtheg bryd hynny, yn fachgen tal, digon golygus, ond fod yna rywbeth od o'i gwmpas, rhyw chwilen fach oedd yn ei gadw ar wahân i'r gweddill ohonom, ac roedd mor anllythrennog â mi. A'i iaith! *Mama mia!* Roedd yn ddigon i godi croen eich pen chi. Gallai eich rhegi cyn hawsed ag edrych arnoch chi. Wrth lwc, roedd o mor awyddus i gadw o'n ffordd ni ag roeddem ninnau i gadw o'i ffordd o.

Roedd yn haf crasboeth, a diolch i'r nefoedd ein bod allan o ddinas Firenze, yn mwynhau awelon bryniau Fiesole. Roedd Fiesole mor fychan fel mai fel pentref y buaswn wedi ei ddisgrifio, yn hytrach na dinas, ac eto, roedd yno gadeirlan. Pan oedd yr haul yn ei anterth, byddai pawb yn cilio dan do ac yn hepian cysgu, ond yn ystod y bore cynnar, byddai Maria a minnau'n dechrau'r dydd drwy ddweud ein gweddïau yn y gadeirlan fechan, oedd yn dlawd iawn o'i chymharu â'r Duomo, neu unrhyw un o eglwysi mawrion Firenze o ran hynny. Wedyn fe aem i grwydro stondinau'r farchnad neu gerdded ein gwinllannoedd i weld y grawnwin yn chwyddo ac yn aeddfedu. Daethom i adnabod nifer o'r trigolion, a chyn bo hir, wedi iddynt ddeall am ddiddordeb Maria mewn hen bethau, dechreuodd rai ddod â hen greiriau o'r oesoedd cynnar iawn i ni. Roedd y bryniau hyn yn frith ohonyn nhw, meddan nhw. Pan welodd rai o'r rhain, roedd yr hen Signore ar ben ei ddigon. Roedd wedi gwirioni'n llwyr, a cheisiai egluro i ni mai creiriau Rhufeinig, neu rai rhyw hen bobol eraill (rhywbeth yn dechrau â'r llythyren E – alla i ddim cofio beth) oedd y pethau hyn, yn filoedd o flynyddoedd oed. A dweud y gwir, welwn i ddim byd i wirioni yn eu cylch nhw. Potiau pridd wedi malu oeddan nhw, a pha wahaniaeth os oeddan nhw'n hen?

Ambell ddiwrnod cawsom logi coets a cheffyl i'n cario i Firenze, i siopa a mwynhau paned o siocled. Droeon eraill, byddem yn cyfeirio'n camau tuag at y gerddi, a'r fferm fechan oedd yn rhan o'r eiddo. Roedd Lorenzo wedi dechrau cadw ieir yno, ac roedd Maria'n hoffi mynd i gasglu'r wyau – o leiaf yn yr wythnosau cyntaf – er bod hogyn yn cael ei gyflogi i edrych ar eu holau. Roedd yno foch hefyd, ac roedd Maria'n hoffi'r rheini, yn arbennig wedi i'r hwch gael moch bach. Ond roedd yn rhaid iddi fynd ar ei phen ei hun i'w gweld nhw. Allwn i ddim o'u hwynebu. Roedd fy ngŵr yn arfer cadw moch, ac allwn i ddim bod o fewn canllath iddyn nhw heb gofio'r diwrnod hwnnw. Allwn i ddim hyd yn oed fwyta'r cig byth ers hynny, gan fod meddwl amdano yn codi cyfog arnaf.

Rhyw lusgo byw oedd Maria a minnau mewn gwirionedd, a'r felan ar y ddwy ohonom. Efallai fod y tymheredd yn rhannol gyfrifol am hyn, ond gwyddwn fod ei dyfodol yn pwyso'n drwm ar fy nith. O'm rhan i, nid oedd mor hawdd rhoi fy mys ar yr achos. Doedd gen i fawr o ddim i'w wneud, yn un peth. Roedd Lorenzo wedi cyflogi gweision a morynion i gyd-fynd â'i statws newydd, felly doedd fawr o waith i mi yn y tŷ. Roeddwn yn colli fy ngwaith yn yr eglwys, y theatr a'm ffrind Emilia, a'r bwrlwm oedd yn gysylltiedig â bywyd yn Firenze. Yn fwy penodol, roedd y ffaith nad oeddwn byth wedi clywed gair gan Roberto yn dweud arna i. Roeddwn yn ddigon amyneddgar yn ystod yr wythnos gyntaf, a hyd yn oed y pythefnos cyntaf. Yna, yn ystod y mis dilynol, disgwyliais yn eiddgar am unrhyw negesydd a ddeuai o'r ddinas. Wrth i'r haf lusgo ymlaen a'r hydref ei ddilyn, syrthiais i anobaith llwyr. Nid yr arian oedd yn bwysig, er i mi boeni 'mod i wedi colli cymaint ohono, ond y siom, y teimlad o gael fy mradychu, fod Roberto'n chwerthin am fy mhen. Ac ar ben hyn oll, y cwestiwn tyngedfennol: sut fyddwn i'n sicrhau gwaredigaeth hebddo? Roedd meddwl am chwilio am arlunydd arall, a chasglu digon o arian i'w dalu, yn ymddangos yn dasg amhosib. Euthum yn isel iawn fy ysbryd, ond yn waeth na hynny, dechreuais ddychmygu pethau. Yn ystod pob ymweliad â Firenze, dechreuais ddychmygu fy mod yn gweld fy ngŵr – dim ond rhyw gip yma ac acw: ei gefn yn troi cornel y stryd, ei wyneb yn diflannu i ganol criw, clywed ei chwerthiniad o fewn muriau tafarn – pethau amwys, annelwig, fel na allwn fod yn sicr ohonynt. Ond roedd yn codi ofn arna i. Na, nid ofn: arswyd.

Trefnwyd y briodas ar gyfer y degfed o Hydref, gŵyl Sant Francis Borgia, neu'n hytrach, yn ôl Maria, y diwrnod pan fyddai hi'n cael ei aberthu. Wrth i'r diwrnod agosáu, roedd y druan fach yn cynhyrfu fwyfwy. Ceisiais siarad gyda Lorenzo eto, ond i ddim diben. Y cyfan y llwyddais i'w wneud oedd ei gythruddo fel iddo fygwth fy nhaflu allan ar y stryd os nad oeddwn yn cau 'ngheg. Roedd pawb arall yn teimlo'r tyndra hefyd. Er bod Lorenzo a'i wraig wrthi fel lladd nadroedd yn paratoi ar gyfer gwledd briodas na welwyd ei thebyg yn ein teulu ni o'r blaen, roeddan ni i gyd yn fyr ein hamynedd, a'r sylw mwyaf diniwed yn gallu arwain at ffrae anferth, pawb ar bigau'r drain.

Daeth pethau i ben y pnawn cyn diwrnod y briodas. Roeddwn wedi bod yn goruchwylio'r merched yn paratoi'r tusw blodau y byddai Maria'n ei gario, pan redodd rhyw ias i lawr fy nghefn. Sylweddolais nad oeddwn wedi gweld Maria ers amser, a rhedodd rhyw ymdeimlad o'r ofn mwyaf dirdynnol drwof. Rhuthrais i fyny'r grisiau tuag at ei hystafell, ac agor y drws mewn pryd i'w gweld yn dechrau dringo'r balwstrad ar ei feranda, gyda'r bwriad o'i thaflu ei hun i lawr i'r ardd garegog islaw. Clywodd fi'n sgrechian ei henw, ac yn ei braw a'i brys, baglodd ar sgert ei gwisg gan roi cyfle i mi groesi'r ystafell a gafael ynddi. Cwffiodd yn fy erbyn fel anifail gwyllt, â'r ddwy ohonom yn sgrechian ar ein gilydd. Roedd ei nerth yn rhyfeddol, a dechreuais ofni y byddai'r ddwy ohonom yn powlio dros y canllaw haearn a phlymio i'r ardd. Ond diolch i'r drefn, roedd y sgrechian wedi deffro'r tŷ cyfan, a daeth Lorenzo i'r ystafell i achub y dydd. Fûm i 'rioed mor falch o weld fy mrawd.

Disgynnodd Maria ar ei gwely yn wylo'n llawn anobaith. Galwodd fy mrawd ar yr hen sguthan i ddod i fyny, ac wedi cloi'r ffenestr, mynnodd ei bod yn aros gyda Maria drwy gydol y nos rhag ofn y byddai'n gwneud ymgais arall i'w lladd ei hun. A'i wyneb yn llawn dicter, anfonodd bawb arall allan a chloi'r drws ar y ddwy. Cefais fy rhybuddio i beidio â mynd ar gyfyl yr ystafell.

Allwn i ddim goddef rhagor. Gadewais y tŷ a cherdded y tair milltir i Firenze, a chefais gysgu'r nos yng nghegin Emilia. Cyn toriad gwawr, llithrais drwy geginau a ffreutur y Brodyr Duon yng nghwfaint Santa Maria Novella er mwyn gallu cael mynediad i'r eglwys cyn i'r drysau agor i'r cyhoedd. Roedd y gweision yn rhy gysglyd i sylwi arnaf, heb sôn am ddechrau holi beth oeddwn yn ei wneud yno ar y fath awr. Llwyddais i osgoi golau'r canhwyllau a dilyn y cysgodion o biler i biler tra oedd y Brodyr yn mynd drwy eu defosiwn boreol. Wnaethon nhw ddim sylwi arnaf ar fy ngliniau'n gweddïo'n daer wrth iddyn nhw orymdeithio allan drwy gorff yr eglwys. Yma yr oedd y briodas i'w chynnal. Roeddwn yn gobeithio y byddai'r Brawd Fabian o gwmpas, er na wyddwn yn union beth y gallwn i ofyn iddo'i wneud – cyflawni gwyrth, efallai? Ond byddai'n wyneb cyfarwydd, caredig a doeth i mi allu rhannu fy ngofidiau ag ef. O'm cuddfan ger y bedyddfaen, ni allwn ei weld ymhlith y Brodyr yn ystod y gwasanaeth, a doedd dim hanes o'r hen ŵr rŵan, chwaith.

Roedd fy mrawd a'r Signore wedi trefnu pethau rhyngddynt mewn ffordd mor llechwraidd, mor dan din, fel na allwn faddau iddo hyd heddiw, hyd dragwyddoldeb. Roedd y gwasanaeth i ddigwydd yn gynnar yn y bore fel na fyddai tystion ymhlith yr addolwyr arferol yn yr eglwys, neb i brotestio, neb i bwyntio bys, neb i gael ei gythruddo gan y cynllwyn cïaidd yn erbyn merch mor ifanc ac mor hardd, neb i atal y briodas. Gwelais y Brawd Antonio yn cerdded o'r gysegrfa at gapel teulu'r Rucellai, ac es i'w gyfarfod, gan ofyn a wyddai ble roedd y Brawd Fabian.

'Mae'r hen ŵr yn glaf, ac yn yr *infirmarium*,' oedd yr ateb cwta. 'Esgusodwch fi, mi fydd y priodfab a'r briodasferch yma cyn bo hir.'

Gadewais iddo fynd. Fo, felly, oedd i weinyddu'r gwasanaeth. Yr hen sinach trwynsych! Doedd dim pwrpas apelio at galon hwnna – doedd ganddo fo'r un! Cawsai ganmoliaeth gan y Brawd Fabian oherwydd ei fod mor ddysgedig, mae'n wir, ond beth yw gwerth hynny heb ras Duw i allu gweithredu'n ddyngarol?

Fel yr oedd yr adar bach yn dechrau canu eu cân foreol yn y clas gwyrdd, cyrhaeddodd y parti priodasol. Roedd ysfa gref ynof i redeg i ffwrdd a chuddio, ond bradychu Maria fyddai hynny. Y brad eithaf, gan mai y fi oedd yr unig un o'i phlaid yn yr eglwys gyfan. Ond allwn i ddim edrych ar ei llygaid, a gweld y boen a'r anobaith yno. Arhosais y tu ôl i un o'r colofnau mawrion tra aeth y parti heibio, eu camau'n anelu at gapel y Rucellai. Dyna'r fan lle roedd y briodas i ddigwydd, felly. Dilynais hwy.

Wrth droed y grisiau a arweiniai o lawr yr eglwys i'r capel, baglodd Maria, ei choesau'n gwegian oddi tani. Buasai wedi syrthio oni bai fod ei thad yn gafael am ei chanol. Arhosodd yn swp diymadferth yn ei freichiau. Ar ben y grisiau, yn edrych i lawr arnom yn ddigynnwrf, safai'r Brawd Antonio. Rhuthrais ymlaen i helpu Maria, ond trodd fy mrawd arnaf yn ffyrnig.

'Cadw draw, damia chdi!' ysgyrnygodd dan ei wynt. Trodd at y Brawd i ymddiheuro. 'Mae'r cyffro wedi bod yn ormod i fy merch – a hithau wedi edrych ymlaen cymaint at ei diwrnod mawr!' meddai yn ei lais crandiaf, a gwên ffals ar ei wyneb. 'Mi fydd yn iawn ymhen ychydig. Oes 'na rywle ...?' Edrychodd o'i gwmpas am sedd, ond awgrymodd y Brawd y byddai'r ferch yn ymadfer ynghynt petai'n cael ychydig o awyr iach. Cyfeiriodd fy mrawd at ardd y clas gwyrdd. Roeddwn am fynd gyda hi, ond unwaith eto rhegodd fy mrawd, a'm rhybuddio i gadw draw.

Doedd gen i ddim dewis ond dringo'r grisiau i'r capel, gan geisio ffrwyno fy nhymer. Pam na allwn i sgrechian a gweiddi dros y lle fod y peth yn anfoesol, yn warth? Ai llwfrdra ynteu 'plygu i'r Drefn' oedd derbyn hyn a gwneud dim byd? Gwelais y priodfab yn eistedd wrth yr allor, a disgynnodd fy nghynddaredd yn fud arno ef. Syllais yn llym ar gefn ei ben, a'm meddwl yn chwilio am bob gair sarhaus, pob gair hyll, pob rheg a wyddwn, a'u pentyrru arno. Sylwais yn faleisus nad oedd ei fab gydag ef. Ofn i'r llanc gablu mewn lle mor sanctaidd, mwy na thebyg, a chodi cywilydd ar bawb.

Croesodd y Brawd oddi wrth y grisiau i gadw cwmni i'r Signore, a chlywn y ddau'n sgwrsio fel pe na bai dim o'i le, dim byd anarferol yn digwydd o dan eu trwynau hyll. Roedd tôn llais y Brawd yn codi cyfog arnaf.

'Rydw i'n deall mai drwy wŷs yr Arch-ddug ei hun yr ydych chi'n priodi yn y capel arbennig hwn,' meddai'n nawddoglyd.

'Ia,' atebodd y priodfab yn ffroenuchel. 'Roedd o'n falch o allu cynorthwyo aelod o deulu sy'n ffrindiau mawr â Brenin Lloegr.'

'A, dwi'n gweld.' Bu bron i'r Brawd foesymgrymu, y llyfwr tin anghynnes, nes iddo gofio'i fod yn gwisgo'i wisg eglwysig.

Rhuthrodd fy holl amheuon yn ôl i'm pen, yr amheuon hynny a ddaethai imi gyntaf wrth i ni wylio'r Arch-ddug a'i deulu yn Pisa. Teimlwn bellach nad oedd unrhyw amheuaeth yn eu cylch: plentyn siawns yr Arch-ddug oedd Maria! Dyna'r unig esboniad am gyfoeth rhyfedd fy mrawd, y gwersi drudfawr a dderbyniodd Maria, y rhwydd hynt iddi gael gwely yn yr ysbyty, ac yn awr y caniatâd i briodi yn un o eglwysi pwysicaf y ddugiaeth!

144

'Allech chi ddim fod wedi dewis lle mwy addas, mwy hynafol.' Clywais lais y Brawd Antonio fel o hirbell wrth iddo draethu ymlaen. 'Mae Santa Maria Novella'n sefyll ochr yn ochr â'r Duomo o ran ei chyfoeth artistig, ei hanes mawreddog, a'i phwysigrwydd yn ein llên a'n hanes.'

Dyna ni eto, meddyliais, bydd hwn yn hefru a brolio'i wybodaeth wrthan ni rŵan!

'Wyddoch chi,' aeth y Brawd ymlaen, 'fod Dante ei hun wedi astudio yn ein llyfrgell, ac yn addoli yma yn yr eglwys?'

Gallwn weld fod hyn yn gwneud cryn argraff ar y Signore. Nodiodd ei ben a cheisio edrych yn ddeallus, er bod hynny'n anodd i rywun o'i oed o, rhywun a wisgai glos pen-glin oedd yn rhy dynn iddo, côt o sgarled â brodwaith o flodau ac adar lliwgar, a chlogyn aur – heb anghofio'r cudyn hir o wallt fel cynffon llygoden fawr, a'r ruban aur yn addurn arno.

'Ie wir, mae hanes o'n cwmpas ym mhobman fan hyn. Dyna i chi gapel y Strozzi yr ochr draw – wyddoch chi mai dyna leoliad agoriad y *Decameron* gan Boccaccio, lle mae'r saith merch fonheddig a rhinweddol yn cyfarfod â'r tri bonheddwr ifanc ar ôl yr offeren un dydd Mawrth yn ystod cyfnod y Pla yn 1348?'

Rwyt ti wedi anghofio dweud pa fis oedd hi, y twmffat, meddyliais yn chwyrn. Dim ond y Brawd Antonio fyddai'n gorfanylu fel hyn.

'Ie, wir? Tewch â deud!' meddai'r Signore.

'Heb sôn am y gweithiau – y campweithiau, ddylwn i ddweud – celfyddydol sydd o'n cwmpas ym mhobman.' Gan chwifio'i fraich, cwmpasodd yr eglwys gyfan. 'Wyddoch chi fod Michelangelo wedi gweithio ar y llun acw gan Giuliano Bugiardini oddeutu'r flwyddyn 1535, heb anghofio i'r arlunydd Tribolo hefyd fod yn gysylltiedig â'r darlun ... hwnna, i'r chwith o'r allor – y darlun o ferthyrdod Santes Caterina,' ychwanegodd gan bwyntio â'i fys pan sylwodd fod y Signore yn edrych i bob cyfeiriad ond yr un cywir.

Ceisiais gau fy nghlustiau i'w sgwrs. Doeddwn i ddim am i'w ddadansoddiadau dienaid lygru fy ngwerthfawrogiad ohonynt. Caeais fy llygaid mewn ymgais i rwystro'r dagrau rhag llifo. Gwyddwn i'r dim leoliad pob llun yn y capel. Gallwn eu henwi hefyd, neu o leiaf eu henwi yn ôl yr enwau a roddais i arnynt. Ai addas ynteu eironig oedd hi fod Maria'n priodi mewn capel oedd yn cynnwys cynifer o luniau o ferthyrdod y seintiau? Santes Caterina ar yr olwyn, Santes Ursula ymysg y paganiaid, Santes Cecilia, a lladdfa'r Gwirioniaid, heb sôn am yr Arglwydd Iesu ei Hun ar y Groes ... fe'm trawodd am y tro cyntaf gymaint o ddioddefaint oedd yna yn ein Cristnogaeth. Ydi Duw mewn gwirionedd yn mynnu'r holl arteithio, yr holl aberth? Ydi crefyddau mawrion y byd i gyd mor waedlyd, holais fy hun. Ysgydwais fy mhen yn drist.

A dyma Maria fach yn ei hôl ynghanol hyn i gyd. Clywais lais Lorenzo'n mwmian rhywbeth yn ei chlust wrth iddyn nhw ddringo'r grisiau. Deallais wedyn mai dal i'w bygwth yr oedd, gan fynnu mai ewyllys yr Archddug oedd iddi briodi a gwella'i safle mewn bywyd. Tybiwn yn aml fod Lorenzo'n defnyddio enw'r Arch-ddug fel y bydd eraill yn defnyddio enw Duw, i fynnu eu ffordd eu hunain. Bellach, wrth gwrs, sylweddolwn mai rheswm arall oedd y tu ôl i'w eiriau. Allwn i ddim gweld ei hwyneb dan ei orchudd, a phan ddaeth yn amser iddi wneud ei haddunedau, a minnau'n sefyll y tu cefn iddyn nhw, gallwn weld bod Lorenzo'n cordeddu gwasg ei gwisg yn ei ddwrn ac yn rhoi herc iddi bob hyn a hyn fel bod ei chorff yn cael ei ysgytian fel doli glwt.

Ac yna roedd y cyfan drosodd. Roedd hi'n wraig yn dair ar ddeg oed, a'i gŵr yn hanner cant. Wedi i'r syrcas orffen, aeth pawb yn ôl i Fiesole ar gyfer y wledd. Cyn gynted ag y cyraeddasom y *villa*, aeth Maria i'w hystafell, ac nid oedd Lorenzo na neb arall yn mynd i'm rhwystro rhag ei dilyn. Rhois glo ar y drws y tu cefn i mi, ac yno y buom. Er cnocio a chicio a bygwth pob mathau o gosbau, chafodd neb ddod i mewn i'r ystafell, a rhaid oedd i'r wledd fynd rhagddi heb bresenoldeb y briodasferch. Wedi i bawb a phopeth dawelu, sleifiais allan i gael gair efo Nona, ac am y pedwar diwrnod nesaf, bu'r hen wraig ac un o'r morynion ifanc yn cario bwyd i ni'n slei bach. Ar y pumed diwrnod, collodd Lorenzo bob rheolaeth arno'i hun a defnyddio bwyall i dorri'r drws i lawr. Wna i byth anghofio'r dychryn o glywed yr haearn yn bwrw yn erbyn y pren, a Maria a minnau'n glynu wrth ein gilydd ar y feranda. Pan ildiodd y drws, gollyngodd Lorenzo'r fwyall o'i law, diolch i'r nefoedd, a rhuthro am Maria. Taflodd hi ar draws ei ysgwyddau a'i chario fel sach o datws i lawr y grisiau ac i'r *salone*.

'Dyma'ch eiddo i chi, syr,' cyhoeddodd wrth ei fab yng nghyfraith newydd, a dadlwytho Maria i freichiau ei gŵr. Ceisiodd hwnnw ddal ei afael ynddi a rhoi cusan wlyb ar ei gwefusau ond gwingodd gymaint nes iddi ddianc o'i afael. Ond roedd Lorenzo'n barod amdani a gwnaeth iddi sefyll yn ufudd wrth ochr ei gŵr.

Aeth pedair blynedd heibio, pedair blynedd o ffraeo diddiwedd rhwng fy mrawd a'i fab yng nghyfraith. Yn rhyfedd iawn, ar ôl y tro cyntaf hwnnw pan dorrodd y drws i lawr, nid ymyrrodd fy mrawd wedyn rhwng y pâr priod. Roedd fel petai'n meddwl ei fod wedi cyflawni ei ran ef o'r fargen, ac mai cyfrifoldeb y gŵr oedd y gweddill. Ei ddyletswydd ef oedd rheoli ei wraig. Ar y llaw arall, roedd yn ddigon parod i hawlio'i arian oddi ar y Signore, ac i gyflwyno costau cynyddol ei ffordd newydd, foethus o fyw i'r dyn druan. Aeth pethau o ddrwg i waeth rhyngddynt, nes un diwrnod y collodd y Signore reolaeth yn llwyr ar ei dymer ac ymosod ar Lorenzo mewn tafarn, ac roedd eu cwffio mor ffyrnig fel y bu raid i'r cwsmeriaid eraill eu gwahanu. Yn fuan wedi hynny, penderfynodd yr Arglwydd Newborough ei fod am symud yn ôl i Firenze, wedi cael llond bol ar y 'giwed chwannog', fel y galwai rieni Maria, gan ei fod yn dymuno cael rhyddid rhagddynt. Roedd y ddwy ohonom yn ddigon bodlon ar y newid byd, ond buan iawn y dilynodd Lorenzo ni a chario 'mlaen â'i blagio.

Am y Signore, allwn i ddim llai na thosturio wrtho, rhwng pob dim. Dechreuais feddwl mwy ohono ar ôl y briodas, oherwydd er iddo floeddio a bytheirio bob nos wrth ddrws ystafell Maria, yn crefu am ei hawliau priodasol, ni wnaeth erioed geisio mynnu'r hawliau hynny drwy rym; ni ddifwynodd ei glendid yn ystod yr holl flynyddoedd y bûm i'n byw efo nhw. Rydw i'n dyst o hynny.

Dechreuodd yfed, ac yfed yn drwm, ac yn ei feddwdod byddai un ai'n mynd yn wyllt ei dymer neu'n troi'n afiach o ddagreuol. Yna byddai'n syrthio i drwmgwsg swnllyd, yn chwyrnu dros y tŷ i gyd. Daeth ei asiant ato un tro, y Signor Prys, yr holl ffordd o Brydain, i geisio'i gynorthwyo gyda'i anawsterau ariannol. Dyna'r tro cyntaf i mi sylweddoli nad Sais oedd y Signore mewn gwirionedd, ond Cymro o'r darn bach gorllewinol hwnnw o Loegr. Roedd y ddau'n siarad iaith hollol ddieithr i ni ymysg ei gilydd. Ar ôl mis neu ddau, dychwelodd y Signor Prys i Brydain gan addo anfon arian a nwyddau, ac anrhegion i'r teulu yng nghyfraith. Pan gyrhaeddodd tair cist enfawr, roedd Lorenzo ar ben ei ddigon – nes iddo'u hagor! Chwarddodd Maria a finnau nes gwneud ein hunain yn swp sâl, ond roedd yr hen sguthan a'm brawd yn gandryll. Nid y trysorau gwerthfawr roeddan nhw'n eu disgwyl oedd yn y cistiau, ond hen ddilladau cenedlaethau fyrdd o deulu'r Signore, rhai ohonynt yn rhacslyd a llwchlyd iawn!

Daeth pwl o chwerthin dros yr hen wraig wrth iddi gofio'r digwyddiad hwnnw, ond buan iawn y trodd y chwerthin yn beswch cras, didostur. Rhoddodd Cecilia'i phin i orwedd ar y papur a mynd i dywallt gwydriad o ddŵr i Anna Maria, ond roedd y peswch yn rhy hegar. Gafaelodd yn yr hen wraig dan ei cheseiliau a chyda chryn ymdrech llwyddodd i'w chodi ar ei heistedd. Yn raddol, tawelodd y pesychu.

'Gadewch i mi alw am y Chwaer Dorothea,' cynigiodd Cecilia, ond gwrthododd yr hen wraig.

'Mi fydda i'n iawn,' sibrydodd Anna Maria. 'Dos yn ôl at y bwrdd. Rhaid i mi gario 'mlaen. Does gen i ddim amser i'w golli, cofia!'

Er iddi deimlo'n llawn amheuon, ufuddhaodd y Chwaer Cecilia. Ailgydiodd yn ei hysgrifbin wrth i'r hen wraig ailgydio yn ei hanes.

Drwy gydol yr holl flynyddoedd hyn, ni chlywais yr un smic oddi wrth Roberto, ond roedd un gronyn o gysur i'w gael ynghanol yr holl ddiflastod: os plentyn anghyfreithlon yr Arch-ddug oedd Maria, o leiaf roedd ei phriodas â'r Signore wedi ei dyrchafu i radd fwy derbyniol o fewn cymdeithas, ac . . .

Tawelodd y llais yn ddisymwth, a chyn i Cecilia allu codi ei phen o'i gwaith, clywodd glatsh wrth i gorff yr hen wraig syrthio yn erbyn y bwrdd bach ger ei gwely, a'i fwrw drosodd. Bu bron i gorff yr hen wraig ei ddilyn i'r llawr, ond llwyddodd Cecilia i'w harbed mewn pryd.

'Anna Maria! Anna Maria!'

Ni allai gael ymateb gan yr hen wraig. Roedd pwysau ei chorff bron yn drech na nerth y lleian, a oedd mewn gwewyr wrth geisio penderfynu beth i'w wneud. Rhedodd lleian arall i mewn i'r ystafell, wedi clywed clec y ddamwain, a rhwng y ddwy ohonynt, llwyddwyd i gael yr hen wraig i orwedd ar ei gwely unwaith eto. Roedd yn dal i anadlu, ond bod yr anadl hwnnw'n anwastad a chras.

'Dos i nôl yr Uchel Fam a'r Chwaer Dorothea,' gorchmynnodd Cecilia wrth geisio agor botymau'r gŵn nos oedd wedi eu cau yn dynn am wddf yr hen wraig. 'Brysia!'

XVI

Treuliodd Roberto'r bore yn cerdded o gwmpas ei gartref a'i weithdy newydd, yn fodlon iawn ei fyd. O'r diwedd roedd wedi llwyddo i ddod yn ôl i Firenze. Cwblhawyd y trefniadau iddo logi'r adeilad yn y Camio Rivolto ger eglwys Santa Croce yr wythnos flaenorol, a chyn gynted ag y cafodd y goriadau, roedd ef a Paolo wedi mynd ati i sefydlu'r gweithdai. Eu bwriad oedd cael gweithdy argraffu ar y llawr isaf, a stiwdio arlunwyr ar y llawr uchaf, lle roedd ffenestri yn y to a golau bendigedig o'r gogledd.

Roedd llawer wedi digwydd i'r ddau ohonynt yn ystod y blynyddoedd diwethaf. Wedi marwolaeth ei fam ychydig ddyddiau ar ôl iddo gyrraedd Lucca, arhosodd i gynorthwyo'i dad gyda'r argraffdy. Roedd marwolaeth ei fam wedi cael cryn effaith ar ei dad, a daeth yn fwy a mwy dibynnol ar Roberto. Ychydig fisoedd yn ôl, bu farw yntau, gan adael y gweithdy i Roberto.

Yn ystod ei flynyddoedd gyda'i dad, roedd wedi deall bod ei hen feistr, yr arlunydd, wedi gwella'n annisgwyl o'r afiechyd a oedd wedi peri iddo gau ei weithdy. Roedd Roberto wedi mynd i'w weld, ac wedi cael cynnig mynd yn ôl i gwblhau ei brentisiaeth. Roedd wedi bod yn gwbl onest â'r arlunydd, gan egluro holl amgylchiadau ei arhosiad yn Firenze, rhywbeth nad oedd wedi ei ddatgelu i'w rieni. Y cyfan a wyddai ei dad oedd fod Roberto wedi gorfod gadael gweithdy Benedetto er mwyn dychwelyd at ei rieni. Roedd yn well gan Roberto iddo gredu hynny. Ac felly, o fewn dwy flynedd, roedd wedi cwblhau ei brentisiaeth, wedi ei dderbyn yn jermon, ac yn ddiweddar iawn, wedi gallu cyflwyno'i gampwaith a'r tâl angenrheidiol i fod yn aelod o urdd yr arlunwyr yn Lucca. Marwolaeth ei dad oedd wedi rhoi'r arian iddo allu gwneud y taliad, ynghyd â busnes bach roedd Roberto wedi ei sefydlu ar ei liwt ei hun fel rhan o fusnes ei dad.

O gofio Signora Chiappini, faint o ferched crefyddol cyffelyb oedd yna yn y byd, tybiodd? Merched fyddai'n ymweld â phob eglwys a welent, yn gweddïo'n ddwys bob dydd ac yn mynd i gyffesu'n rheolaidd a chydag arddeliad? Onid oedd y merched hyn wedi mopio ar eu crefydd? Oni fydden nhw'n falch o unrhyw addurn crefyddol? Roedd gan bob cartref ei groes, wrth gwrs, ond beth am rywbeth fyddai'n apelio'n fwy penodol at ferched? Beth petai ef, Roberto, yn gallu cynhyrchu a gwerthu addurn ar gyfer y tŷ oedd a thema grefyddol iddo? Ei syniad oedd argraffu cardiau bychain, lluniau o'r gwahanol seintiau a symbolau eu merthyrdod, lluniau o'i waith ei hun, ac o dan y llun, adnod neu ddwy o'r Beibl, neu ddarn o'r Catecism.

Fe fu eu gwerthiant yn llwyddiant ysgubol. Wedi ymweld â phob eglwys yn Lucca, a siarad â'r offeiriaid yno, cafodd ganiatâd i werthu'r cardiau crefyddol hyn yn yr eglwysi, gyda'r eglwys yn cael canran o'r elw, wrth gwrs. Syfrdanwyd ef gan faint yr elw a wnaeth.

Bellach, roedd yn feistr arlunydd ei hunan, ond yn fwy na hynny, roedd aelodaeth ei dad o urdd yr argraffwyr, a'r ffaith ei fod yntau, Roberto, wedi treulio blynyddoedd yn y gweithdy, wedi sicrhau iddo aelodaeth o'r urdd honno hefyd, heb fynd drwy brentisiaeth ffurfiol.

Roedd hanes Paolo wedi dod ynghlwm â'i hanes ef. Wedi iddo orffen ei brentisiaeth gyda Benedetto, a graddio i fod yn jermon, daeth Paolo i Lucca at Roberto, a gweithio fel jermon i Roberto a'i feistr, yr arlunydd. Cymerodd Paolo at waith argraffu fel pe bai wedi ei eni iddo, ac roedd wrth ei fodd gyda chymhlethdod y peirianwaith, rhywbeth oedd yn peri diflasdod i Roberto pe bai'n fodlon cyfaddef hynny. Parhaodd eu cyfeill-garwch yn gadarn, ac yn dilyn marwolaeth ei dad, gofynnodd Roberto i Paolo ymuno ag ef mewn menter newydd, sef agor argraffdy a stiwdio arlunio nid yn Lucca, ond yn Firenze. Y bwriad oedd datblygu'r busnes argraffu lluniau crefyddol, ond ar gyfer marchnad ehangach, gyfoethocach o lawer. Onid oedd cynifer o eglwysi hynafol, prydferth, llawn trysorau yn Firenze? Onid oedd ymwelwyr o Ewrop gyfan yn dod yno i ryfeddu atynt? Ac oni fyddai'n syniad ardderchog iddyn nhw allu mynd â rhywbeth bach adref efo nhw i'w hatgoffa o'u siwrnai?

Dyheai Roberto am gael dychwelyd i'r ddinas honno am reswm arall, hefyd. Tra oedd Paolo yn dal yn brentis gyda Benedetto, roedd wedi bod yn hawdd i Roberto a Benedetta gadw mewn cysylltiad â'i gilydd. Anfonai Roberto'i lythyrau at Paolo, oedd yn eu rhoi yn nwylo Benedetta pan ddeuai'r cyfle, a hithau'n ateb yn yr un modd. Ond wedi i Paolo ddod i Lucca, roedd llythyru wedi bod yn llawer anoddach. Nid oedd wedi gweld Benedetta eto ers iddo ddychwelyd i Firenze, ond bwriadai wneud iawn am hynny yn fuan iawn. Ei fwriad oedd sefydlu ei hun yn y busnes yn gyntaf, ac yna fe fyddai'n gallu mynd ati fel masnachwr llwyddiannus, ac yn y man, os byddai hi'n cytuno, bwriadai ofyn i'w thad am ei llaw mewn priodas.

Cyn y gallai gychwyn ar hyd y llwybr llwyddiannus hwn, fodd bynnag, roedd angen iddo gael cytundeb yr urdd yn Firenze i drosglwyddo'i aelodaeth o'r urdd yn Lucca i un Firenze, a thrwy hynny gael trwydded i redeg ei fusnes dan nawdd yr urdd honno. Ni fyddai'r eglwysi byth yn fodlon delio â pherson nad oedd yn aelod o urdd. Roedd eisoes wedi cyflwyno'i bapurau i'r urdd, ond hyd yma nid oedd wedi derbyn ei drwydded, er iddo fod yn disgwyl ers pythefnos bellach.

Rhedodd i lawr y grisiau i'r argraffdy, lle roedd Paolo wrthi'n arborfi gyda'r peiriannau newydd. Roeddent wedi buddsoddi eu holl arian a rhagor yn y peiriannau hyn, ac yn llogi'r adeilad, ac roedd yn hollbwysig iddynt ddechrau ar eu busnes er mwyn gallu talu'r costau.

'Rydw i'n mynd i'r urdd,' galwodd ar ei ffrind. 'I weld beth ydi hanes ein trwydded.'

'Iawn,' atebodd Paolo. 'Mi arhosa i fan hyn.'

Yn yr urdd, fodd bynnag, cyfarfu ag wynebau hirion. Nid oedd y drwydded yn barod, ymddiheurodd hen ŵr wrtho. Rhyw broblem gyda'r manylion o Lucca. Ond roedd yr urdd mewn cysylltiad â'r urdd yn y ddinas honno, meddai, ac fe fyddai pethau'n barod cyn pen dim.

Ar ôl gadael y swyddfa, dechreuodd grwydro'n anniddig drwy strydoedd y ddinas, gan fudferwi oherwydd yr aros diddiwedd. Nid oedd yn graig o arian! Sut oedd o'n mynd i gynnal popeth tra oedd yn disgwyl am ei drwydded, pan nad oedd yr un ddimai goch yn dod i'w boced? Cafodd ei hun yn cerdded i lawr y stryd lle roedd Signora Chiappini'n byw. Meddyliodd pa mor braf fuasai cael sgwrs fach gyda hi, dweud ei hanes wrthi, sut roedd wedi dod ymlaen yn y byd. Cofiodd ar yr un pryd am y darlun roedd wedi ei addo iddi, a'r taliadau a wnaethai hi iddo flynyddoedd ynghynt. Dechreuodd ei gydwybod ei bigo. Er iddo dreulio amser yn arbrofi gyda *tempera*, a'i fod bellach wedi meistroli'r grefft honno, nid oedd wedi cael amser i wneud fawr mwy na meddwl sut fuasai'n mynd ati i wneud y llun. Wel, roedd ganddo ddigonedd o amser ar ei ddwylo yn awr. Pa ffordd well i'w dreulio na thrwy gadw ei adduned i'r wraig, a chwblhau'r llun?

Cnociodd ar ddrws y tŷ, ac fe'i hagorwyd gan ddieithryn. Wedi holi am Signora Chiappini, deallodd fod y teulu wedi symud i Fiesole flynyddoedd ynghynt. Yn ffodus, gwyddai'r deiliad presennol gyfeiriad Lorenzo Chiappini, a rhoddwyd hwnnw i Roberto. Roedd hi'n wraig parod ei sgwrs, a chafodd yr hanes am briodas Maria a rhyw *milord* o Sais oedd yn ddigon hen i fod yn daid iddi. Roedd y briodas yn destun siarad yr holl stryd ar y pryd. Wedi diolch iddi, penderfynodd y byddai'n ymweld â Fiesole o fewn yr wythnos.

Cychwynnodd Roberto'n fore ar ei daith o dair milltir i Fiesole, i fyny'r allt yr holl ffordd. Roedd yn ei ddillad gorau, ac am wneud y siwrnai cyn i'r haul gyrraedd ei anterth a gwneud iddo chwysu.

Safai'r *villa* mewn gerddi ysblennydd, a'r olygfa dros Firenze'n drawiadol. Arhosodd i'w gwerthfawrogi cyn mentro i mewn drwy'r giatiau. Roedd to crwn y Duomo'n amlwg, yn angor iddo allu adnabod gweddill yr adeiladau hynafol. Yn union y tu ôl i'r Duomo gallai weld tŵr y Palazzo Vecchio, yna fymryn i'r chwith, dŵr y Bargello, ac ymhellach fyth i'r chwith, do eglwys Santa Croce, lle roedd ei weithdy. I'r dde, roedd to crwn eglwys a chwfaint San Lorenzo, capel y de' Medici, ac ar gyrion gorllewinol y ddinas, gwelid tŵr ac adeiladau eglwys Santa Maria Novella. A thrwy'r cyfan, fel llinyn arian, gallai weld ambell olygfa o afon Arno.

Ond nid wedi dod i fwynhau'r olygfa oedd o, dwrdiodd ei hun. Cerddodd yn araf ar hyd y ffordd goets â'i cherrig mân taclus, heb arwydd o chwyn yn tyfu drwyddynt, ac at y brif fynedfa. Adeilad deulawr ydoedd, yn ymestyn ymhell bob ochr i'r fynedfa. Tybiodd y byddai adain ychwanegol ar y ddwy asgell, yn ffurfio'r llythyren U, a'r prif ystafelloedd yn edrych allan dros yr olygfa o Firenze.

Daeth morwyn fach i'r drws, a gofynnodd iddi a oedd y Signora Chiappini gartref. Gofynnodd hithau am ei enw, ac yna fe'i gadawodd yn sefyll ar y trothwy ar ôl iddi gau'r drws yn ei wyneb, wedi iddi orchymyn iddo aros yno nes y byddai'n gwybod a oedd y Signora am ei dderbyn. Dychwelodd o fewn munudau, ac arweiniodd y ffordd i ystafell eang, olau, ac fel y tybiodd Roberto, roedd yr olygfa o Firenze i'w gweld drwy'r ffenestri hirion a agorai allan i'r ardd. Gallai glywed sŵn dŵr yn tincial o ffownten yn rhywle. Ond y merched a gymerodd ei sylw yn bennaf. Roedd y ddwy yno, Signora Chiappini a Maria Stella, y gyntaf yn brodio a'r llall yn eistedd wrth y *pianoforte*.

'Signor Rinaldi,' cyhoeddodd y forwyn, a syllodd y ddwy arno.

Edrychai Signora Chiappini yn union fel y cofiai hi, ond roedd Maria wedi ei thrawsffurfio. Cododd oddi wrth y *pianoforte* i'w gyfarch, a gwelodd ei bod yn dal a gosgeiddig, ei chorff yn lluniaidd, ei gwallt yn eurgoch ac wedi ei drin yn y ffasiwn ddiweddaraf, a'i hwyneb mor brydferth ag erioed, er ei fod yn dal i deimlo bod ei thrwyn yn rhy fawr! Roedd wedi gadael ei phlentyndod, ac yn ferch ifanc drawiadol.

'Signor Rinaldi, croeso,' meddai Maria. 'Rydych chi'n lwcus ein bod ni yma. Dim ond wedi dod i Fiesole am ychydig wyliau rydyn ni. Yn Firenze mae ein cartref bellach.'

Moesymgrymodd i'r ddwy.

'Signoria Newborough, Signora Chiappini, cyfrifaf fy hun yn hynod o ffodus,' cyfarchodd hwy. 'Mae'n bleser o'r mwyaf cael cwrdd â chi unwaith eto. Ac mae llon-gyfarchiadau yn ddyledus i chi, Signoria,' ychwanegodd wrth Maria. Nodiodd hithau ei phen i'w gydnabod.

'Eisteddwch, Signor Rinaldi,' meddai Maria, gan eistedd wrth ochr ei modryb.

'Roberto, Signoria! Roberto, os gwelwch yn dda, fel yn yr hen ddyddiau.'

'A sut mae'r byd yn eich trin chi, Roberto?' holodd wedi iddo eistedd.

'Yn ardderchog, Signoria, diolch.' Trodd i edrych ar y fodryb. Nid oedd wedi yngan yr un gair ers iddo ddod i mewn i'r ystafell. Roedd ei llygaid wedi eu hoelio arno, yn llawn cyffro, ond ni allai benderfynu ai cyffro pleserus ydoedd, ynteu rhyw ofn annelwig. Edrychai mor ddiamddiffyn, a'r nodwydd yn ei llaw yn hofran uwchben ei gwaith, ei cheg fymryn ar agor. Roedd yn rhaid iddo ddweud rhywbeth i dawelu ei meddwl.

'Rhaid i mi ymddiheuro i chi, Signora Chiappini – a diolch o galon i chi hefyd. Mae'n ddrwg iawn gen i nad ydw i wedi cysylltu â chi cyn hyn. Mae'n siwr eich bod wedi anobeithio amdana i!'

Daeth rhyw sŵn cryg o'i gwddf, ond Maria a atebodd.

'Oedd yn wir, syr!' meddai, â thinc cyhuddgar yn ei llais. 'Roeddech ar fai yn gadael i'm modryb boeni yn eich cylch yr holl amser yma, heb hyd yn oed anfon gair i ddweud eich bod yn fyw ac iach – heb sôn am y darlun!'

Cywilyddiodd Roberto, ac ymddiheuro unwaith eto.

'Gadewch i mi egluro,' meddai. 'Gawsoch chi'r nodyn yn dweud bod fy mam wedi marw?'

'Wedi marw?' ailadroddodd Signora Chiappini, wedi darganfod ei llais o'r diwedd. 'Na, dim ond nodyn i ddweud ei bod yn wael, a'ch bod chi wedi mynd i Lucca i'w gweld.'

'Bu farw ychydig ddyddiau wedyn, ac yna roedd yn rhaid i mi aros efo 'Nhad. Fe effeithiodd y golled yn drwm arno.' Aeth ymlaen i ddweud ei hanes yn ailgydio yn ei brentisiaeth gyda'i hen feistr, a'r ffaith ei fod bellach yn feistr arlunydd ac yn feistr argraffydd.

'Yn ystod yr amser hwn cefais syniad a ddeilliodd ohonoch chi, Signora Chiappini,' meddai.

Edrychodd hithau'n ddryslyd arno.

'Sut hynny, Roberto?' holodd Maria ar ran ei modryb.

Arhosodd Roberto nes bod y forwyn, oedd wedi dod i mewn yn cario hambwrdd llawn lluniaeth ysgafn, wedi gosod y lluniaeth ar fwrdd ger Signora Chiappini ac wedi eu gadael. Prysurodd Signora Chiappini ei hunan i sicrhau bod pawb wedi derbyn peth ohono.

'Wel, dach chi'n cofio inni gael sgwrs, a minnau'n gofyn pam na fyddech chi am gael darlun o Maria ... maddeuwch i mi ... y Signoria, yn y dull modern, a chithau'n mynnu mai am gael darlun ohoni fel santes oeddech chi?'

'Ydw,' atebodd Signora Chiappini'n araf, gan nodio'i phen.

'Wel, dyma'r syniad yn fy nharo y byddai eraill hefyd yn dal i ffafrio'r hen ffyrdd, ond y baswn i'n gallu moderneiddio'r dull o gynhyrchu lluniau felly, eu rhoi o fewn cyrraedd poced y person cyffredin.' Aeth ymlaen i egluro am ei luniau o'r seintiau, a'u llwyddiant yn yr eglwysi.

'Llongyfarchiadau,' mwmianodd Maria. 'Mae clywed am lwyddiant ambell waith yn codi calon rhywun. Rwy'n cymryd mai yn Lucca mae'ch busnes?'

'Tan yn ddiweddar iawn, ia, er fy mod i'n gwerthu i eglwysi cyn belled â Pisa erbyn hyn. A dyna pam rydw i'n ôl yn Firenze.' Gorffennodd ei win a rhoi'r gwydr ar y bwrdd bach wrth ei ochr. 'Rydw i wrthi'n sefydlu'n argraffdy a stiwdio newydd yn y ddinas.'

'Felly wir? Rydach chi'n ffyddiog iawn o'ch llwyddiant, felly?' ychwanegodd Maria.

Cafodd Roberto'r argraff gref nad oedd ganddi wir ddiddordeb yn ei sgwrs, mai dim ond cwrteisi oedd ei hymatebion a'i chwestiynau. Dechreuodd obeithio y byddai hi'n gadael yr ystafell er mwyn iddo gael sgwrs go iawn efo Signora Chiappini. Pam na fyddai hi'n siarad ag ef, yn lle'r Signoria? Ond roedd yn rhaid iddo yntau yn ei dro fod yn gwrtais. Amlinellodd ei syniadau a'i fwriadau iddynt, gan bwysleisio'r cyfleoedd di-ben-draw a gynigiai dinas fel Firenze i'w fusnes.

'Diddorol iawn, Roberto. Rydw i'n falch o glywed am eich llwyddiant,' meddai Maria wedyn. 'Nawr, os gwnewch chi'n . . .'

'Ac mi rydach chi'n mynd i agor siop argraffu yma yn Firenze?' holodd Signora Chiappini. Gwenodd Roberto'n hapus arni. O'r diwedd roedd hi wedi dod dros ei syfrdandod, neu efallai ei siom, ac am siarad ag ef.

'Yn union, Signora Chiappini,' atebodd. 'Rydw i wedi arwyddo prydles am adeilad ger y Santa Croce, ac mae peiriannau'r wasg yn cael eu gosod yn eu lle ar hyn o bryd. Gallwn ddechrau cynhyrchu cyn gynted ag y bydd . . .'

'Lle mae o? Lle mae'r diawl?'

Cafodd Roberto fraw o weld dyn mewn oed yn rhuthro i'r ystafell fel gwallgofddyn. Disgynnodd ei lygaid cynddeiriog ar Roberto, a chythrodd amdano, ei ddwylo'n ymestyn am wddf y gŵr ifanc.

'Tommaso! *Tommaso!*' bloeddiodd Maria arno. 'Pwyllwch, ddyn! Wedi dod i weld Ziannamaria mae o!'

Roedd y newydd hwn yn ddigon i'w atal am eiliad. Syllodd i wyneb pob un o'r tri yn ei dro, a daeth amheuaeth i'w lygaid, ac yna ddrwgdybiaeth. Tyfodd hynny'n gyflym iawn i fod yn genfigen wyllt unwaith eto. Daeth golwg gyfrwys i'w lygaid. Â'i galon yn suddo, gwelodd Roberto'r dyn gwallgo'n troi tuag ato drachefn.

'Dach chi'n disgwyl i mi goelio hynny, hyh? Does dim ffŵl fel hen ffŵl – dyna dach chi'n ei ddweud, yntê?'

'Rydach chi'n llygaid eich lle yn fan'na, Tommaso,' meddai Maria'n finiog, ond ni chymerodd sylw ohoni.

'Meddwl fy mod i'n ddigon twp i dderbyn pob gair yn

dawel, ia? Wel, mae gen i newyddion i chi, syr ...' ac unwaith eto estynnodd ei ddwylo am wddf Roberto.

Rhuthrodd Signora Chiappini i'w achub. Camodd rhyngddynt gan gadw'r dyn, gŵr Maria, y *milord* o Sais, sylweddolodd Roberto gyda braw, rhag cyrraedd ei brae. Cododd Roberto'n frysiog a chamu wysg ei ochr tuag at y drws. Ni feiddiai dynnu ei lygaid oddi ar y *milord* gorffwyll rhag ofn iddo ymosod eto. Daeth y Signora i'w ganlyn. Gafaelodd yn ei fraich a'i hanner wthio allan o'r ystafell. Clywodd lais y *milord* yn hefru a brygowthan wrth iddynt gerdded i lawr y coridor.

'Dos y cachgi! A phaid â meiddio dangos dy wyneb yn y tŷ hwn eto! Paid ti â meddwl bod rhyw fastard fel chdi yn mynd i wneud cwcwallt ohona i!'

'Be gebyst sy'n bod arno fo?' holodd Roberto wedi i'r ddau gyrraedd diogelwch yr ardd. 'Ydi o o'i go'? Ai *hwnna* ydi'r Sais, y Signore?'

'Ia. Mi wna i egluro,' atebodd hithau, gan gydgerdded ag ef i gyfeiriad y stryd.

'Druan o Maria.'

Eglurodd iddo am genfigen ddireswm yr Arglwydd Newborough, cenfigen a oedd yn ymylu ar fod yn orffwylledd. Ni châi Maria fynd i unman, na siarad ag unrhyw ddyn, beth bynnag ei oed, heb iddo ddychmygu rhyw gynllwyn i'w dwyn hi oddi arno. Roedd hyn yn fwrn mawr ar Maria.

'Wyddoch chi, syr, nad oes yr un gwas yn y tŷ? Dim ond morynion. Mi fasai'n well gan y Signore pe bai merched yn gweithio yn y gerddi hefyd, ond bod Lorenzo'n mynnu bod y gwaith yn rhy drwm i ferch.'

'*Mio Dio!*' mwmianodd Roberto. 'Dowch, mi awn ni am lymaid bach i rywle. Rydan ni ein dau wedi cynhyrfu. Beth hoffech chi?'

Arweiniodd hi i dŷ coffi yn sgwâr mawr Fiesole, tŷ coffi a gardd a phergola cysgodol yn edrych dros Firenze. Wedi i'r Signora eistedd wrth fwrdd o dan y pergola, archebodd Roberto goffi i'r ddau ohonynt yna, wrth gymryd llymaid o'i ddiod, eglurodd ymhellach am ei fusnes newydd. Roedd yn haws o lawer sgwrsio gyda hi ar ei phen ei hun, a hithau'n amlwg yn llawn diddordeb.

'Rhaid i chi ddod i weld y lle,' meddai wrthi'n eiddgar. 'Ymhen rhyw wythnos neu ddwy, pan fyddwn ni wedi cael gwell trefn, mi fasai'n bleser gen i ddangos y lle i chi.'

Derbyniodd hithau ei wahoddiad yn awchus. Petrusodd ychydig cyn gwneud ei gynnig nesaf. Nid oedd wedi dechrau ar ei ddarlun mewn gwirionedd, ond roedd hi mor gefnogol, mor amlwg yn dymuno'r gorau iddo, fel ei fod yntau hefyd yn awyddus i'w phlesio hithau.

'Signora,' dechreuodd yn araf, 'ydach chi'n cofio'r darlun roeddech chi ei eisiau?' Nodiodd hithau ei phen. Roedd golwg amheus, wyliadwrus wedi dod i'w llygaid. Teimlodd yn euog ei fod wedi anwybyddu ei chomisiwn am yr holl flynyddoedd, ac wedi cymryd ei harian prin heb roi dim yn ôl, nes iddo siarad yn fyrbwyll. 'Wnes i 'rioed anghofio amdanoch chi, nac am y darlun chwaith. A dweud y gwir, rydw i wedi dechrau gweithio arno'n ddiweddar, ar ôl dod i Firenze. Fasech chi'n hoffi gweld hwnnw yr un pryd? Cofiwch, dim ond ar ei hanner mae'r gwaith,' ychwanegodd yn frysiog rhag iddi ddisgwyl gormod. 'Mi gymrith gryn amser i'w orffen.'

'O Roberto! Mi faswn i wrth fy modd!' atebodd hithau'n hapus, gan guro'i dwylo mewn cymeradwyaeth. Yna daeth cysgod dros ei hwyneb. 'Ond Roberto, alla i ddim talu i ti ar hyn o bryd,' meddai'n siomedig ac ymddiheurol. 'Ar ôl i ti fynd i ffwrdd, wnes i ddim dal ati i gynilo arian fel y dylswn. Mi gymrith amser i mi ei hel at ei gilydd, os ydi hynny'n iawn, os oes dim ots gen ti?'

Teimlai'n fwyfwy euog.

'Anghofiwch amdano, Signora Chiappini! Peidiwch â meddwl am dalu i mi. Fi sydd yn eich dyled chi, wedi'r cwbwl. Heblaw amdanoch chi, faswn i byth wedi llwyddo cystal.'

'Ond alla i ddim derbyn y fath . . .'

'Rŵan, rŵan,' torrodd ar ei thraws. 'Rydw i'n mynd i'w gyflwyno i chi fel anrheg, fel gwerthfawrogiad o'ch cymwynasgarwch tuag ataf. Wnewch chi ei dderbyn?'

Gwelodd y dagrau'n crynhoi yn ei llygaid.

'Twt lol, rydach chi'n haeddu'r gorau,' meddai wrthi'n addfwyn, gan wasgu ei llaw.

Gwnaethant drefniadau i gyfarfod eto yn y tŷ coffi. Chwarddodd Roberto wrth egluro iddi na fuasai'n mentro i dŷ'r Signore byth eto, ar ôl y bore hwnnw!

'Rydw i bron â marw isio dweud wrth Maria!' meddai wrth ffarwelio ag ef. '*Arrivedercci*, Roberto!'

Wedi iddi gymryd ychydig gamau oddi wrtho, fodd bynnag, trodd yn ei hôl. Rhoddodd ei llaw ar ei fraich a'i gwasgu, yna safodd ar flaenau'i thraed i roi cusan fach sych ar ei foch.

'Croeso'n ôl, Roberto. Rydw i'n falch ofnadwy o dy weld ti!'

Wedi iddi fynd, eisteddodd eto dan y pergola. Roedd hi'n hyfryd yno, a'r awel yn ysgafn. Archebodd wydriad o win, ac yna tynnodd ei lyfr braslunio a'i bensel allan o'i boced fawr. Aeth ati'n hamddenol i greu lluniau o'r wynebau a welsai'r diwrnod hwnnw: y Signore, Maria, a'i ffrind, Signora Chiappini. Arhosodd am awr neu fwy cyn talu a dychwelyd i Firenze.

XVII

Ar ôl dyddiau maith o frwydro dros fywyd yr hen wraig yn yr infirmarium, barnwyd ei bod o'r diwedd yn ddigon cryf i ddychwelyd i'w hystafell fechan ei hun. Yn dilyn wythnos arall o fwydo gofalus â chawl llawn maeth, wythnos o gwyno a phledio a swnian ar ran yr hen wraig, ildiodd yr Uchel Fam i'w chais am gael gorffen cofnodi ei chyffes. Ond roedd yr Uchel Fam yn benderfynol o gadw llygad arni, ac felly y hi, nid y Chwaer Cecilia, oedd yn eistedd wrth y bwrdd bach y bore cyntaf hwnnw.

Ceisiodd Anna Maria brotestio, ond nid oedd symud ar yr Uchel Fam. Sylweddolodd yr hen wraig y byddai'n rhaid iddi blygu i'r drefn ar yr un eiliad yn union ag y daeth Rhagluniaeth i'w hachub. Curodd un o'r lleianod ar ddrws ei hystafell, ac ar ôl cael gorchymyn i ddod mewn, rhoddodd neges i'r Uchel Fam oedd yn gofyn am sylw honno yn ddiymdroi. Yn anfodlon a chydag ochenaid ddiamynedd, gadawodd yr Uchel Fam yr ystafell, ac o fewn pum munud roedd y Chwaer Cecilia yno. Gwenodd y ddwy'n gynllwyngar ar ei gilydd.

'Wyt ti'n barod i ddechrau, cara mia?'

Roeddwn yn ysu am gael dweud hanes Roberto wrth Maria, ond erbyn i mi gyrraedd adref, roedd hi wedi mynd allan yn y goets gyda'i gŵr. Roedd hi am geisio cael ei gŵr i ymdawelu, yn ôl Giuliana, ac yn meddwl y byddai ychydig o awyr iach yn lles iddo. Roeddan nhw wedi cychwyn am dro i'r bryniau cyfagos, ac fe fyddai'n hwyr arnyn nhw'n dychwelyd. Tra oedd y forwyn yn dweud hyn wrthyf, daeth y Saesnes i'r gegin, morwyn bersonol Maria, a gorchymyn i'r gogyddes wneud cinio iddi. Bob tro y byddai Maria allan o'r tŷ, byddai hon yn ymddwyn fel pe bai'r lle yn eiddo iddi, ac yn trin y gweision a'r morynion eraill fel baw. Edrychai i lawr ei thrwyn arnaf fi, yn bendant, ond yn waeth na hynny, roedd hi hyd yn oed yn edrych i lawr ei thrwyn ar Maria! Galwai ei hun yn *lady's maid*. Cachu ci – *merda di cano* – roedd pawb arall yn y tŷ yn ei galw hi, y *stronza*! Syniad bondigrybwyll y Signore oedd ei chyflogi, wrth gwrs. Plesio Maria, a rhoi mwy o statws iddi, drwy gael Saesnes yn forwyn, ond roedd y ddwy wedi cymryd yn erbyn ei gilydd o'r dechrau cyntaf. Ac mi ddylsech fod wedi gweld y ffordd roedd hon yn llyfu tin y Signore – roedd yn ddigon i droi stumog pawb, pawb ond y dyn ei hun. Roedd hwnnw wedi gwirioni ei ben efo hi. Efallai mai cynllwyn yr hen gnawas oedd ceisio cymryd lle Maria yn ei galon, ond doedd dim gobaith iddi lwyddo, tasa hi ddim ond yn sylweddoli hynny.

'Mi gymera i fy mwyd ar y *terrazza*,' cyhoeddodd wrth Giuliana, a martsio allan o'r gegin. Wedi iddi fynd, gwnaeth y gogyddes arwydd hyll efo'i bysedd.

'*Merda di cano!*' meddai dan ei gwynt, a dyma ni i gyd yn chwerthin.

Roedd Maria a'i gŵr yn eu holau yn gynt o lawer na'r disgwyl, y ddau ohonynt wedi cynhyrfu'n llwyr. Adroddodd Maria'r hanes wrthyf. Ymddengys iddynt fynd i lawr i Firenze yn gyntaf, ac yna cychwyn i gyfeiriad y wlad drwy'r Porta alla Croce, ond fe'u gwaharddwyd rhag mynd ymhellach gan filwyr yr Arch-ddug, heb eglurhad o unrhyw fath. Yna, aethant i'r Porta San Gallo, a digwyddodd yr un peth yn y fan honno. Dyna pryd y gwylltiodd y Signore.

'Ond mae pobol eraill yn cael mynd allan o'r ddinas,' bloeddiodd ar y milwr. 'Gadewch i ni fynd heibio i chi, ddyn, neu mi fydda i'n cael gair efo Llysgennad Prydain yn eich cylch chi!'

'*Spiacente, Signore*,' oedd yr ateb. 'Dyna'r gorchymyn a gefais. Dydach chi ddim i gael gadael y ddinas.'

'Ddim i adael y ddinas? Gorchymyn gan bwy? Mae'r peth yn warthus! Allwch chi ddim trin aelod o deulu bonheddig o Loegr fel hyn! Rydw i'n gofyn eto – ar orchymyn pwy?'

'Yr Arch-ddug ei hun, Signore,' oedd yr ateb. 'Mae'r papurau gen i fan hyn, a'i lofnod arnyn nhw.'

Dychwelodd y goets i'r tŷ yn y ddinas, a gadael y Signore yno, tra aeth Maria ymlaen i Fiesole i'm hebrwng adref. Aeth yntau allan i'r ddinas, deallais wedyn, gan fygwth ymosod ar balas yr Arch-ddug ar ei ben ei hun bach, pe byddai raid. Gwyddai Maria a minnau y byddai'n ei ôl yn hwyr y nos, wedi meddwi'n rhacs.

Rhoddodd y tawelwch cyfforddus yn y *villa* gyfle i mi adrodd hanes Roberto wrthi, a sôn am y rhodd fendigedig roedd am ei chyflwyno i mi. Roedd wedi gwirioni llawn cymaint â minnau, ac roedd mor falch o glywed y byddai bwriad fy nghalon yn cael ei gyflawni o'r diwedd. Ar ôl i ni fod yn trafod y mater pleserus hwn am beth amser, daeth nodyn o amheuaeth i'w llais.

'Ziannamaria,' meddai, 'wyddoch chi a fydd angen i mi eistedd iddo eto ar gyfer y darlun?'

Sylweddolais yn syth beth oedd y broblem. Roedd ei gŵr mor genfigennus fel na fyddai byth yn caniatáu iddi eistedd i arlunydd, yn enwedig arlunydd mor olygus â Roberto. A wyddwn i ddim a fyddai Roberto'n caniatáu i'r Signore fod yn bresennol tra oedd o'n gweithio.

'Wn i ddim,' atebais hi. 'Mi ofynna i iddo'r tro nesa.'

Roeddem yn ôl yn Firenze'r diwrnod canlynol. Anfonais neges at Roberto'n egluro hyn, ac awgrymu ein bod yn cyfarfod mewn tŷ coffi yn y ddinas. Ar y diwrnod penodedig, roedd Roberto'n disgwyl amdanaf, ond ni chynigiodd brynu paned i mi.

'Mae'n ddrwg gen i, Signora,' meddai'n ymddiheurol, 'ond mae gen i nifer o gyfarfodydd wedi eu trefnu ar gyfer y pnawn 'ma, a gorau po gynta i ni ddechrau. Wedyn mi gawn ni fwy o amser i chi weld a thrafod.'

Prydles ar adeilad yn y Camio Rivolto oedd ganddo, stryd fach gul heb fod ymhell o Santa Croce. Roedd siop wedi bod ar y llawr isaf ar un cyfnod, er ei bod yn llychlyd a di-lun erbyn hyn. Bwriadai Roberto'i glanhau a'i hailagor i werthu ei luniau. Y tu ôl i'r ystafell fechan hon roedd y gweithdy, ac yn y fan honno roedd dyn yn gwneud rhywbeth gyda pheiriant mawr haearn a phren. Hon oedd y wasg, ddyliwn i. Ni allwn ddeall ei chymhlethdodau, er i Roberto dreulio amser yn ceisio egluro sut roedd yn gweithio. Yna aeth â fi i fyny'r grisiau, i'w ystafelloedd byw. Unwaith eto, roedd y rhain wedi eu hesgeuluso gan y deiliad blaenorol, ond roedd gan Roberto syniadau pendant sut roedd yn mynd i'w gwella.

'Y peth cynta mae'r lle yma ei angen ydi sgwrfa reit dda o'r nenfwd i'r llawr,' meddwn wrtho. Cytunodd dan chwerthin. Wedyn arweiniodd y ffordd i'r llawr uchaf, a dyna wahaniaeth!

'Fy stiwdio,' cyhoeddodd. 'Rydw i wedi bod yn gweithio ar hon yn barod,' meddai wrthyf yn fodlon.

Roedd hynny'n amlwg. Un ystafell fawr oedd hi, â ffenestri ar hyd un ochr i'r to'n taflu golau clir i bob cilfach o'r ystafell. Roedd y waliau wedi eu gwyngalchu, y llawr wedi ei sgwrio a dim gronyn o lwch yn unman. Yn un pen roedd cwpwrdd anferth, ac yn y pen arall, silffoedd i storio offer. Ynghanol yr ystafell fawr safai isl arlunio a chynfas yn orchudd drosto. Roedd dau fwrdd bach bob ochr iddo, yn llawn poteli, cadachau, brwshys a photiau paent. Roeddwn wedi fy nghyfareddu gan y lle, a dywedais hynny wrth Roberto. Roedd yntau'n falch o glywed hynny. Croesais tuag at un o'r ffenestri a sefyll ar flaenau 'nhraed i edrych allan. Gallwn weld toeau a thyrau yn ymestyn ymhell. Sylwais ar dŵr y Bargello i'r chwith, yna ysbyty Santa Maria Nuova, yr adwaenwn mor dda, o'm blaen, ac o gornel fy llygaid gallwn weld rhan fechan o eglwys y Santa Croce i'r dde.

'Ydach chi'n barod i weld y llun?' holodd Roberto o'r tu ôl i mi. Trois a'i weld wrth yr isl arlunio, ei law yn gafael yn un cornel i'r gorchudd.

Roedd fy nghalon yn fy ngwddf wrth i mi sefyll yn ddisgwylgar o flaen y gorchudd. Beth pe na bawn yn ei hoffi? Beth petai'n llun gwael ofnadwy? Fyddai'n rhaid i mi ei ganmol p'run bynnag? Ond na, rhaid i mi fod yn ffyddiog. Gwyddwn na fyddai'n fy siomi.

'Barod?' gofynnodd drachefn a nodiais fy mhen. Gydag osgo ddramatig, tynnodd y gorchudd a gwelais y llun.

'O Roberto!' oedd yr unig eiriau y gallwn eu hynganu. 'O, Roberto!'

Cerddais yn araf tuag at y darlun, gan ryfeddu at ei wneuthuriad, ei liwiau tryloyw.

'Cofiwch nad ydw i wedi ei orffen eto!'

Ysgydwais fy mhen. Doedd dim raid iddo ddweud hynny – roedd y peth yn amlwg. Edrychai'r cefndir yn orffenedig, hyd y gallwn weld, ond amlinelliad yn unig oedd y prif ffigwr yn y canol. Safai'r ffigwr yma'n gryf ac yn ansymudol, a milwyr yn ei hamgylchynu, un ohonynt â'i gleddyf yn barod i daro. Ychydig i'r dde yn y darlun roedd pâr o ychen dan yr iau, a'r gyrrwr yn eu hannog ymlaen â ffon. Roedd rhaff, yn dynn dan y straen, yn cysylltu'r ychen â'r ffigwr canolog, ond yn amlwg heb lwyddo i'w symud. Yn llenwi'r cefndir roedd yr awyr a'r môr, mewn lliwiau glas mor fendigedig o dryloyw fel y taerech fod golau Duw yn treiddio drwodd ac yn bendithio'r ffigwr canolog.

'Santes Lucia?' murmurais.

'Ia. Dach chi'n hoffi'r llun?'

'O, Roberto,' sibrydais eto, gan ysgwyd fy mhen mewn rhyfeddod. 'Mae o'n ... mae o'n ... wel ... yn fwy ... yn brydferthach ... nag unrhyw beth a ddychmygais.' Allwn i ddim dod o hyd i'r geiriau priodol.

'Rydw i wedi ceisio'i beintio yn null Botticelli, dach chi'n gweld, a'r ffordd mae o'n cyfleu goleuni. Dyna pam fy mod i'n defnyddio paent *tempera* ar banel o bren a *gesso*, ac nid olew ar gynfas.'

Ysgydwais fy mhen mewn rhyfeddod unwaith eto.

'Sut alla i fyth ddiolch i chi? Mae'n rhaid i chi adael i mi dalu am hwn. Alla i ddim derbyn anrheg fel hyn.' Tra oeddwn yn siarad, roedd fy llygaid wedi eu hoelio ar y darlun. Allwn i ddim o'u tynnu oddi arno. Fel y dechreuodd Roberto ateb, daeth syniad i 'mhen. Trois ato'n gyflym. 'Mi wn i! Beth am i mi helpu i gael y siop yn barod? Mi fydda i wrth fy modd yn glanhau, a dydw i byth yn cael y cyfle y dyddiau yma, efo morynion o gwmpas y lle ac ati.'

'Dach chi'n siŵr?' gofynnodd yn amheus. 'Does dim raid i chi, cofiwch.'

'Mi faswn i wrth fy modd,' atebais. 'Beth am i mi ddechrau fory?'

Petrusodd am eiliad cyn ateb.

'Allwch chi adael pethau tan yr wythnos nesaf? Mae'n rhaid i mi setlo un neu ddau o bethau i ddechrau.'

'Iawn,' cytunais innau, a gwnaethpwyd trefniadau i mi fynd yn ôl ymhen yr wythnos.

Prysurais o'r siop, ar bigau'r drain eisiau disgrifio'r darlun i Maria, a dyna pryd y cofiais nad oeddwn wedi ei holi yn ei chylch – a fyddai angen iddi eistedd iddo, a sut i drefnu hynny o dan yr amgylchiadau. Dychwelais i'r adeilad, a chael y siop yn wag, ond daeth sŵn o'r cefn, lle roedd y wasg. Mentrais i mewn i'r ystafell, a gweld Roberto'n siarad â'r dyn. Roedd y ddau'n astudio platiau haearn, a'r dyn yn chwerthin. Pan glywodd fi'n galw ei enw, rhoddodd Roberto'r platiau i'r dyn a'i yrru allan drwy'r cefn.

'Gawn ni weld,' oedd ateb Roberto i'm cwestiwn. 'Mae'r brasluniau wnes i flynyddoedd yn ôl gen i o hyd, ac mi alla i ddefnyddio'r rheini. Wedi'r cyfan, mae'r Signoria'n dipyn hŷn yn awr, yn hŷn nag oedd y santes adeg ei merthyru. Os bydd angen i mi ei gweld eto i gael ansawdd y gwallt, neu'r croen ac ati'n gywir, mi faswn i'n gallu ei hastudio mewn tŷ coffi, neu rywle cyhoeddus felly, heb godi amheuon ei gŵr.' Fe'm sicrhaodd eto nad oedd yntau am fynd drwy'r un profiad ag a gawsai ar ei ymweliad cyntaf â'r tŷ.

Roedd anhrefn llwyr yn fy nisgwyl pan gyrhaeddais yn ôl. Roedd drws y tŷ led y pen ar agor, ac ar y palmant y tu allan safai coets ddu, dywyll, a dynnid gan geffyl gwinau, a'r gyrrwr yn eistedd ar ei focs yn barod i yrru i ffwrdd. Roedd yr olwg ar wyneb hwnnw'n ddigon i atgoffa rhywun o'r olwg ar wyneb crogwr, er bod dienyddio wedi ei wahardd yn Twsgani ers rhai blynyddoedd bellach. Daeth syniad gwamal i'm pen mai hwn *oedd* y crogwr, yn fwy na thebyg, a'i fod wedi gorfod newid ei swydd! Ond diflannodd pob gwamalrwydd pan glywais sŵn cythrwfwl yn dod o'r brif ystafell ar y llawr cyntaf, a llais y Signore'n sgrechian ac yn bygwth lladd fy mrawd. Allwn i wneud dim ond gwylio'n gegrwth wrth i dri milwr ei lusgo i lawr y grisiau ac allan o'r tŷ, a'i daflu'n ddiseremoni i'r goets. Gallwn ddal i glywed ei sgrechiadau wrth i'r goets ddiflannu ym mhen draw'r stryd. Ond roedd twrw ffrwgwd a sgrechian yn dal i ddod o'r llofftydd, lleisiau merched y tro hwn.

'Be goblyn sy'n mynd ymlaen?' holais ar ôl i mi redeg i fyny'r grisiau a gweld Maria'n lladd ei hun yn chwerthin, a'r forwyn o Saesnes yn bloeddio ac yn rhegi a'i galw yn bob enw dan haul. Pan glywodd fy llais, dechreuodd y forwyn fy rhegi innau hefyd nes i mi golli rheolaeth arnaf fy hun.

'*Stronza!*' bloeddiais arni. 'Pwy wyt ti'n feddwl wyt ti, yr hwran Seisnig ddiawl!' Gafaelais yn ei gwar, ac er iddi gicio a brathu, llwyddais i'w llusgo allan o'r ystafell a chau'r drws yn glep arni a throi'r goriad yn y clo. Doedd hynny ddim yn ddigon i gau ei cheg, fodd bynnag, a pharhaodd i'm diawlio, er ei bod wedi troi i'r Saesneg erbyn hynny, ond ei hanwybyddu wnes i. Trois fy sylw at Maria, gan fod ei chwerthin bellach wedi troi'n chwerthin afreolus. Ysgydwais hi'n ysgafn a'i harwain at gadair a gwneud iddi eistedd. Yn araf bach daeth at ei hun ac egluro wrthyf beth oedd wedi digwydd.

'Mae Papa wedi dod ag achos yn erbyn Tommaso,' meddai gan sychu'r dagrau o'i llygaid gyda thamaid bychan o les. 'O Ziannamaria, welsoch chi 'rioed y fath ddigrifwch! Pwy fasa'n meddwl y byddai Papa'n taro ar y ffordd yma o'm hachub!'

Nid y fi, yn un, meddyliais yn chwyrn, ond ni rannais fy meddyliau.

'Ond pam?' holais. 'Beth ydi'r rheswm?'

'Mae'n ymddangos nad ydi Tommaso wedi talu'r pris amdanaf i Papa, na pheth wmbrath o'i lwfans misol, chwaith. Felly mae Papa wedi dod ag achos yn ei erbyn am beidio â thalu, ac i wneud yn siŵr nad ydi Tommaso yn ffoi o Firenze heb dalu, maen nhw wedi mynd â fo i'r Bargello.'

Ystyriais am eiliad cyn gofyn, 'Ond lle mae hynny'n dy adael di – a minnau, o ran hynny. Allwn ni ddim aros yn fan hyn, does bosib?'

'Well i mi sgwennu nodyn at Papa. Wnewch chi ei

anfon yn ddistaw bach? Mae'r hen forwyn 'na'n edrych ar bopeth rydw i'n ei yrru.'

Ysgydwais fy mhen yn ddiamynedd. Pa fath o dŷ oedd hwn lle roedd y forwyn yn feistres ar y feistres? Gwyddwn i Maria geisio cael 'madael arni cyn hyn, a chrefu ar ei gŵr i'w throi allan, ond roedd hwnnw'n bendant na wnâi'r fath beth. Doedd dim gobaith iddi gael ei derbyn gan Gymdeithas Firenze, honnodd, heb gael Saesnes fel morwyn bersonol − roedd y peth yn *de rigueur*, yn ôl ei eiriau ef. Roedd hyn, wrth gwrs, yn fater o gryn bwysigrwydd i Maria. Un o'i phrif gŵynion am ei bywyd yn Firenze oedd y ffaith nad oedd, er gwaethaf ei theitl fel y Signoria, neu Arglwyddes, Newborough, yn cael ei derbyn gan foneddigion Eidalaidd y ddinas, er iddi gael croeso, a gwneud ffrindiau, ymysg yr ymwelwyr o Loegr.

'Rydw i am fynd i orwedd,' meddai Maria wedyn. 'Mae'r holl gynnwrf yma wedi codi cur yn fy mhen.'

Chefais i ddim o'r nodyn i'w yrru at Lorenzo wedi'r cyfan, oherwydd ar ôl i Maria fynd i orwedd, fe gymerodd ei morwyn y goriad a'i chloi hi i mewn, yn dilyn gorchymyn y Signore, meddai hi. Mi fuaswn i wedi gallu ymladd amdano, wrth gwrs, ond roedd yr hen gachu ci wedi cyflogi dau ddyn cyhyrog i wylio pawb, ac yn arbennig ddrws ystafell Maria. Penderfynais, felly, y byddai'n gallach i mi fynd ac adrodd yr hanes wrth Lorenzo fy hunan, a heb oedi dechreuais gerdded y tair milltir i'w weld.

Roedd Lorenzo'n gwybod am ffawd y Signore, wrth gwrs, gan mai ef oedd wedi dechrau'r helynt, ac fe fûm i'n ddigon ffodus i'w gyfarfod yn ei goets tra oeddwn i'n cerdded i fyny'r allt serth a arweiniai at Fiesole. Dywedais hanes y forwyn a'r ddau ddyn wrtho, a gwnaethom gynlluniau i achub Maria.

'Bydd yn well inni aros tan bora fory bellach,'

penderfynodd Lorenzo. 'Gwna'n siŵr dy fod ti ar gornal y stryd ar doriad gwawr.'

Wrth i mi baratoi fy hun i fynd allan bore trannoeth, clywais negesydd yn cyrraedd y tŷ a rhoi llythyr i'r cachu ci. Gwrandewais arni'n siarad â'r ddau labwst, gan ddweud wrthyn nhw am wylio pawb yn ofalus tra oedd hithau'n mynd i'r carchar i ymweld â'r Signore. Yna aeth allan. Roeddwn yn adnabod un o'r dynion, meddwyn a welwn yn aml yn ceisio codi ffrae â dynion eraill wrth adael y dafarn. Cerddais yn urddasol i lawr i'r gegin heibio'r ddau dwpsyn, a chael gair sydyn efo'r gogyddes. Gwenodd honno'n llydan o glywed fy nghynllwyn, a chytuno ar unwaith i'w roi ar waith. Aeth at droed y grisiau a gofyn i'r ddau a oeddan nhw am damaid o frecwast. Roeddan nhw yn y gegin mewn chwinciad chwannen, a gwenais wrth weld Giuliana'n dod o'r seler yn cario dwy botel o win gorau'r Signore. Gosododd y rhain yn ofalus o flaen y ddau ddyn ac estyn dau wydr. Gyda winc ar y gogyddes, llithrais o'r tŷ i fynd i gyfarfod fy mrawd.

Cyn pen dim roeddan ni'n ein holau, yn sleifio i'r ardd. Drwy lwc, roedd Maria allan ar ei feranda'n cael mymryn o awyr iach. Taflodd Lorenzo nodyn mewn carreg fechan i fyny ati, a darllenodd o'n frysiog cyn diflannu i'w hystafell. Aethom ninnau'n ôl i'r goets i ddisgwyl. Eglurodd Lorenzo gynnwys y llythyr i mi. Roedd Maria i gasglu ei gemau mwyaf gwerthfawr a'i dillad gorau a bod yn barod i ymadael. Buom yn eistedd yno am yn agos i awr, yn gwylio drws y tŷ. Pan welais Giuliana'n dod i'r golwg a chodi ei llaw arna i, prysurais ati ac i'r gegin. Roedd y ddau labwst yn rhochian mewn cwsg meddwol, a'u pennau'n glewt ar fwrdd y gegin. Chwiliais yn gyflym drwy eu pocedi nes dod o hyd i'r goriad, ac wedyn mi es i ddatgloi drws Maria. Erbyn canol dydd, roedd y tri ohonom yn ddiogel yn Fiesole, yn chwerthin yn braf wrth feddwl am y siom a gawsai'r cachu ci o ddarganfod bod y deryn wedi hedfan. Roeddwn wedi bod yn ddigon gofalus i ail-gloi drws yr ystafell, a rhoi'r goriad yn ôl ym mhoced y twpsyn oedd yn gyfrifol amdano.

Doedd bod yn ôl yn Fiesole ddim yn ddelfrydol i mi, wrth gwrs, ond roedd hwyliau digon da ar Lorenzo fel y gadawodd i mi gael fy nghario yn y goets i gartref Roberto'r wythnos ganlynol. Dywedais wrth y gyrrwr na fyddai angen iddo ddychwelyd i'm hebrwng adref. Ond pan gnociais ar ddrws y siop, doedd dim ateb, a phan geisiais ei agor, roedd y drws ar glo. Doedd dim hanes o'r un enaid byw yn yr adeilad. Chwiliais am ddrws y cefn yn y lôn fach, ond roedd hwnnw hefyd dan glo. Sylwodd un o'r cymdogion arnaf yn ysgwyd y drws, a dweud wrthyf y buaswn yn gweld Roberto yn y dafarn yn y stryd nesaf. Prysurais yno, ond wedyn petrusais wrth y drws. Roedd hon yn un o'r siopau gwin hynny sydd yn amlwg yn ganolfan ar gyfer dynion yn unig.

Mentrais gam neu ddau i mewn ac edrych o'm cwmpas. Gwelais Roberto'n eistedd wrth fwrdd yn y gornel bellaf, yn rhannu costrel o win gyda'r dyn o'r gweithdy. Feiddiwn i ddim croesi'r ystafell atynt ac ennyn gwawd yr yfwyr selog, felly edrychais o amgylch yr ystafell i weld a oedd gwas neu forwyn a allai fynd â neges ato ar fy rhan. Rhewodd fy ngwaed pan ddisgynnodd fy llygaid ar gefn dyn oedd yn sefyll wrth gownter y siop yn siarad â'r gwerthwr gwin. Trodd oddi wrth y cownter, a gwelais ei wyneb yn berffaith glir. Doedd dim amheuaeth y tro hwn! Y fo oedd o! Fy ngŵr!

Mae'n rhaid fy mod wedi fferru yn y fan a'r lle, oherwydd y peth nesaf rydw i'n ei gofio oedd llais yn galw fy enw.

'Signora Chiappini? Signora!'

Roberto oedd yno, wedi sylwi arnaf yn sefyll yn y drws,

ac wedi dod allan i'm cyfarfod. Ymddiheurodd nad oedd o yn y siop yn disgwyl amdanaf, ond roedd yr amser wedi diflannu heb iddo sylwi. Mae gen i ryw gof o feddwl ei bod braidd yn gynnar yn y dydd i ŵr ifanc parchus fod yn yfed, ond dydw i ddim yn credu i mi ddweud yr un gair wrtho. Gadewais iddo fy arwain yn ôl at y siop, ac aethom i mewn.

'Ydach chi'n iawn, Signora?' holodd Roberto'n bryderus. 'Rydach chi wedi troi'n wyn fel y galchen. Fasech chi'n hoffi i mi eich hebrwng adref?'

Roedd y sioc wedi dechrau cilio erbyn hyn, ac ysgydwais fy mhen.

'Ble mae'r bwced a'r dŵr?' holais yn ddisymwth, 'a ble rwyt ti'n cadw cadachau a brwshys llawr?'

Roeddwn wedi gwisgo hen ddillad ar gyfer f'ymweliad, felly gallwn ymroi i'r gwaith yn syth. Roedd yn fendith, mewn gwirionedd, fod cymaint o waith caled i'w wneud, oherwydd llwyddais i anghofio am fy mhryderon. Wnes i ddim egluro i Roberto pam fy mod wedi ymddwyn mor od, ond mae'n siŵr ei fod yn poeni yn fy nghylch. Cyn gynted ag y dechreuais ar y glanhau, aeth allan i brynu siocled poeth a bisgedi bychain i mi. Roeddwn yn ddiolchgar iddo am fod mor feddylgar. Gwnaeth yr un peth amser cinio, a chawsom blatiad helaeth yr un o *ravioli* o dŷ bwyta cyfagos. Roeddwn ar fy nghythlwng erbyn hynny, a bwyteais gydag awch. Erbyn canol y pnawn, roedd Roberto wrthi'n gwyngalchu'r waliau, a minnau'n sgwrio'r gwydr ar y ffenest arddangos.

'Oes gen ti nwyddau'n barod i'w harddangos yma?' holais.

Nid atebodd yn syth, a sylweddolais fod ei frwsh yn segur. Daeth i lawr oddi ar yr ysgol, ac wedi gweld ei wyneb, roedd yn rhaid i minnau yn fy nhro ofyn beth oedd yn bod arno yntau.

'Choeliwch chi ddim,' meddai, gan ysgwyd ei ben.

'Wyddoch chi fod yr urddau yn y ddinas ddiawledig 'ma wedi fy ngwahardd rhag printio dim?'

'Rargian fawr! Pam felly?'

'Maen nhw'n gwrthod i mi drosglwyddo f'aelodaeth o Lucca i Firenze. Felly does gen i ddim trwydded i werthu nwyddau chwaith!' Edrychodd ar y gwaith roeddem wedi bod yn ei wneud. 'Wn i ddim pam y gadewais i chi drafferthu, a dweud y gwir,' ychwanegodd yn ddiflas. 'Mi ddyliwn i fod wedi egluro hyn ar y dechrau, a pheidio â gadael i chi wastraffu'ch amser a'ch egni.'

'Twt lol!' atebais yn chwyrn, 'roedd yn lles i mi.' Wnes i ddim egluro cymaint o les ydoedd, fod y gwaith corfforol wedi achub fy meddwl. 'A rhaid i tithau beidio â rhoi i fyny mor rhwydd,' dwrdiais ef. 'Yli, pam na wnei di adael i mi dalu am y llun – os ca' i roi ychydig i ti ar y tro?'

'Na,' ysgydwodd ei ben yn ddiamynedd. 'Rydan ni wedi bod drwy hyn o'r blaen, a dydw i ddim am newid pethau.'

'Ga' i fenthyca arian i ti, 'ta?'

'Na chewch wir!' Roedd yn gwenu arnaf y tro hwn. ''Drychwch, mi ddown ni drwyddi rywsut. Mae Paolo'n un da am syniadau.' Cododd a mynd yn ôl at ei wyngalchu, gan ychwanegu, 'Cymerwch chi seibiant bach rŵan. Dim ond gorffen y darn yma, ac mi wna i gadw cwmni i chi ar eich ffordd adref.'

Roeddwn yn dra diolchgar am y cynnig, ac fe'i derbyniais yn syth, er fy mod yn ymwybodol y byddai hynny'n golygu taith o chwe milltir i Roberto. Drwy'r pnawn roeddwn wedi bod yn melltithio fy hun am anfon y goets i ffwrdd, ac wedi bod yn pryderu rhag i mi gyfarfod fy ngŵr ar fy ffordd drwy'r ddinas, a minnau ar fy mhen fy hun.

'Wyddwn i ddim eich bod wedi priodi, Anna Maria!' meddai'r Chwaer Cecilia mewn syndod. 'Roeddwn i wedi cymryd 'rioed mai hen ferch oeddech chi!'

Gwenodd yr hen wraig arni'n dirion, a heb ddigio wrth y ferch ifanc am y sarhad anfwriadol.

'Mi fyddi di'n gwybod y cyfan o'm hanes erbyn y diwedd, cara mia.'

XVIII

'Mae'n ddrwg gen i, does dim newydd i chi eto.'

Dyna'r stori a gâi Roberto bob tro yr âi i swyddfa'r urdd. Esgusodion bob tro, a chyda phob ymweliad, roedd ei dymer ddrwg yn cynyddu. Roedd wedi bod yn ymweld â'r swyddfa'n rheolaidd yn ystod y tri mis diwethaf, ac erbyn hyn roedd wedi colli ei dymer yn llwyr. Roedd ei gredydwyr yntau'n dechrau swnian am arian, a'i sefyllfa'n simsanu.

'Does bosib eich bod chi'n dal i ddisgwyl ateb gan Lucca!' ysgyrnygodd ar y clerc druan. 'Mi fasai dyn cloff wedi gallu cerdded yno ac yn ôl erbyn hyn! Rydw i eisiau gweld cadeirydd yr urdd!'

Gwrthododd symud o'r fan nes y byddai wedi cael eglurhad gan hwnnw, gan orfodi'r clerc i adael ei ddesg a 'mofyn cyngor gan ei well. Yn y man, daeth yn ei ôl gyda gwahoddiad i Roberto fynd i ystafell y cadeirydd. Arweiniwyd ef ar hyd coridorau hir ac i fyny dwy res o risiau nes cyrraedd ystafell foethus, olau, a matiau hardd o Bersia ar y llawr, a'r muriau o banelau derw a chymaint o weithiau celf arnynt nes mynd â gwynt Roberto. Yma'n sicr yr oedd campweithiau holl gyn-aelodau'r urdd, y gweithiau y byddent wedi eu cyflwyno wrth geisio aelodaeth. Gwnaeth adduned iddo'i hun y buasai'n dychwelyd i'r ystafell hon rywbryd i astudio pob darlun yn fanwl. Meddyliodd am yr holl enwau enwog a gynrychiolid yma, yr holl gyfoeth artistig, yr amrywiaeth o ddulliau mynegiant dros y canrifoedd wrth i chwaeth a chrefft newid a datblygu. Roedd wedi ymgolli'n llwyr nes i lais sychlyd o ben draw'r ystafell ei ddwyn yn ôl i'r presennol, a'i fwriad yno.

'Signor Rinaldi? Alla i fod o gymorth i chi?'

'Rydw i'n mawr obeithio hynny, syr,' atebodd yntau.

Gwahoddwyd ef i eistedd, a gwrandawodd y cadeirydd ar ei gŵynion. Wedi iddo orffen, ebychodd y dyn yn ddistaw gan agor ei ddwylo fel petai'n rhyw led ymddiheuro.

'Y broblem, dach chi'n gweld, Signor Rinaldi, ydi fod gwrthwynebiad i'ch cais.'

'Gwrthwynebiad?'

'Ia. Mae un o'n haelodau'n honni nad ydach chi'n addas i'ch derbyn fel aelod o'r urdd. Beth bynnag yw sail ei honiadau, mae'n rhaid i ni edrych i mewn i'r cyfan cyn gwneud penderfyniad.'

'Ond ar ba sail mae o'n gwrthwynebu?' holodd Roberto'n llawn siom. 'Does dim o'i le gyda'm cais. Rydach chi wedi cysylltu â Lucca bellach, mae'n siŵr. Mae'r wybodaeth i gyd ganddyn nhw.'

'Ydi, siŵr,' atebodd y dyn, 'ond mae un o'n haelodau blaenllaw, dyn sydd yn fawr iawn ei barch yn y ddinas, wedi cyflwyno'r gwrthwynebiad hwn yn eich erbyn chi'n bersonol.'

Daeth amheuaeth i feddwl Roberto.

'Pwy sy'n gwrthwynebu?' holodd, er ei fod yn sicr yn ei feddwl o'r ateb.

'Alla i ddim datgelu hynny, mae arna i ofn,' meddai'r cadeirydd, a gwên fach drist ar ei wyneb.

'Benedetto ydi o, yntê?'

'Wir, alla i ddim ateb ie na nage. Gadewch y cyfan yn ein dwylo ni, Signor Rinaldi, ac fe gewch eich ateb yn y man. Rydw i'n siŵr y bydd popeth yn iawn yn y pen draw.'

Roedd Roberto'n gandryll.

'Ond beth am fy musnes i? Alla i ddim fforddio aros dim mwy! Rydw i wedi aros am dri mis yn barod! Benedetto sydd a'i gyllell ynof fi! Mae'r wybodaeth i gyd gan yr urdd yn Lucca. Gofynnwch iddyn nhw ydw i'n addas! Rydw i wedi cyflawni pob gofyniad, pob cwsmer wedi bod yn fodlon iawn â'm gwaith . . .'

'Diolch yn fawr, Signor Rinaldi. Rydw i'n siŵr y gallwn ni benderfynu ar y mater yn fuan iawn. Mi roddaf sylw personol i'ch cais. Dydd da i chi rŵan.'

Canodd y cadeirydd gloch fach ar y bwrdd o'i flaen cyn plygu ei ben i edrych ar ei bapurau. Daeth gwas i'r ystafell a dywedodd y cadeirydd wrtho fod Signor Rinaldi ar fin gadael. Doedd dim dewis gan Roberto. Os oedd am lwyddo i ddod yn aelod, doedd wiw iddo bechu mwy yn erbyn hwn. Dilynodd y gwas yn ddistaw a chael ei hebrwng allan o'r adeilad.

Pwysodd ei gefn yn erbyn wal y dafarn, a chau ei lygaid. Sythodd ei goesau o'i flaen er mwyn ystwytho ychydig ar ei gefn wedi iddo fod yn eistedd am oriau ar y fainc galed. Roedd twrw'r yfwyr eraill yn fyddarol, ac eto nid oedd am adael y lle. Beth allai ei wneud i godi arian? Cofiodd am y siopwr Vienello, a sut y bu iddo werthu gwaith Roberto fel llun gwreiddiol o'r unfed ganrif ar bymtheg. Oedd marchnad iddo gynhyrchu rhagor? Oedd Vienello'n dal i gadw siop? Ond byddai hynny'n cymryd wythnosau o waith paratoi, ac roedd angen arian arno o fewn dyddiau!

Eisteddai criw o ddynion wrth ei ochr, yn rhannu'r fainc ag ef. Ceisiodd gau eu lleisiau o'i feddwl, ac eto roedd yn hanner gwrando arnynt. Yr un agosaf ato oedd yr uchaf ei gloch, llabwst o ddyn a froliai am ei lwyddiant gyda merched a bod un ohonynt ar ei ôl bob dydd yn erfyn am ragor! Rhyw, rhyw, rhyw! Dyna unig gynnwys eu sgwrs, heblaw am y chwerthin aflafar ar ddiwedd pob stori. Roedd rhyw yn rheoli pob bywyd, meddyliodd yn chwerw, yn flaenllaw ym meddyliau pawb, yn ysgogiad ar gyfer pob mathau o ddrygioni. Gallai dynoliaeth dwyllo'i hun drwy honni mai crefydd oedd yr elfen bwysicaf mewn bywyd, neu anrhydedd, neu arian neu rym, ond yn y pen draw, twyll ydoedd, twyll pur. Rhyw oedd yn gyrru bywyd yn ei flaen, ym mhob ystyr. Rhyw oedd ysgogiad pawb, mewn un ffordd neu'i gilydd. Crafwch yr haen weledol oddi ar ddyn gwaraidd, meddyliodd yn sarrug, ac fe welwch yr ysfa rywiol yn cordeddu dan yr wyneb! Dyna pam fod gan yr eglwys gymaint o'i ofn, ac wedi ceisio'i ffrwyno dros y canrifoedd! Dyna pam mai rhyw oedd y pechod mwyaf!

Pan ddaeth chwerthiniad uwch na'r gweddill i darfu ar ei feddyliau, agorodd un llygad a chymryd cip ar ei gymdogion. Ffieiddiodd atynt yn eu budreddi. Pa ferch fyddai'n fodlon agor ei choesau i rai fel yna? Nid oedd yr un ohonynt wedi gweld dŵr glân a sebon ers misoedd, os nad blynyddoedd. A phrin fod tri dant rhwng y pump ohonyn nhw! Caeodd ei lygad drachefn.

O leiaf gallai guddio yn y twrw a'r rhialtwch, gallai gael llonydd i foddi yn ei ddicter a'i chwerwedd. Y diawl Benedetto! *Bastardo*! *Figlio di una puttana*! Wedi'r holl flynyddoedd, yn mynnu codi'r hen grachen! A'r peth gwaethaf oedd mai celwydd gan Sebastiani oedd y cyfan, cyhuddiad annheg o ladrata rhyw fymryn o baent, a bod hynny rŵan yn mynd i ddifetha'i fywyd! Roedd perchennog yr adeilad wedi galw heibio eto'r prynhawn hwnnw, i gasglu'r rhent. Bygythiodd fynd ag ef i'r llys os nad oedd yn derbyn ei arian yn fuan. Melltith arnyn nhw i gyd!

Ymsythodd eto ac edrych o'i gwmpas. Gwaeddodd ar y gwas i ddod â photel arall o win iddo, ei ail botelaid. Roedd wedi dechrau'r noson yng nghwmni Paolo, ond roedd hwnnw wedi diflasu'n fuan iawn ar dymer ddrwg ei ffrind, ac wedi mynd i fercheta i dafarn arall gyda chriw o'i gyd-ynyswyr, gan adael Roberto i din-droi yn ei botas ei hun, ei bensel yn tynnu llinellau unionsyth, trwm yn ei lyfr braslunio, a'r rheini'n croesi'i gilydd yn wyllt wrth i gynddaredd yrru ei law.

Wrth dywallt gwydriad arall iddo'i hun, cofiodd am Isabella, a'r ffordd roedd ei chorff wedi gwingo fel sarff oddi tano'r pnawn arbennig hwnnw. Melltithiodd ei hunan oherwydd iddo adael iddi ei dynnu i mewn i'w bywyd trist, llawn cywilydd. Pwy fuasai'n credu y byddai canlyniadau'r munudau gorffwyll hynny mor bell-gyrhaeddol!

Roedd ei law wedi symud i dudalen lân yn y llyfr, a'r bensel wedi dechrau tynnu llinellau lluniaidd ei chorff noeth fel y cofiai ef yn gorwedd ar yr hen lenni ar lawr y gweithdy. Gweithiai ei law yn gyflym wrth iddo gyfleu ei bronnau trymion a'i chnawd llyfn, a'i chluniau nwydus wedi gwahanu'n ddengar. Ond beth am y pen? Daeth ton o gasineb drosto, a gosododd ben sarff ar y corff, a thafod bigfain hir yn saethu allan yn fygythiol o'r genau. Efa a'r sarff yn un! Yna daeth syniad arall i'w ben, a dechreuodd wneud cartŵn o'i hen feistr ar ei liniau ger corff ei wraig, a'i dafod yntau'n ymestyn fel ruban hir yn llyfu rhwng ei chluniau. Edrychodd ar y llun, a theimlo cyfog yn codi i'w geg. Rhwygodd y papur o'r llyfr a'i wasgu'n belen cyn ei daflu i'r llawr.

'Be s'gen ti'n fan'na, gyfaill?' meddai'r llabwst wrth ei ochr, gan blygu i estyn y papur. Ceisiodd Roberto'i gipio'n ôl, ond trodd y dyn ei ysgwydd ato a'i rwystro. Agorodd y papur a cheisio'i lyfnhau, yna dechreuodd ruo chwerthin.

'Wel, wel, gyfaill! Be sy ar dy ben di'n taflu hwn? Hwn di'r llun gora dwi 'di'i weld ers blynyddoedd!'

'Ga' i weld?' meddai un o'r lleill.

Gwasgu'r papur i'w fynwes oedd ymateb y llabwst. Trodd at Roberto a rhoi winc anferth arno.

181

'Mae'n mynd i gostio i chi, hogia!' meddai wrth ei ffrindiau, er iddo ddal i syllu ar wyneb Roberto, a gwên fawr ar ei wyneb garw. Plygodd ymlaen a sibrwd yn ei glust.

'Gad hyn i mi, gyfaill. Mi wnawn ni elw bach da o'r noson. Mi dalith am dy win di, beth bynnag,' meddai, gan nodio'i ben tuag at y ddwy botel o flaen Roberto. Heb ddisgwyl am ymateb, cyhoeddodd wrth ei griw y byddai gweld y llun yn costio iddyn nhw.

Er mawr syndod i Roberto, gwelodd ddyn yn mynd i'w boced ac yn talu o'i arian prin i'w gymydog. Gwnaeth y llabwst sioe fawr o guddio'r llun rhag y gweddill tra oedd llygaid y cyntaf yn agor fel soseri wrth iddo syllu ar y llun, a phoer yn hel yng nghornel ei geg. Dechreuodd hwnnw chwerthin hefyd, gan weiddi *'Bravo! Bravissimo!'* Roedd hynny'n ddigon i wneud i'r gweddill ysu am weld y llun, a chyn pen dim roedd rhes wedi ffurfio o flaen y fainc, a'r dafarn gyfan wedi deall bod rhywbeth gwerth ei weld gan y llabwst, ac am gael rhannu yn yr hwyl, beth bynnag y gost. Ar ddiwedd y noson, rhoddodd y llabwst bentwr o arian yn nwylo Roberto.

'Rydw i'n cadw rhywfaint i mi fy hun,' eglurodd. 'Fy syniad i oedd o, a'm llafur i. Dydi hynny ond yn deg.' Crafodd ei geilliau a gostwng ei lais. ''Sgen ti ragor ohonyn nhw? Mi alla i fynd â hwn rownd y tafarndai eraill, ond buan iawn y bydd pawb wedi blino arno. Mi fasa un neu ddau arall yn cadw'r arian yn llifo.'

Meddyliodd Roberto'n wyllt, er gwaethaf y gwin. Meddyliodd am ei fusnes yn gwerthu lluniau crefyddol i ferched duwiol. Oedd marchnad i argraffu lluniau maswedd fel hyn i ddynion y tafarndai? A fyddai hynny'n ffordd allan o'i broblemau ariannol? Byddai'n rhaid cadw'r fath fasnach yn ddirgel, rhag heddlu'r Arch-ddug, felly doedd dim rhaid poeni am gael caniatâd gan yr urdd. Byddai'n gallu defnyddio'r wasg o'r diwedd, a thalu ychydig o'i ddyledion. Siawns na fyddai Paolo'n gwrthwynebu hynny.

'Efallai,' atebodd yn ofalus. 'Ond beth petaen ni'n gallu gwerthu copïau o'r lluniau? Mi fasen ni'n gallu codi llawer mwy wrth werthu'r llun ei hun.'

Gwelodd lygaid y dyn yn pefrio'n farus, ac eto roedd cyfrwystra yno hefyd.

'Ydi'r offer gennyt?'

'Ydi,' atebodd Roberto, a'i lais yn chwerw. 'Mae hwnnw gen i, yn sicr ddigon!'

'Campus,' meddai'r llabwst. Estynnodd ei law i Roberto. 'Angelo yw'r enw. Angelo Nesti. Mi wnawn ni bartneriaid campus, gei di weld. Mi wnawn ni ein ffortiwn. Beth am gyfarfod yma eto nos fory?'

'Gad hi tan nos Sadwrn,' atebodd Roberto, â rhan ohono'n ffieiddio ato'i hun yn gwneud y fath gytundeb.

XIX

'Na, aros di allan fan hyn,' gorchmynnodd yr Uchel Fam wrth y Chwaer Cecilia. 'Mi rydw i am sgwennu heddiw.'

Agorodd Cecilia'i cheg i brotestio nad oedd hi wedi blino o gwbl, ond o weld yr olwg bendant yn llygaid yr Uchel Fam, gwelodd mai tewi oedd ddoethaf.

'Wyt ti'n gweld,' aeth yr Uchel Fam ymlaen i egluro, 'rhaid bod yn gadarn er mwyn bod yn garedig. Mae 'nghalon innau'n gwaedu drosti, ond does wiw i ni adael iddi drethu gormod ar ei nerth. Yn ara' deg mae mynd ymhell, fel y gwyddost ti'n iawn. Dos i helpu'r Chwaer Dorothea heddiw.'

Plygodd Cecilia'i phen yn wylaidd, a derbyn y cyfarwyddyd. Wrth gerdded i ffwrdd, clywodd lais yr Uchel Fam yn gadarn a di-lol wrth iddi gerdded i mewn i'r ystafell.

'O'r gorau, Anna Maria! Un diwrnod ar y tro, a dim mwy. Ar ben hynny, rydw i'n mynd i roi'r gorau iddi os ydych chi'n dangos unrhyw arwydd o lesgni neu wendid. Ydych chi'n deall?'

Nodiodd yr hen wraig ei phen yn araf, gan deimlo'i hun unwaith eto fel y plentyn oedd hi ers llawer dydd yn cael ei cheryddu gan ei mam.

'Dydych chi ddim i gymryd mantais o feddalwch calon y Chwaer Cecilia. Mae ganddi ddyletswyddau eraill i'w cyflawni, cofiwch. Felly, y fi fydd yn sgwennu heddiw, ac am gyfnod penodol yn unig. Er eich lles eich hun rydw i'n mynnu hyn, deallwch.'

Dal i nodio'i phen oedd yr hen wraig. Roedd y llais yn

merwino'i chlustiau, er iddi gydnabod yn ei chalon fod yr Uchel
Fam yn llygad ei lle. Gwyddai'n well na neb pa mor gyflym yr
oedd hi'n blino'r dyddiau hyn, er iddi geisio'i gorau i gelu hynny
rhag y lleianod. Roedd yn **rhaid** *iddi lwyddo i orffen! Yn sicr,*
roedd yr ofn o dreulio tragwyddoldeb yn Uffern yn ddigon o
sbardun i'w hewyllys fel na fyddai'n ildio i'r Dyn Du cyn cwblhau
ei thasg. O'r diwedd, roedd yr Uchel Fam wedi tawelu, ac yn
eistedd yn ddisgwylgar wrth ei bwrdd.

Bûm yn meddwl llawer am siop Roberto, yn ceisio
penderfynu sut fyddai orau i addurno'r lle i ddenu'r
prynwyr. Ond roedd yn anodd cynllunio arddangosfa heb
wybod yn iawn beth fyddai ganddo i'w werthu. Chlywais
i ddim gair ganddo wedyn am sut roedd pethau'n mynd
ynglŷn â'i ffrwgwd gyda'r urdd, ond tybiwn y byddai
Roberto'n anfon gair ataf pe byddai penderfyniad wedi ei
wneud. Yn ystod ein siwrnai i Fiesole ar ôl y diwrnod
hwnnw o lanhau, cawsom sgwrsio'n braf, ac yntau'n
cyfaddef ei fod yn fy ngweld fel modryb iddo, yn rhoi
cyngor a chefnogaeth wedi iddo golli ei rieni. Eglurodd
sut y dychmygai weld ffenestr y siop ac un darlun da
ynddi, wedi ei arddangos yn syml, ac ambell brint
bychan, efallai, yn y gwaelod i ddangos bod mwy na
darluniau drudfawr yn cael eu gwerthu yno. Ceisiais
ofyn barn Maria gan fod ganddi lygad dda at bethau felly,
ond roedd ganddi hi ormod o drafferthion ei hunan i roi
fawr o sylw i'm problemau pitw i.

Y Sul blaenorol, roedd John, mab y Signore, wedi dod
â blwch tlysau iddi gan ei dad. Roedd hwnnw bellach
wedi ei ryddhau o'r carchar ar fechnïaeth, dan yr amod
nad oedd i adael y ddinas. Gwrthododd Maria'r blwch,
ond fe'i cymerwyd gan yr hen sguthan, ac roedd honno
wrth ei bodd gyda'r cynnwys o dlysau gemog. Dywedodd
Maria wrthi am eu cadw. Rhaid i mi gyfaddef fy mod

wedi teimlo peth cenfigen wrth weld hyn. Petai Maria wedi eu cynnig i mi, gallwn fod wedi eu rhoi i Roberto i'w helpu. Doedd y beth fach ddim wedi meddwl yn glir, decini, ac wedi ymateb yn fyrbwyll i drachwant ei mam. Ond roedd Maria'n ddigon meddylgar i gofio bod ganddi ddarnau gweddol hir o sidan yn ei chwpwrdd dillad, darnau dros ben o ddilladau a wnaethpwyd iddi. Cynigiodd y rhain i mi fel llenni ar gyfer ffenestr Roberto. Roeddan nhw'n hyfryd, un yn lliw hufen golau, un arall yn las lliw'r awyr, a'r llall yn binc ysgafn. Beth bynnag a fynnai Roberto ei roi yn ei ffenestr, byddai un ohonynt yn siŵr o weddu.

Gan nad oeddwn wedi clywed ganddo, a hefyd, rhaid cyfaddef, am fy mod ar bigau'r drain i wybod sut roedd pethau'n dod yn eu blaenau, penderfynais fentro unwaith eto i lawr i'w siop, a mynd â'r defnyddiau gyda mi. Y tro hwn, derbyniais y cynnig i'r goets ddod i'm nôl.

Sylwais yn syth nad oedd rhagor o waith wedi ei wneud yn y siop er pan adewais hi ddiwethaf. Nid oedd yr un enaid byw i'w weld yno, er imi alw sawl gwaith, ond gallwn glywed bod y wasg yn brysur yn y gweithdy. Cerddais at ddrws y gweithdy a gweld Roberto yno gyda'i bartner, Paolo. Ar ôl iddo fy ngweld, gadawodd ei waith a dod ataf.

'Dewch i fyny'r grisiau,' meddai. 'Mae'n dawelach yno.'

Roeddwn i'n synnu braidd wrth amau i mi synhwyro arogl gwin arno, a synnais yn fwy fyth pan dywalltodd wydriad o win iddo'i hun yn ei ystafelloedd. Cynigiodd wydriad i mi, ond gwrthodais. Roedd hi'n llawer rhy gynnar yn y dydd.

'Sut mae pethau'n mynd?' holais.

'Peidiwch â sôn!' atebodd yn isel ei ysbryd. 'Wn i ddim sut rydw i'n mynd i ddod drwyddi.'

'Ond mae'r wasg yn rhedeg?'

Edrychodd arnaf yn gyflym.

'Dim ond gwneud ychydig o waith arbrofi a gwella,' atebodd.

'A'r darlun?'

Cododd ei ysgwyddau. 'Dydw i ddim wedi cael llawer o gyfle wedyn, a dweud y gwir.'

Gallwn weld fy mod wedi ei ddal ar amser drwg, a dechreuais ddifaru nad oeddwn wedi rhoi rhybudd iddo. Ar ben hynny, roeddwn wedi dweud wrth y gyrrwr y byddwn o leiaf ryw ddwy neu dair awr cyn byddai ei angen! Mewn ymgais i greu sgwrs, yn fwy na dim arall, gofynnais iddo wedyn sut oedd ei brintiadau o'r seint-iau'n dod yn eu blaenau. Ffrwydrodd Roberto, a gwelais ochr hollol ddieithr ar ei natur, un nad oeddwn wedi ei gweld erioed o'r blaen.

'Seintiau ddiawl! Dwi wedi hen 'laru arnyn nhw!' Roedd eisoes wedi gorffen ei wydriad cyntaf a thywalltodd un arall iddo'i hun ac yfed hwnnw ar ei dalcen.

Roeddwn wedi dychryn. Dechreuais godi'n frysiog i'w adael, ond yna syllodd arnaf a diflannodd y caledwch o'i lygaid.

'Maddeuwch i mi,' meddai, ychydig yn dawelach. 'Mae'r holl bwysau a'r problemau yma'n deud arna i.'

'Dydi hwnna ddim yn mynd i helpu,' meddwn yn dawel, gan bwyntio at y botel.

'Nac ydi, mae'n siŵr,' cytunodd. Roeddwn yn falch o sylwi na lanwodd ei wydr drachefn. 'Mae'n ddrwg gen i. Eisteddwch eto. Wnes i ddim cysgu'n dda neithiwr, pob mathau o feddyliau yn troelli yn fy mhen.'

'Oes 'na rywbeth alla i ei wneud i helpu? Wyt ti isio trafod pethau?'

'Fyddech chi ddim yn hoffi clywed beth oedd yn fy meddwl,' atebodd gan ysgwyd ei ben. Pwysais arno i egluro, ac yn anfoddog iawn, dechreuodd siarad.

'Ceisio meddwl pam roeddwn i'n mwydro 'mhen efo'r

seintiau 'ma,' meddai, ac yna edrychodd yn gyflym arna i. 'Na, peidiwch â ngham-ddallt i. Mi roedd mam yn union fel chi, yn credu mewn gweddïo ar y seintiau, yn arbennig y rhai benywaidd. Ond i beth? Dydi o ddim yn gweithio, nac ydi?'

'Rhaid i ti beidio â gwangalonni,' pwysleisiais. 'Mi ddaw pethau'n well, gei di weld.'

'Ond nid drwy weddïo ar ryw ffigyrau chwedlonol fel rhai o'r seintiau! Rydw i wedi treulio oriau'n argraffu lluniau o Santes Barbara, Santes Margherita, Santes Agatha, Santes Caterina, Santes Agnes, Santes Lucia . . .' ysgydwodd ei ben unwaith yn rhagor.

'Be ti'n feddwl?'

'Wel, dydi o 'rioed wedi'ch taro chi? Y tebygrwydd sydd yna rhwng eu storïau? Pob un ohonyn nhw'n brydferth a deallus, pob un o deulu da, cyfoethog, pob un yn grefyddol, pob un yn wyryf a phob un ohonyn nhw'n cael ei gorfodi i briodi yn erbyn ei hewyllys – o ie, a phob un efo tad creulon?'

Nodiais fy mhen. Wyddwn i ddim beth oedd ei bwynt.

'Dach chi ddim yn meddwl mai patrwm ydi'r peth? Un stori ydi hi mewn gwirionedd, yn cael ei hailadrodd gan wahanol gymdeithasau mewn gwahanol rannau o'r byd?'

Edrychais arno'n hurt. Roeddwn ar goll yn llwyr.

'Ia,' meddwn wrtho, 'ond dydi hynny ddim yn eu gwneud yn gelwyddog.'

'O, Signora! Maen nhw fel storïau tylwyth teg, er yn llawer mwy gwaedlyd a chreulon! A beth ydi pwrpas gorfoleddu yn eu merthyrdod, yn yr holl ddioddef? Mae'n fy nharo i po fwya'r dioddefaint, mwya yn y byd rydan ni'n ymhyfrydu yn eu poen, ac yn chwilio am bob manylyn ffïaidd am eu merthyrdod.'

'Roeddan nhw'n dioddef i'r eitha oherwydd eu cariad at Dduw, a'u cred ynddo,' atebais, wedi fy mrifo i'r carn. 'Ac maen nhw'n ein dysgu bod yn rhaid i ninnau ddioddef weithiau er mwyn ein crefydd, a thrwy ein dioddefaint y cawn ninnau ei weld Ef.'

'Ydach chi'n credu hynny mewn gwirionedd? Dydach chi ddim yn meddwl mai ofergoeliaeth ydi'r cyfan?'

Allwn i ddim ateb y fath heresi. Dechreuais boeni o ddifrif am ei enaid, ond roedd ganddo ragor i'w ddweud.

'A beth ydi pwrpas marwolaethau o'r fath? Ydyn nhw'n marw er mwyn achub eraill? Ydyn nhw'n marw dros ryw egwyddor bwysig, er mwyn gwella rhywfaint ar y byd a'i bobl? O na, marw dros eu gwyryfdod maen nhw! A dyna i chi stori Santes Ursula! Un mil ar ddeg – *mil*, cofiwch chi – o wyryfon wedi eu lladd gyda hi, meddan nhw! Ac mae'r Eglwys yn disgwyl i ni goelio hynny! Petaech chi'n chwilio'r Eidal gyfan, mae'n amheus gen i fasech chi'n dod o hyd i un mil ar ddeg o wyryfon, heb sôn am un mil ar ddeg fyddai'n fodlon aberthu eu bywydau er mwyn eu gwyryfdod!'

Gwyliais ef mewn syfrdandod mud wrth iddo blygu ymlaen a rhoi ei wyneb yn ei ddwylo. Rhedodd ei fysedd drwy ei wallt modrwyog nes bod hwnnw'n lledu allan fel cwmwl am ei ben.

'Allwch chi feddwl am rywbeth mor ddibwys?' aeth yn ei flaen yn yr un dôn. 'Dydw i ddim wedi darllen yn unman yn y Beibl – cywirwch fi os ydw i'n anghywir – fod Crist yn gosod gwyryfdod ymhlith y gofynion i gyrraedd y Nefoedd. Pam fod gwyryfdod yn fwy canmoladwy na bod yn fam? Pam fod cymaint wedi cael eu canoneiddio oherwydd eu gwyryfdod, a chyn lleied am fod yn famau? Wnaeth Crist ddim cynnwys gwyryfdod yn ei Bregeth ar y Mynydd, naddo?'

Ymgroesais yn gyflym. Roedd ei eiriau wedi fy nghyffwrdd i'r byw, ond wyddwn i ddim ar y pryd sut i ddadlau yn ei erbyn. Un sâl am eiriau fûm i 'rioed, yn arbennig mewn dadl. Ond roedd un peth a ddywedodd wedi rhyddhau fy nhafod.

'Roedd pob un o'r seintiau y soniaist ti amdanyn nhw wedi dewis rhoi eu cyrff yn aberth i Grist, wedi dewis cadw eu purdeb i'w glodfori Ef. Ac ystyria di hyn. Yr hyn sy'n bwysig am wyryfdod, seintiau neu beidio, yw mai ei chorff yw'r unig beth sydd gan ferch yn eiddo iddi hi ei hun – mae popeth arall yn eiddo i'w gŵr, neu ei thad neu frawd. Ond dydach chi ddynion ddim hyd yn oed yn fodlon ar hynny! Drwy'r oesoedd rydach chi wedi ceisio perchnogi hwnnw hefyd, drwy deg neu drwy drais!' Allwn i ddim cadw'r dagrau o'm llais. Roedd y cyfan yn dod â'm hunllef fy hun yn ôl i mi mewn ffordd mor boenus. 'Sut ydach chi'n meddwl mae merch yn teimlo pan mae'n cael ei gorfodi i wneud pethau hyll, pethau afiach, pethau pechadurus sy'n hollol wrthun iddi hi, yn baeddu ei chorff i'w graidd, a heb ddigon o nerth corfforol ganddi i'w hamddiffyn ei hun? Wel? Allwch chi egluro hynny i mi?'

Erbyn hyn roedd fy nagrau'n llifo i lawr fy ngruddiau, a'm corff yn ysgwyd dan deimlad. Roedd Roberto yn amlwg wedi dychryn, oherwydd roedd ar ei draed ac yn ceisio fy nghysuro. Rhoddodd ei fraich am f'ysgwyddau a cheisio fy nhawelu drwy sibrwd, 'Mae'n ddrwg gen i, mae'n ddrwg gen i,' drosodd a throsodd. Llwyddais i reoli fy hun yn y diwedd, ac aeth Roberto at ddrws ei ystafell.

'Paolo!' bloeddiodd i lawr y grisiau. 'Dos i'r *trattoria* i nôl dau siocled poeth efo digon o siwgr i mi. Brysia!'

Ymddiheurais am fy ngwendid, ond ysgydwodd Roberto ei ben.

'Na, fi ddylai ymddiheuro i chi, Signora, am fod mor haerllug. Na, chi sy'n iawn, wrth gwrs. Peidiwch â chymryd sylw o'm hefru difeddwl. Doedd o'n golygu dim!'

Gwyddwn nad oedd hynny'n wir, ond ddywedais i ddim byd. Roedd ofn yn fy nghalon fy mod wedi bradychu gormod o'm hanes fy hun. Buaswn yn marw o gywilydd pe byddai'r llanc ifanc hwn yn gwybod y cyfan amdanaf.

Onid oeddwn yn ei chael hi'n amhosib i gyffesu i'r offeiriad, hyd yn oed?

Pan ddaeth Paolo yn ei ôl gyda'r siocled, roeddwn yn hyderus na fyddai hwnnw'n gweld dim o'i le arnaf. Ond gwnaeth Roberto arwydd iddo ein gadael, a gwelais ef yn rhoi rhyw edrychiad od arnaf cyn mynd allan. Cyn i mi ddechrau yfed y siocled, tywalltodd Roberto fesur gweddol helaeth o *amaretto* iddo.

'Na, chewch chi ddim gwrthod,' meddai pan ddechreuais brotestio. 'Mi fydd yn lles i chi – at ddibenion meddygol yn unig,' ychwanegodd gyda winc fach. Aeth allan o'i ffordd wedyn i fod yn fonheddig a diddorol ac ysgafn ei sgwrs i geisio codi fy nghalon, ac erbyn diwedd f'ymweliad roedd popeth fel yr oedd cynt – o leiaf ar yr wyneb. Cyrhaeddodd y goets a hebryngodd Roberto fi at ddrws y siop.

'A chofia dithau beidio gwangalonni,' fe'i rhybuddiais wrth iddo agor y drws i mi. Gwenodd arnaf. 'Rwyt ti'n siŵr o feddwl am ffordd drwyddi.'

'Efallai fy mod i wedi dod o hyd i honno'n barod,' meddai mewn ffordd od, bron â bod yn drist. 'Mae'n anodd gwybod weithiau beth ydi'r penderfyniad cywir.'

'Dilyn dy gydwybod, ac ei di ddim yn bell o'th le,' cynghorais ef.

Ysgydwodd ei ben, a'r tristwch yn fwy amlwg, ac onid oedd elfen o chwerwder yn ei ateb?

'Nid pawb all fforddio dilyn ei gydwybod! Ond dyna ni, mae'n rhy hwyr bellach.'

Roeddwn rhwng dau feddwl p'run ai a ddylwn ei holi ymhellach ai peidio, ond roedd y goets yn disgwyl amdanaf, ac fe deimlwn yn dra lluddedig wedi'r cyffro yn gynharach. Wrth i mi ddringo i'r goets, sylwais ar Paolo yn sefyll ar gornel y stryd yn siarad efo rhywun, ac yna'n rhoi pecyn trwm yn ei ddwylo. Bu bron i mi syrthio oddi ar y gris wrth i mi sylweddoli pwy oedd y dyn hwnnw: am yr eildro, roeddwn wedi gweld fy ngŵr yng nghyffiniau siop Roberto. Neidiais i'r goets rhag iddo sylwi arnaf, ond allwn i ddim peidio â holi Roberto mewn llais isel.

'Be mae hwnna'n da efo Paolo?'

Trodd Roberto'i ben i weld at bwy roeddwn yn cyfeirio. Cochodd at fôn ei glustiau.

'O, hwnna?' ceisiodd swnio'n ddi-hid. 'Paolo wedi gwneud ychydig o waith iddo fo,' dywedodd i ddechrau, yna plygodd ymlaen yn gyfrinachol. 'Wnewch chi ddim dweud wrth neb, na newch, Signora? Printio rhyw bethau'n dawel fach – rhaid i mi gadw'r lle i fynd rywsut nes y bydda i'n cael fy nerbyn i'r urdd.'

Gorchmynnais i'r gyrrwr gychwyn y ceffylau fel nad oedd raid i mi ei ateb, ac fel nad oedd cyfle i Roberto feddwl a dechrau holi pam fy mod wedi tynnu sylw at y dyn. Crynais yn fy sedd yr holl ffordd i Fiesole.

'Dyna ddigon am heddiw, Anna Maria! Rydych chi'n dechrau cynhyrfu eto. Gwell i ni adael pethau rŵan i chi gael noson dawel i adfer eich nerth.' Cododd yr Uchel Fam gan roi ei hoffer ysgrifennu o'r neilltu. 'Fe ddaw'r Chwaer Dorothea atoch chi yn y man, ac fe gewch ddweud eich pader gyda hi.'

XX

'Ddwedes i 'thot ti, Roberto, sa i'n moyn mwy o'r rhain! S'mo fi'n mynd i brintio rhagor!'

'Ond beth arall allwn ni wneud, Paolo? O leiaf mae'n talu'n dyledion! Dydw innau ddim yn falch ohonyn nhw chwaith, a fi sy'n gorfod gwneud y diawliaid!'

'Gwranda arna i! Ma fe'n mynd yn rhy beryglus. Fe wedodd un o'n ffrindie i neithiwr fod yr heddlu'n chwilio am yr argraffwyr. Rhaid i ni roi'r gore iddi, a dinistrio'r rhai gwreiddiol.'

'O leiaf all dynion Angelo ddim o'n bradychu. Mae'r dyn yn ddigon cyfrwys i fod wedi cadw pawb yn y dirgel, neb yn gwybod mwy na sydd raid.'

'Ie, ond beth petaen nhw'n dala Angelo? Wnaiff e gadw'n ddistaw?'

Ysgwyd ei ben yn ddiamynedd wnaeth Roberto. Roedd cwestiwn Paolo wedi bod yn ei boeni yntau hefyd. Faint allen nhw ymddiried mewn dyn fel Angelo mewn gwirionedd? Ond roedd y broblem ariannol yn pwyso'n rhy drwm arno. Trodd ar ei bartner unwaith eto.

'A sut ydan ni'n mynd i orffen talu am y wasg? Gwranda, Paolo, dim ond dau neu dri llun eto, ac mi fyddwn ni wedi clirio'r ddyled. Mi allwn ni losgi'r cyfan.'

'Na, Roberto! Fi'n moyn rhoi'r gore iddi 'nawr! Ma fe'n rhy beryglus, 'achan!' Yna pwyntiodd at y darlun diwedd-araf o waith Roberto. 'Ac ma hwnna'n afiach!' Edrychodd yn feirniadol ar ei ffrind. 'Fi'n dy ame di weithie, Roberto.

Shwt feddwl sy'n gallu creu'r fath ffieidd-dra? O leia ro'dd peth gwerth artistig yn y gweddill, os ti'n hoffi pethe fel'ny, ond am hwnna . . .' Ysgydwodd ei hun yn ddramatig, '. . . ma fe'n aflan.'

'Wn i,' atebodd Roberto'n drist. 'Rydw i'n cytuno efo ti. Syniad Angelo oedd o. Mi ddaeth o draw y diwrnod o'r blaen, a finnau'n crafu 'mhen yn ceisio meddwl am rywbeth gwahanol. Eisiau rhywbeth arbennig ar gyfer y *palio* a'r *calcio* yr wythnos nesaf.' Rhoddodd ochenaid ddofn. 'Mae o'n iawn, hefyd. Mi fydd dynion o bob cwr o Twsgani yn Firenze'r diwrnod hwnnw. Meddylia faint werthwn ni.'

'Ie, a meddylia dithe am dy gydwybod. Allet ti gael dy esgymuno am bethe fel'ny!' Daeth gwrid i wyneb Paolo wrth iddo ddechrau gwylltio. 'Ma 'da finne arian yn y busnes, cofia, er nid cymaint â ti. S'mo fi'n moyn colli'r cyfan. Allen ni godi'r arian ryw ffordd arall.'

'Pa ffordd arall?' atebodd Roberto'n chwyrn. 'Wyt ti'n meddwl nad ydw i wedi crafu 'mhen i geisio codi arian mewn ffordd lân, gyfreithlon? Does 'na 'run!'

Teimlai Roberto'n rhwystredig. Pam ddiawl na fyddai'r urdd felltigedig yna'n gwrando arno, yn gwrando ar ei hen feistr yn Lucca yn lle ildio i'r diawl Benedetto! Fel petai'n darllen ei feddwl, gofynnodd Paolo mewn llais tawelach.

'Unrhyw newydd am y drwydded?'

Ysgydwodd Roberto ei ben yn negyddol.

'Pam nad ei di at Benedetta? Fi'n siŵr y bydde hi wrth ei bodd yn dy weld ti unwaith eto, a gwybod dy fod mor agos ati! Pam nad ei di i ofyn ei chymorth hi?'

'Na. Dyna'r peth olaf wna i. Rydw i eisiau mynd ati gyda'r busnes yn llwyddiant, a'r amgylchiadau'n iawn i mi allu gofyn iddi fy mhriodi.'

Ffrwydrodd Paolo.

'Y penci diawl! Ni'r Sisiliaid sy fod yn llawn balchder

gwag, nid chi'r Twsganiaid!' Tawelodd llais Paolo, ond roedd ei dôn yr un mor daer. 'Do's bosib bod well 'da ti fynd i'r carchar a thaflu'r cwbl i ffwrdd? Ti'n meddwl y bydde Benedetta'n hapus o glywed dy fod ti o flaen dy well, yn y carchar? Pa siawns fydde gen ti o'i phriodi wedyn? A beth am y cyhuddiade yn dy erbyn? Beth feddylie hi ohonot ti petai hi'n gwybod am y llunie wnest ti? Fydde hi'n moyn dy briodi di wedyn?'

Griddfannodd Roberto gan dynnu yn ei wallt.

'Be ddiawl dwi'n mynd i'w wneud?' wylodd. 'Paolo, be alla i 'i wneud?'

Roedd Paolo'n dawel am rai munudau.

'Edrych, smo ni 'di gwneud dim ein hunen i glirio dy enw di, nag y'n ni? Wedi gadel i urdd Firenze drafod ag urdd Lucca, a chymryd am byth i wneud 'ny,' meddai'n bwyllog. Plygodd ymlaen, ei lais yn gostwng yn gyfrinachol, ac edrych ar y darlun a oedd rhyngddynt ar y bwrdd. Ychwanegodd yn araf, 'Mi brintia i hwn – am y tro olaf, ti'n deall? I'w werthu yn y *calcio* yn unig. Ddim yn unrhyw le arall yn Firenze.' Sythodd, ac edrych i fyw llygaid Roberto. 'Fe brintia i'r llun ar yr amod ein bod ni'n mynd ati ein hunen i brofi dy fod ti'n ddieuog o ladrata.'

'Be ti'n feddwl?'

'Chwilio am ffordd i brofi mai Sebastiani osododd y pethe yn dy wely di, ac mai fe oedd yn gyfrifol am dy gamgyhuddo.'

'Sut?'

'Fe hola i lle mae'r diawl nawr, a'i gael e i gyffesu. Ac wedyn dyna Filippo, y cachgi bach anghynnes! Ro'dd hwnnw wastad yn llyfu tin Sebastiani – do'dd 'run o'r prentisiaid erill yn 'i hoffi fe. Fi'n cwrdd ag un ohonyn nhw ambell waith o hyd, am ddiferyn o win. Mi ddwedith e lle mae'r gweddill. Beth amdani?'

Ni allai Roberto guddio'i siom.

'Na! Alli di ddim gwneud hynny!'

Er gwaethaf ei gywilydd, bu'n rhaid iddo egluro'r cyfan wrth Paolo am y prynhawn hwnnw gydag Isabella, ac i Sebastiani ddod ar eu traws. Chwibanodd Paolo'n isel.

'Bois bach! Dyna pam ro'dd e a'i lach arnat ti, felly! Rown i'n methu deall ar y pryd pam ei fod e gyment yn dy erbyn. Feddylies i i ddechre mai cenfigennus o'th dalent o'dd e, ond ma hyn yn gwneud mwy o synnwyr.'

'Paolo, alla i ddim tynnu Isabella i'r potas hwn. Mi fasa dyn fel Sebastiani'n siŵr o achwyn er mwyn tynnu pawb arall i lawr efo fo. Alla i ddim fforddio gwneud hynny, na meddwl am ddinistrio Isabella chwaith, beth bynnag rydw i'n feddwl ohoni fel arall. Dydw i ddim cymaint o gachgi â hynny.'

Ond gwenu'n rhyfedd arno wnaeth Paolo.

'Bachan, bachan! Rhaid i ti ymddiried yn d'ewythr Paolo,' meddai'n wamal. 'Paid becso, mae 'da ni'r Sisiliaid ganrifoedd o brofiad o gynnal gelyniaeth. Gad y cyfan i mi. Fe chwilia i am fy ffrindie.'

'Na! Paolo! Aros!'

Ond ei anwybyddu wnaeth y gŵr ifanc, a cherdded allan o'r gweithdy.

Rhoddodd Roberto'i ben yn ei ddwylo ac ochneidio. A fyddai'n haws iddo'i daflu ei hun i afon Arno, tybed, a rhoi diwedd ar yr holl helynt? Arhosodd yno am amser maith, a'i lygaid ynghau. Ymdawelodd yn raddol. Teimlai lesgedd yn ei holl gyhyrau. Ond roedd yn rhaid iddo wneud rhywbeth. Ni allai oddef aros yn segur fel hyn yn hel meddyliau. Roedd darlun Signora Chiappini wedi ei gwblhau ers amser bellach. Siawns na fyddai'n ddiogel ei anfon ati.

Cerddodd i fyny i'r stiwdio a pharatoi'r gwaith yn ofalus ar gyfer y siwrnai. Nid oedd ganddo'r galon i gludo'r llun ei hunan, fodd bynnag. Ni allai feddwl am wynebu neb. Felly aeth allan i drefnu gyda chludydd i gario'r llun i Fiesole.

XXI

'Fi sy 'ma, Anna Maria,' meddai'r Chwaer Cecilia yn dawel.

Gorweddai'r hen wraig yn llonydd, ei llygaid ynghau, a'i phen yn gorwedd yn esmwyth mewn nyth o glustogau. Tybiai'r lleian ei bod yn cysgu, ac aeth ar flaenau ei thraed at y bwrdd ysgrifennu. Wedi gosod allan ei hoffer, ac edrych drwy'r papurau yn llawysgrifen yr Uchel Fam, sylweddolodd nad oedd yr hen wraig wedi symud. Croesodd at y gwely a chraffu'n fanwl ar yr wyneb welw: heb unrhyw amheuaeth, roedd yn crebachu, yn disgyn i mewn arno'i hun fel petai'r drygioni oddi mewn yn bwyta'r cnawd o'r cnewyllyn i'r croen. Rhedodd ias o ofn drwy ei chorff. Tybed a oedd yr hen wraig wedi colli'r ras wedi'r cyfan?

'Anna Maria?' galwodd eto, ychydig yn uwch y tro hwn, ac eto heb fod yn uchel, gan wasgu'n ysgafn ar yr ysgwydd esgyrnog. 'Anna Maria, ydach chi'n fy nghlywed i?'

'Yn berffaith glir, cara mia!'

Agorodd y llygaid wrth iddi yngan y geiriau, ac er gwaetha'r melynwch afiach gallai Cecilia weld fflach o fywyd, o ddireidi plentynnaidd y tu ôl i gochni olion ei phoen parhaol.

'Rhag eich cwilydd chi, Anna Maria, yn fy nychryn i fel'na!' dwrdiodd y Chwaer, a'r rhyddhad yn rhoi mwy o fin ar ei llais nag a deimlai mewn gwirionedd.

'Yli, 'mechan i, rydw i'n gwybod i'r dim faint o nerth sydd gen i ar ôl, a dydw i ddim yn mynd i wastraffu dim ohono ar fanion dibwrpas! Tyrd yn dy flaen. Wyt ti'n barod i sgwennu?'

Daeth y *milord* ifanc, John Newborough, i'n gweld unwaith eto yn y *villa*, y tro hwn gyda llythyr oddi wrth ei dad. Unwaith eto, gwrthododd Maria ei dderbyn. Eistedd yn yr ardd yr oeddan ni ar y pryd, yn mwynhau'r olygfa dros Firenze yng ngwres cymedrol yr hwyrnos. Derbyniodd y llanc wahoddiad fy mrawd i eistedd a chael gwydriad o win efo ni, ac wedi iddo'i wneud ei hun yn gyfforddus rhoddodd y llythyr i Lorenzo. Wedi iddo'i agor, darllenodd Lorenzo ei gynnwys i ni:

> *Fy angel,*
> *Alla i ddim byw hebddot ti. Taset ti ond yn deall*
> *cymaint yr wyf yn ysu amdanat, rwy'n sicr y buasai*
> *dy galon dyner yn torri. Tyrd, tyrd i'm cysuro. Bydd*
> *hapusrwydd yn disgwyl amdanat yn fy nghwmni i.*
> *Mae swm mawr o arian yn cael ei anfon maes o law i*
> *gwrdd â'm hymrwymiadau i gyd, ac fe allwn*
> *ymadael â Firenze yn fuan wedi hynny a dychwelyd*
> *i'm gwlad annwyl i, ac yno cei dy edmygu gan bawb*
> *a phopeth, ac yn arbennig gan dy gaethwas ffyddlon*
> *a diymhongar.*

'Wel, wel, ardderchog wir,' meddai Lorenzo wrth y llanc. 'Wedi i ti orffan dy ddiod, mi awn ni'n dau am dro bach. Iawn?'

A dyna a fu. Gadawodd y ddau yr ardd, ac aeth Maria i'r tŷ gan ei bod yn dechrau oeri. Dyna pryd y sylwais ar ddarn o bapur wedi ei wasgu'n belen wrth y fan lle roedd y llanc wedi eistedd. Plygais i'w godi, a llyfnhau'r papur cyn ei astudio. Llun ar ffurf cartŵn ydoedd, ond roedd yr hyn a bortreadwyd ganddo'n gwneud i mi wrido mewn cywilydd. Merch a dau ddyn, y tri yn noethlymun ac yn amlwg yn mwynhau'r weithred a ddylai gael ei chyflawni gan ŵr a gwraig ar gyfer cenhedlu plant, a dim byd arall. Allwn i ddim peidio â syllu ar y llun fel petawn i dan ryw hudoliaeth anghynnes, a theimlwn yn fudr o 'nghorun i'm sawdl. Teimlwn fel petawn wedi fy llygru, wedi fy nifwyno ganddo, ac mewn rhyw ffordd ryfedd, wedi colli fy niniweidrwydd. Wnes i 'rioed ddychmygu bod y fath weithred yn bosib, ac mi fyddai wedi bod yn well gen i o lawer gael dychwelyd i'm diniweidrwydd a'm hanwybodaeth.

O'r diwedd llwyddais i'w wasgu drachefn, a'm bwriad cyntaf oedd ei losgi cyn i neb arall ei weld, ond yna meddyliais y dylai rhywun gael gair efo'r llanc, i'w arbed rhag iselhau ei hun i'r fath raddau. Pe byddai ei dad yn da i rywbeth, fe fyddai wedi rhoi arweiniad a chyngor i'r llanc ymhell cyn hyn. Felly penderfynais ei ddangos i Lorenzo pan ddôi'n ôl, a gofyn iddo ef siarad â John.

Mi ddylwn fod wedi gwybod yn well, wrth gwrs. Unig ymateb Lorenzo oedd chwerthin, a gofyn a wyddwn i a oedd rhagor ohonynt i'w cael. Pan awgrymais wrtho fod moesoldeb y llanc mewn perygl, wfftiodd ataf a dweud bod y llanc dros ei ugain oed bellach, a doedd a wnelo'i foesau ddim â'm brawd. A ph'run bynnag, aeth ymlaen, roedd y Signore ar ei ffordd yma, ac roedd yn rhaid iddo ef, Lorenzo, fynd i baratoi Maria. Ond aeth â'r cartŵn gydag o yn ei boced.

Cicio a strancio oedd ymateb Maria pan ddaeth ei gŵr ati. Cyflwynodd dusw anferth o flodau iddi, gan ddweud, 'Trysor fy nghalon, mae dy edmygydd ffyddlon yn ei ôl!'

Y cyfan wnaeth hi efo'r tusw oedd ei daflu'n ôl yn ei wyneb.

'Ych a fi!' oedd ei hymateb, a phan geisiodd ei gŵr ei chofleidio, ceisiodd wingo o'i afael. Ond daeth fy mrawd i gynorthwyo'r Signore, a cheryddodd ei ferch.

'Does gen ti ddim dewis ond byw efo dy ŵr. Dyna dy ddyletswydd di! Chei di ddim aros yn y tŷ 'ma tra ma dy ŵr yn gofyn amdanat. Dydi o ddim yn naturiol!' Gafaelodd ynddi a'i dal ym mreichiau'r Signore nes iddi o'r diwedd ymdawelu, ei hysbryd wedi ei dorri.

Rydw i'n credu mai brad ei thad oedd yn bennaf cyfrifol am ei digalondid y tro hwn. Roedd wedi bod mor ffyddiog mai ei hachub hi oedd ei fwriad wrth iddo ei rhyddhau o grafangau'r forwyn felltigedig o Saesnes rai misoedd ynghynt. Ond yn awr roedd wedi ei gwerthu am yr eildro, fel petai. Dim ond i'r Signore ddal y gair 'arian' fel abwyd o flaen trwyn fy mrawd, fe aberthai hapusrwydd ei ferch mewn amrantiad.

Ac felly daeth y Signore a'i fab i fyw efo ni unwaith eto yn Fiesole, i ddisgwyl i Signor Prys gyrraedd o Gymru gyda'r arian a chwblhau'r trefniadau ar gyfer y daith i Loegr. O leiaf fe lwyddodd Maria i osgoi derbyn ei morwyn yn ôl, ac anfonwyd honno i ffwrdd heb eirda. Roeddwn i'n wyliadwrus iawn o'r llanc John Newborough, ac fe gymerais arnaf fy hun y dyletswydd o dacluso'i ystafell bob dydd. Fy mwriad, wrth gwrs, oedd sicrhau nad oedd rhagor o'r papurau afiach yna'n dod i'r tŷ, ac nad oedd Maria fyth i weld y fath aflendid. Wir i chi, o fewn yr wythnos roedd ganddo un arall yn ei boced, cartŵn gwahanol y tro hwn, ond yr un mor ffiaidd. Dangosais hwn i'm brawd eto, gan fy mod yn teimlo dyletswydd i wneud rhywbeth ynglŷn â'r bachgen, ond chwerthiniad gefais i am yr eildro.

'Maen nhw i'w cael ym mhob bar a gwindy yn Firenze! Gwerthu'n dda hefyd, yn ôl y sôn. Ma'r hogia yn y *sbirri* wedi cael gorchymyn i ddarganfod pwy sy'n eu cynhyrchu, ond dydyn nhw ddim yn chwysu llawar dros y gwaith – maen nhw'n mwynhau'r llunia ormod!'

Gadewais fy mrawd gan deimlo'n chwerw. Pe byddai'r grym gennyf fe fyddwn yn cyflogi merched yn y *sbirri* i edrych ar ôl lles a hawliau merched. Doedd dim pwrpas troi at ddyn am gyfiawnder lle roedd rhyw yn y cwestiwn. Byddai'n rhaid i mi ddal i gadw golwg ar y llanc fy hun, ac o leiaf ddinistrio pob llun a welwn yn y tŷ.

Aeth wythnosau heibio, a chyrhaeddodd llythyr oddi wrth y Signor Prys o Gymru yn dweud ei fod wedi gwneud y trefniadau angenrheidiol ac y byddai wedi cychwyn ar ei daith i'r Eidal erbyn i'r Signore dderbyn ei lythyr. Achosodd y newyddion hyn gryn gynnwrf yn y tŷ, a dechreuwyd o ddifri ar y gwaith o baratoi ar gyfer y siwrnai hirfaith i Loegr a Chymru. Ni fwriadai'r Signore ddod ar gyfyl yr Eidal fyth eto yn ei fywyd, meddai, ac felly roedd yn rhaid iddo ddidoli'r pethau nad oedd eu hangen arno oddi wrth y pethau y mynnai eu cadw a'u cario ar draws Ewrop. Nid tasg fechan oedd hon, chwaith, gan ei fod wedi byw yn Firenze ers deng mlynedd bellach.

Llugoer oedd ymateb Maria i'w newid byd, fodd bynnag. Doedd hi'n malio dim am adael ei theulu, ond ni allai rag-weld gwell byd wedi cyrraedd pen ei thaith. Un penderfyniad oedd yn achosi gwewyr i'r ddwy ohonom oedd y gwahoddiad, neu'r bwriad, i mi deithio gyda hi a chadw cwmni iddi yn ei chartref newydd. Ar un llaw roedd yn antur enfawr, yn gyfle ardderchog i un nad oedd wedi gadael ffiniau Twsgani erioed i weld y byd a'i ryfeddodau, ond ar y llaw arall teimlwn fy hun yn rhy hen i gychwyn ar y fath fenter. Mater llawer dwysach a'm poenai fwyaf: golygai'r newid y byddwn yn byw mewn gwlad Brotestannaidd. Roeddwn yn poeni tybed a fyddai eglwysi ac offeiriaid pabyddol ar gael yn y wlad anwaraidd honno, a sut y gallwn gyffesu fy mhechodau os nad oedd offeiriad i weinyddu'r gosb a'r gollyngiad. Collais sawl noson o gwsg ynglŷn â'r peth, ac yn y diwedd penderfynais fynd i geisio cyngor y Brawd Fabian.

Teithiais i Firenze yn y goets, Maria wrth fy ochr a'r Signore gyferbyn â mi. Gollyngwyd Maria a minnau yn y Piazza y tu allan i eglwys Santa Maria Novella, tra aeth y Signore gyda'r goets i ddisgwyl amdanom. Wedi inni foesymgrymu a dweud ein paderau syml, gofynnais i Frawd ifanc a wyddai ble roedd y Brawd Fabian.

Addawodd yntau fynd i holi, ac fe'i gwelais yn cerdded i fyny'r grisiau tuag at y gysegrfa a diflannu o'r golwg. Toc daeth yn ei ôl at ben y grisiau, a Brawd arall yn ei gwmni. Gwelais yr un ifanc yn pwyntio atom a'r ddau'n siarad am eiliad cyn i'r ail Frawd ddod i lawr i gorff yr eglwys a cherdded tuag atom. Gyda siom, adnabyddais ef: y Brawd Antonio.

'*Domine vobiscum*,' cyfarchodd ni.

'*Et tecum*,' oedd ein hateb greddfol.

'Mae'n ddrwg iawn gen i ddod â newyddion drwg i chi,' dechreuodd, a suddodd fy nghalon. 'Oeddech chi'n perthyn i'r Brawd Fabian?'

'Na,' atebais, 'ond roeddan ni'n dod o'r un pentref, ac roeddwn i'n ei adnabod yn dda – fe fu'n gyffesydd i mi.'

Plygodd ei ben i gydnabod hynny. 'Yn anffodus, fe fu farw'r Brawd – heddwch i'w lwch,' ychwanegodd gan ymgroesi, 'rhyw fis yn ôl, yn dilyn cystudd byr. Doeddech chi ddim wedi'i weld ers peth amser?'

'Na. Rydan ni'n byw yn Fiesole bellach, a'r cysylltiad rhyngom wedi'i dorri.'

'Alla i fod o ryw gymorth i chi, fy chwiorydd?'

Synhwyrais fod Maria'n mynd i egluro'r sefyllfa iddo, ond nid oeddwn am ofyn cyngor hwn. Fe fyddai'n well gen i fynd at fy nghyffesydd yn Fiesole, er bod agwedd hwnnw braidd yn ffwr-bwt ar adegau, yn fy marn i. Gwrthodais ei gynnig cyn iddi allu yngan gair, ac wedi ffarwelio ag ef a mynd i weddïo i'r Fair Forwyn, gadawsom yr eglwys.

Wrth deithio adref, sylweddolais fod problem arall yn fy wynebu. Rhan o'm cynllun – neu'n hytrach fy mreuddwyd – gyda'r darlun gan Roberto oedd ei gyflwyno i'r Brawd Fabian er mwyn iddo yntau ei gyflwyno i'r Prior. Ef oedd yr unig gysylltiad agos oedd gennyf â'r Brodyr Duon, a hebddo fo, wyddwn i ddim yn iawn sut i fynd o'i chwmpas hi. Fyddai hi'n briodol i mi ofyn am gyfweliad gyda'r Prior, a chario'r darlun iddo? Wyddwn i ddim. Yn sicr ni fynnwn ei roi i'r Brawd Antonio, er iddo fod yn ddigon cwrtais heddiw. Priodolais hynny i'r ffaith fy mod yng nghwmni Maria, oedd mor amlwg o'r haen uchaf o gymdeithas. Yna dechreuais feddwl am Roberto. Er fy mod yn daer am gael gwybod ei hynt a'i helynt, ni fentrais i'w siop wedi'r diwrnod poenus hwnnw a'n ffrae am y seintiau, rhag ofn i mi weld Angelo fy ngŵr unwaith eto. Bob tro cyn hynny, roeddwn wedi ei weld o hirbell yn unig a hynny, drwy drugaredd, heb iddo yntau fy ngweld i. Ond beth petawn i'n ei gyfarfod wyneb yn wyneb? Roedd y posibilrwydd yn hunllefus. Oherwydd hyn, syrthiais i ryw fath o lesgedd meddyliol ynglŷn â'r llun, a bodloni ar adael popeth yn nwylo ffawd.

Roedd fy mhleser cymaint yn fwy, felly, pan gyrhaeddodd pecyn mawr yn annisgwyl un bore ychydig ddyddiau cyn gŵyl Sant Ioan Fedyddiwr, a hwnnw wedi ei gyfeirio ataf fi. Galwais ar Maria cyn ei agor, iddi hithau gael mwynhau'r cynnwrf o'i weld am y tro cyntaf gyda mi. Wrth gwrs, roeddwn i wedi'i weld yn ei ffurf anorffenedig, ac felly roedd gennyf ryw amcan o beth i'w ddisgwyl. Agorais y pecyn yn ofalus a dadlennu'r darlun yn ei holl ogoniant.

Tynnodd Maria ei hanadl yn gyflym, yna dechreuodd guro'i dwylo.

'Ziannamaria!' ebychodd. 'Mae o'n wych! Pwy fasa'n meddwl fod Roberto'n gystal artist!'

Bu'r ddwy ohonom yn ei astudio'n fanwl, yn arbennig y ffigwr canolog. Er nad oedd yn llun mawr iawn, roedd y portread o wyneb Maria fel ag yr oedd rhyw bum mlynedd yn ôl yn berffaith. Gallwn ei hadnabod yn syth. Rhedodd Maria at y drws a galw ar bawb o'r teulu i ddod i weld y darlun.

'Mae Ziannamaria wedi cael llun! Dewch i'w weld o!'
Daethant fesul un, ac roedd ymateb pawb yn debyg.

'Gwych!' 'Tydi hi'n hardd!' 'Mae ansawdd y golau'n arbennig!' oedd rhai o'r sylwadau, a'r ddwy ohonom, Maria a minnau, yn sefyll yno'n derbyn eu canmoliaeth, mor falch â phetaem yn fam a nain newydd.

'Be nei di efo'r llun?' holodd fy mrawd. Wrth gwrs, wyddai neb fy mod wedi comisiynu'r fath waith, ac yn sicr wyddai neb beth oedd y rheswm y tu ôl i'r comisiwn.

'Ei roi yn anrheg i'r Brodyr Duon,' atebais. 'Rydw i eisiau ei weld yn addurno un o gapeli Eglwys Santa Maria Novella.'

'Be? Rhoi llun gwerthfawr fel'na i'r eglwys? Ond ma ganddyn nhw ddigon o gyfoeth yn barod!' cwynodd fy mrawd.

'Sut cest ti ddigon o arian i dalu am lun fel hwn? Mae o wedi costio ffortiwn!' meddai'r hen sguthan yn gyhuddgar.

'Gadewch i mi ei brynu!' meddai'r Signore cyn i mi allu dweud wrthi am gau ei cheg fawr hyll a meindio'i busnes. 'Mi ddyliwn fod wedi meddwl am gael portread o Maria ymhell cyn hyn!'

'Cael ei phortreadu fel Santes Lucia mae hi,' mynnais, ond doedd o ddim yn deall fy mhwynt, yr hen anghrediniwr gwirion! 'Rioed wedi cael addysg grefyddol gadarn, siŵr iawn. Beth bynnag, gwrthodais ei gynnig yn bendant.

'O leiaf gadewch i ni fwynhau'r darlun am wythnos neu ddwy cyn i chi ei gyflwyno i'r eglwys,' plediodd wedyn, a chytunais innau.

Y noson honno, bu Maria a minnau'n trafod sut i ddiolch i Roberto am anrheg mor amhrisiadwy, a'r cyfan y gallwn i ei awgrymu oedd prynu rhywbeth a fyddai'n ychwanegiad i'w siop neu i'w ystafelloedd byw.

'Mae gan Tommaso bentwr o stwff nad yw'n bwriadu ei gario i Brydain,' meddai Maria. 'Mae'r gweision wedi'i rhoi o'r neilltu yn un o'r ystafelloedd yn y to. Beth am i ni chwilio drwyddo bore fory i weld a oes yna rywbeth addas yno?'

Felly y bu, ac wedi chwilota a chwalu, daethom o hyd i dri neu bedwar peth oedd yn haeddu sylw pellach. Y cyntaf oedd carped trwchus a fyddai'n addas ar gyfer mur neu lawr, a'r lliwiau coch, glas a phorffor dwfn yn dal yn llachar. Yn ail roedd cist fach o haearn a'i thu mewn o bren, a thafod i roi clo drwyddo. Rhannwyd y tu mewn yn adrannau a fyddai'n addas ar gyfer cadw arian, a meddyliais y byddai'n ddefnyddiol i Roberto gadw arian y siop ynddi. Wedyn roedd nifer o hen fframiau mewn cyflwr digon parchus, a chaets anferth o haearn bwrw ar gyfer aderyn. Allwn i ddim dychmygu Roberto'n cadw adar ynddo, ond wedi iddo gael ychydig bach o sylw a chôt newydd o baent, efallai y byddai'n addas ar gyfer arddangos rhywbeth ynddo. Aeth Maria i ofyn i'w gŵr a fyddai'n fodlon iddi roi unrhyw un o'r rhain i mi ar gyfer Roberto, a daeth yn ei hôl gyda'r neges y gallwn gael y cyfan, pe dymunwn hynny. Roedd hefyd yn fodlon i mi gael teithio yn y goets i'w gludo i'r siop.

'Roeddwn i'n amau mai fel hyn y byddai pethau os nad ydw i'n cadw llygad barcud ar y ddwy ohonoch chi!' dwrdiodd yr Uchel Fam, ond roedd gwên ar ei hwyneb ac yn ei llais. 'Dowch, Cecilia, mae'n bryd i Anna Maria orffwys.'

XXII

Fore'r *calcio storico,* y gêmau pêl-droed traddodiadol
rhwng pedair ardal y ddinas a gynhelid ar ŵyl Sant Ioan,
roedd Roberto wrthi'n paratoi'r pentyrrau o'r llun
diweddaraf i'w dosbarthu yn y gêmau. Roedd ei galon yn
drom, a'i ddwylo'n symud yn araf, fel petai ei gorff cyfan
yn ymwrthod â'i weithred. Doedd dim hanes o Paolo. A
dweud y gwir, nid oedd wedi ei weld ers deuddydd, ers
iddo ruthro allan o'r gweithdy ar ôl gorffen argraffu'r
llun tramgwyddus heb ddweud gair wrth Roberto. Hyd
yn oed yn y *palio* y noson cynt, y rasys ceffylau yn y
Piazza Maria Novella, bu Roberto'n chwilio'n ofer
amdano. Fodd bynnag, byddai Angelo yn cyrraedd toc i
gasglu'r lluniau ar gyfer ei ddosbarthwyr. Roedd hwnnw
wedi dod draw y diwrnod cynt, eisiau eu gwerthu yn y
palio, ond cadwodd Roberto ei air i Paolo, a gwrthododd
eu rhoi i'r dyn. Eglurodd y telerau newydd: gwerthu'r
lluniau yn y *calcio,* ac yn unman arall. Cytunodd
Angelo'n rhyfeddol o ddirwgnach, gan ychwanegu nad
oeddan nhw wedi argraffu digon o gopïau i'w gwerthu ym
mhobman, p'run bynnag, ac yna gadawodd yn ddistaw.

Ysgydwodd Roberto'i ben yn drist wrth gario bwndel
arall at ddrws y gweithdy i'w osod gyda'r gweddill.
Buasai'n rhoi'r byd am gael cynnau tân dan y pentwr. Yn
sydyn, clywodd lais yn galw arno o'r stryd gefn.

'Roberto! Roberto!'

Rhedodd Paolo i'r gweithdy gan chwifio darn o bapur,
a gwên enfawr ar ei wyneb.

'Edrych, Roberto, ry'n ni wedi llwyddo! Ma fe 'di cyffesu!'

'Sebastiani?' meddai Roberto, a'i lais yn anghrediniol.

'Ie! Ma fe wedi sgrifennu'r cyfan i lawr, ac fe gafodd yr urdd gopi ohono. Maen nhw'n cadw Sebastiani dan glo yn yr urdd tan fory, pan fydden nhw'n ei holi o ddifrif – fydd dim yn digwydd heddi oherwydd y *calcio*.'

Roedd sylw Roberto wedi ei hoelio ar un gair yn unig.

'Y cyfan?' gofynnodd yn dawel.

Ysgydwodd Paolo'i ben yn ddiamynedd.

'Nage siŵr, y twpsyn! Fi'n gwbod be ti'n feddwl, ond addewes i na fydde unrhyw sôn am Isabella, yndofe?'

Ni allai Roberto gofio unrhyw addewid o'r fath, ond nid aeth i ddadlau.

Adroddodd Paolo'r hanes, fel roedd ef a'i gyd-Sisiliaid wedi darganfod lle gwaith Sebastiani, ac wedi mynd i'w ystafell y noson honno.

"Sda ti unrhyw syniad pa mor fygythiol y gall criw o Sisiliaid fod?' holodd Paolo dan chwerthin. 'Ro'dd e'n cachu llond ei drowser! Erbyn i ni orffen 'da fe, mi fydde wedi cyffesu 'i fod wedi ffwcio'i fam!'

'Ond . . . ond beth am Isabella?'

'Mi ddwedes i wrth Sebastiani fod 'i fywyd yn dal gydag e, ac mai dim ond treulio ychydig amser mewn carchar fydde'i gosb ar y mwyaf, os hynny. Ond pe bydde unrhyw air am yr helynt fach honno'n dod i'r amlwg, llwyddes i'w berswadio y byddwn i'n bersonol yn sicrhau y bydde fe'n colli'i fywyd. A phe bydde rhywbeth yn digwydd i mi, yna fe fydde fy nhylwyth yn ei erlid drwy'r Eidal benbaladr ac yn ei lofruddio yn y modd mwyaf erchyll y gallen nhw'i ddyfeisio – ac ma llawer o ddyfeisgarwch 'da Sisiliaid! Mi fydde'n werth i ti fod wedi 'i weld e, y cachgi! Alle fe ddim sgwennu'i gyffes yn ddigon cyflym!'

'Ac mae'r urdd yn fodlon gwrando?'

'Mater o ffurfioldeb, medden nhw. Bydd y cyngor yn cwrdd i wrando'r gyffes, ac yna'n dy wahodd yn ffurfiol fel aelod newydd.'

'*Bravissimo,* Paolo! Alla i'm credu'r peth!'

Cofleidiodd ei bartner, a dawnsiodd y ddau ohonynt yn wyllt gan chwerthin nes i Roberto faglu a syrthio ar draws y pentwr lluniau.

'Does dim raid i ni werthu'r rhain, felly! Haleliwia!'

'Nagoes. Dere 'mlân, mi awn ni i'r *calcio* i ddathlu, ac yna mi gawn ni feddwi'n rhacs!'

Cyn iddyn nhw gyrraedd cornel y stryd, fodd bynnag, cofiodd Paolo am y platiau gwreiddiol.

'Edrych 'ma, sa i'n dawel fy meddwl yn gadel y rheina o gwmpas y lle. Gallwn wadu mai ni oedd wedi printio'r papure, ond ma'r platie'n fater gwahanol. Gwell i mi eu cuddio nes ca' i gyfle i'w dinistrio. Bant â thi, ac fe ddala i i fyny efo ti.'

Aeth Roberto yn ei flaen i'r Piazza Santa Croce, lle cynhelid y *calcio*. Roedd y twrw'n fyddarol, ond doedd dim mymryn o wahaniaeth ganddo. Diawl, onid oedd yntau'n teimlo fel bloeddio mewn gorfoledd? Roedd y crysau gwyrddion yn chwarae yn erbyn y crysau gwynion, San Giovanni yn erbyn Santo Spirito, a phenderfynodd gefnogi Santo Spirito, gan fod ei ardal ef, Santa Croce, wedi colli yn y gêm flaenorol.

Ymgollodd yn y gweiddi, y cymeradwyo a'r hisian wrth i'r ddwy ochr gicio a phwnio wrth geisio cael y bêl i'r rhwydi. Cododd ffrae ffyrnig a gwaedlyd rhwng y ddau dîm wedi i un chwaraewr daro un arall o'r cefn, ac aeth y dorf yn gynddeiriog. Gan mai un o chwaraewyr San Giovanni oedd wedi tramgwyddo, roedd Roberto hefyd wedi ei gythruddo, a bloeddiodd fygythiadau nerth ei ben nes teimlo plwc ar ei fraich.

Roedd yn rhaid iddo ddilyn Paolo i gyrion y dorf er mwyn iddyn nhw allu clywed ei gilydd.

'Ma Signora Chiappini yn y siop, ac wedi dod â llwyth o bethe i ti,' meddai Paolo wrtho. 'Mi wnes i ei gadel i mewn, os yw hynny'n iawn 'da ti?'

'Ydi siŵr. Wyt ti wedi cuddio popeth?'

'Do, ac wedi cloi pobman rhag Angelo.'

'Iawn. A welodd y Signora ddim o'r lluniau, naddo?'

'Na. Hynny ydi . . . sa i'n siŵr . . . gobeithio nad aiff hi i'r argraffdy . . .'

'Be, wnest ti ddim cloi'r drws rhwng y siop a'r cefn?'

'Naddo. Wnes i ddim meddwl . . . ond mi wnes i gloi pobman o'r tu allan!'

'Tyrd 'laen! Allwn ni ddim mentro'i gadael ar ei ben ei hun yn yr adeilad. Wn i ddim pa mor fusneslyd ydi hi!'

Daeth bloedd arall gan y dorf, a thwrw fel taran. Roedd pethau'n mynd o ddrwg i waeth ar y maes chwarae, a'r dorf yn dechrau ymuno yn y ffraeo.

'Hei! Mi welais i di'n cefnogi'r gwynion!' meddai dyn mewn dillad gwyrdd, a thrawodd Roberto yn ei drwyn â'i ddwrn. O fewn eiliadau, roedd Paolo ac yntau yng nghanol storm o ddyrnu a chicio, yn amddiffyn eu hunain orau gallent ac yn talu'r pwyth yn ôl bob tamaid.

XXIII

*'Gadewch i mi ddweud rhagor o'r stori heddiw, fy Mam. Fe hoffwn
ddal ati am ychydig eto. Mae ei therfyn hi a'm diwedd innau
ynghlwm wrth ei gilydd, ac mae gen i ofn yn fy nghalon na fydd
gen i ddigon o nerth i gyffesu eto wrth yr offeiriad cyn i mi farw!'*
    Gwenodd yr Uchel Fam yn dirion ar yr hen wraig.
    *'Peidiwch â phoeni, Anna Maria. Cefais air gyda'r Tad Lucian,
ac mae'n berffaith fodlon fod yr hyn rydym yn ei gofnodi yn gyffes
ddilys ynddi ei hun, ac nad oes raid i chi ail-ddweud dim. Pan
fyddwch chi'n barod, fe ddaw o draw i roi penyd i chi, a maddeuant
am bopeth, rydw i'n sicr.'*
    Gydag ochenaid o ryddhad, aeth Anna Maria ymlaen â'r hanes.

Roedd y perygl o ddod wyneb yn wyneb â'm gŵr yn llenwi
fy meddwl wrth i mi baratoi fy hunan ar gyfer y siwrnai
i siop Roberto, ond roedd hi'n ddydd gŵyl Sant Ioan
Fedyddiwr, sef nawddsant Firenze, ac fe fyddai'r ddinas
gyfan yn dathlu yn y Piazza Santa Croce gyda'r *calcio
storico*. Yn sicr byddai pob dyn yno'n bloeddio'n groch ac
yn meddwi. A doedd dim amheuaeth na fyddai Angelo yn
eu plith.
    Arhosais tan ganol y pnawn cyn cychwyn, gan wybod
y byddai'r gêmau wedi hen ddechrau erbyn hynny, ond ar
ôl i mi gyrraedd stryd Roberto, sylweddolais fy ngham-
gymeriad. Beth petai Roberto, hefyd, yn y *calcio*? Sut
oeddwn i'n mynd i gael mynediad i'r adeilad os oedd

pawb yn Santa Croce? Gwireddwyd fy ofnau. Roedd y drws ar glo, a dim hanes o neb yn dod i ateb fy nghuro. Gofynnais i'r gyrrwr ddisgwyl amdanaf a cherddais i gefn yr adeilad yn y gobaith gwan y cawn ddrws yno heb ei gloi. Ac yn wir i chi, roedd un ar agor, ac yn well na hynny, gwelais fod Paolo wrth ei waith yn tynnu rhyw bethau allan o'r wasg. Roedd papurau mewn bwndeli ym mhobman. Pan fynegais fy syndod nad oedd o'n gwylio'r *calcio*, eglurodd mai dim ond gorffen rhywbeth oedd o cyn ymuno â Roberto. Gallwn ddweud o'i acen mai un o'r de oedd o, ac felly nid oedd y gêmau, o bosib, mor bwysig iddo. Eglurais fy neges, a rhoddodd ei ganiatâd i mi fynd drwy'r gweithdy i'r siop.

Daeth gyda mi i ddatgloi'r drws fel y gallwn gario'r pethau o'r goets, ac roedd yn ddigon caredig i roi help llaw i'r gyrrwr i ddod â phopeth i mewn. Aethpwyd â'r carped i fyny'r grisiau i ystafell fyw Roberto, ond o weld cyflwr y lle, cefais syniad arall. Eglurais wrth Paolo fy mod eisiau diolch i Roberto am ei garedigrwydd i mi drwy wneud rhywbeth personol iddo. Felly roeddwn am lanhau'r ystafelloedd byw cyn gosod y carped ac ati i lawr.

'Iawn,' cytunodd Paolo. 'Bydda i yma am ychydig 'to. Fyddwch chi'n iawn i gloi drws y siop ar eich ôl? Fe adawa i'r allwedd i chi. Fe fydda i wedi cloi'r cefne wrth fynd i lawr nawr. Ac os gwela i Roberto, mi ddweda i wrtho eich bod chi fan hyn.'

Gadawodd Paolo'r ystafell, ac anfonais y gyrrwr i ffwrdd hefyd, gan na fyddwn ei angen am ryw ddwy awr. Rhoddais ganiatâd iddo fynd i wylio'r *calcio* os câi stabl ddiogel i gadw'r ceffyl a'r goets, ac na fyddai'n meddwi'n ormodol. Wedi cael y lle i mi fy hun, es ati gydag arddeliad i sgrwbio a glanhau. Dechreuais fwynhau fy hun yn y tawelwch, yn arbennig wrth weld trefn a glendid yn ymddangos o'r annibendod. Ar ôl gorffen yr ystafell fyw, a chael fy modloni gyda'i golwg lanwaith, cariais y fframiau gwag i fyny'r grisiau i'r stiwdio, ac allwn i ddim gwrthsefyll y demtasiwn o geisio gweld ychydig ar Santa Croce drwy'r ffenestri to. Wrth gwrs, roeddwn yn rhy uchel i fyny, a dim ond toeau oedd i'w gweld, ond tybiwn y gallwn glywed y bloeddio serch hynny. Dychrynais braidd wrth glywed sŵn curo trwm heb fod ymhell i ffwrdd, yna gwenais wrthyf fy hun. Mae'n siŵr fod rhywun yn taro drwm mawr yn y gêmau. Duw faddeuo i mi am fod mor ddiniwed.

Sylwais fod darn newydd o gynfas ar y stand arlunio, a haenen o liw hufen golau wedi ei beintio arno. Paratoi'r cynfas, meddyliais. Pa fath o lun fyddai Roberto'n ei greu ar hwn, tybed? Edrychais ymlaen at ei holi, a gofyn, efallai, a gawn i wylio'r broses. Yna cofiais gyda siom na fyddwn yn Firenze yn llawer hirach cyn gorfod cychwyn ar y siwrnai i'r wlad bell.

Pan oeddwn ar fin troi am y grisiau, tybiais i mi glywed sŵn islaw. Croesais at y grisiau a galw, 'Roberto? Paolo, chi sy 'na?'

Distawrwydd. Gan deimlo ychydig yn ofnus, mentrais yn araf i lawr y grisiau. Cyn imi gyrraedd y pedwerydd gris, daeth wyneb cyfarwydd i'm cwrdd. Wyneb Angelo.

'*Buon giorno, cara mia,*' fe'm cyfarchodd â gwên iasoer.

Ni allwn ei ateb. Camais wysg fy nghefn yn ôl i fyny'r grisiau nes taro drws y stiwdio, ac Angelo'n fy nilyn. Cariai fwndel o bapurau yn ei freichiau, ond nid oeddynt yn rhwystr iddo.

'Be, 'sgen ti ddim i'w ddweud wrtha i ar ôl yr holl flynyddoedd?' gwawdiodd. 'Fi, dy annwyl ŵr?'

Chwiliodd fy llaw am ddwrn y drws a'i agor. Wn i ddim beth oedd yn fy meddwl yn iawn, ond gwyddwn fy mod eisiau cael o leiaf drwch y drws rhyngom ein dau. Symudais mor sydyn ag y gallwn i mewn i'r stiwdio a rhoi clep ar y drws, ond roedd Angelo'n gyflymach na mi.

Gwthiais y drws â'm holl nerth, ond roedd ei droed yn ei rwystro rhag cau.

'Rŵan, rŵan,' dwrdiodd yn ysgafn. 'Sut groeso ydi hyn, dwed?'

Ogleuais y ddiod ar ei wynt a syrthiais yn ôl i ganol yr ystafell nes i mi gyffwrdd y stand arlunio. Doedd unlle i mi guddio yn y stiwdio fawr, wag.

'Be wyt ti'n da yma?' llwyddais i ddweud o'r diwedd.

'Da yma?' ailadroddodd mewn ffug syndod. 'Fi, sy'n bartner mor llwyddiannus i Roberto?'

'Be ti'n feddwl? Dwyt ti ddim yn bartner i Roberto! Alli di ddim bod!'

'A pham lai? Ddim digon da, ia? Fel nad oeddwn i byth yn ddigon da i ti?' Roedd min ar ei lais, a rhedodd iâs drwy fy nghorff. Dechreuais grynu. Roeddwn yn adnabod ei dôn mor dda, a gwyddwn beth fyddai'n debygol o ddigwydd. 'Mi welais i chdi'r dydd o'r blaen yn dringo i'r goets 'na fel tasa milgwn ar dy ôl di, a pheth hawdd iawn oedd holi'r llanc wedyn. Mae o mor ddiniwed, yn tydi? Wedyn, pan welais i ti'n cyrraedd heddiw, a Paolo'n gadael, wel, allwn i ddim llai na dod i gyfarch gwell i ti, a chael cyfle i hel atgofion.'

'Paolo! Roberto! Helpwch fi!' sgrechiais nerth fy mhen, ond chwerthin wnaeth Angelo.

'Dwyt ti'm haws, *cara mia*. Does 'na neb ond ni'n dau yn yr adeilad. Braf, yntê?'

'Sut dois ti i mewn?' sibrydais.

'Mi alla i fynd i bobman, fel partner i Roberto.'

Dyna fo'r gair eto: partner. Roedd o am fy mhoenydio efo fo. Serch hynny, cofiais yn sydyn am y twrw fel hyrddiadau ar ddrwm a glywswn ychydig yn gynharach.

'Torri i mewn wnest ti, yntê? Mi ddwedodd Paolo ei fod wedi cloi pob man!' Anwybyddodd fy nghwestiwn yn llwyr.

'A rhag i ti orfod gofyn,' aeth yn ei flaen, 'mi eglura i.'

213

Gydag un symudiad â'i fraich, chwalodd yr offer arlunio oddi ar un o fyrddau bychain Roberto, a gosod y bwndel yn eu lle. Agorodd y llinyn oedd yn eu rhwymo, a chodi llond llaw ohonynt. Chwifiodd nhw dan fy nhrwyn. "Nabod y llun 'ma?"

Ysgydwais fy mhen heb edrych ar y llun.

'Tyd 'laen, drycha arnyn nhw.' Camodd yn nes ataf, ond llithrais y tu ôl i'r stand arlunio, er nad oeddwn yn ddiogel yn y fan honno chwaith. 'Tyd! Be am hwn?' Daliodd un dudalen o'm blaen, ac er na allwn ei gweld yn iawn o'r pellter hwnnw, dechreuais gael amcan o beth oedd arni. Teimlais y cyfog yn codi i'm ceg.

'Mae o'n dda, yn tydi? Gwerthu fel slecs, cofia, a gneud elw bach del iawn i'r hen 'Berto a finna.' Trodd y papur er mwyn iddo allu syllu ar y cartŵn. 'Dychymyg da gan y llanc – ond falla'i fod o wedi gwneud ymchwil ymarferol!' Chwarddodd yn uchel ar ei glyfrwch ei hun, ac allwn i ddim cadw dŵr chwerw fy mustl rhag disgyn o'm genau.

'*Diavolo*! Doedd gen ti 'rioed stumog dda, nagoedd? Biti baeddu ei lawr glân o. Fydd o ddim yn hapus efo chdi, gei di weld!'

Cerddodd ychydig yn agosach ataf, gan grafu ei falog. Gwyliais y llaw yn crafu, fel hen bry' copyn blewog, afiach, a deuthum yn ymwybodol fod ei law hefyd yn mwytho'r chwydd oedd yno. Sylweddolodd yntau fy mod yn syllu. Daeth gwên lydan i'w wyneb unwaith eto. Agorodd y botymau a gadael ei beth allan i bwyntio'n hyll ata i. 'Hwyl, yntê? Yn union fel yr hen ddyddia!'

Ymgroesais yn gyflym, ond doedd dim amser i anfon gweddi at y Forwyn. Dyna beth wnes i'r noson ofnadwy honno, a rhoi cyfle iddyn nhw fy nal. Gyda phob gronyn o wroldeb yn fy nghorff, gorfodais fy hun i edrych i fyw ei lygaid.

'Gwell i ti fod yn ofalus, Angelo! Cofia be ddigwyddodd i Pietro.'

Ataliwyd ef gan fy ngeiriau. Syllodd arnaf yn gegrwth am eiliad, a gwelais fod ei beth wedi dechrau gwywo.

'*Merda*! Ti laddodd o, yntê? Mi wyddwn i ym mêr fy esgyrn, ond doedd neb yn fodlon gwrando!'

'Duw laddodd o, Angelo, am be wnaeth o i mi!'

'Paid â malu cachu! Wnaeth Duw ddim o'i lusgo fo hyd lawr y gegin a'i ollwng ar lawr cwt y baedd! Chdi wnaeth hynny!'

'Baglu i'r cwt mochyn wnaeth o a syrthio ar ei ffordd adra yn feddw dwll!' sgrechiais arno. 'Dyna beth roedd pawb yn ei ddweud!'

Syllodd arnaf heb ddweud yr un gair, ac roedd hynny'n fwy o ddychryn i mi na'i hefru arferol. Bellach doedd ei beth yn ddim ond tamaid bychan o gnawd crebachlyd.

'Roeddwn i'n hannar credu mai breuddwydio'r cyfan 'nes i,' meddai'n araf wedyn. 'Ond nid dyna'r gwir amdani, naci? Ei weld o go iawn 'nes i, yntê? Dy weld di'n llusgo Pietro allan o'r tŷ gerfydd ei freichia!'

'Roeddach chi'ch dau'n chwyrnu cysgu ar lawr y gegin yn eich medd-dod! Moch oeddach chi! Yn foch budur, meddwol! Y cwt mochyn oedd y lle gora iddo fo!'

'Ond fe laddodd y baedd o, yn do, Anna Maria? Mi fwytodd ac mi rwygodd gorff Pietro – dim ond tameidia ohono oedd ar ôl erbyn y bora! A fasa hynny ddim wedi digwydd oni bai i ti ei daflu i mewn 'na. Roeddat ti'n gwbod sut un oedd y baedd, ei fod o'n beryg bywyd efo dynion!'

'Wnaeth hynny ddim o'ch rhwystro chi rhag fy nal i i lawr iddo fo, naddo?' atebais yn chwerw. 'Doedd o ddim yn ddigon i chi eich bod wedi 'mygwth i efo procar eirias, wedi fy ngorfodi i lyfu a sugno'r ddau ohonoch chi yn eich tro, a'r llall yn dal y procar wrth fy mronnau noeth rhag i mi wrthod neu geisio brathu!'

'Roeddat ti wedi gofyn amdani! Ac mi roedd Pietro'n iawn! Roedd angan dysgu gwers i ti! A ph'run bynnag,' dechreuodd wenu arna i eto, a'r atgof o'r noson erchyll honno'n pwmpio'r gwaed yn ôl i'w hen beth, 'ew, mi roedd o'n hwyl! Atgofion melys iawn, yntê? Wyt ti wedi gweld hwn yn iawn?' Cododd y bwndel eto a thynnu un papur allan ohono. 'Hwn ydi'r diweddara, y gora! Wedi dod i nôl pentwr o'r rhain oeddwn i pnawn 'ma, a deud y gwir. Meddwl y basa fo'n gwerthu fel slecs yn y *calcio*, a hwylia da ar bob dyn! Fi awgrymodd y llun i Roberto, cofia, er iddo fo dynnu ceg gam wrth ei neud o! 'Drycha! Wyt ti'n cofio hwnna?' Camodd ymlaen yn sydyn a dal y papur dan fy nhrwyn fel na allwn ei osgoi.

Teimlais fy myd yn syrthio'n shwrwd mân o'm cwmpas. Ar y papur roedd cartŵn o ddynes noeth ar ei phedwar, a mochyn – baedd – yn . . . Chwydais am ei ben. Chwydais a chwydu nes i mi gael cyfog gwag, a suddais i lawr ar fy ngliniau mewn gwendid a chywilydd.

'Sut allet ti!' sibrydais o'r diwedd, fy llais yn floesg, ac yna, wrth i syniad gwaeth o lawer fy nharo, 'Ydi Roberto'n gwybod?'

'Gwybod beth, *cara mia*? Gwybod dy fod ti wedi gorwedd efo mochyn?'

'Chi wnaeth i mi!' sgrechiais arno. 'Chdi a'r diawl Pietro 'na! Chi ddaru fy 'nghlymu i fyny a . . .' Ond allwn i ddim goddef rhagor o'r atgofion. Disgynnais i'r llawr, fy mhen rhwng fy mreichiau a'm pengliniau at fy nghanol, yn igian crio, yn golledig.

'Tasat ti wedi 'mhlesio i *unwaith* yn ystod yr holl flynyddoedd, fydda hynny ddim wedi digwydd!' fe'i clywn yn edliw, ac roedd rhywbeth yn ei lais a barodd i mi agor fy llygaid ac edrych arno. Gwelais fod fy ngwendid wedi codi'r trachwant yn ôl i'w wyneb a'i beth.

Ceisiais eistedd i fyny, ond roedd Angelo a'i beth yn sefyll uwch fy mhen. Gafaelodd yn fy ysgwyddau a cheisio fy nhroi drosodd, ond cwffiais yn ei erbyn. Llwyddodd i ddal fy mreichiau a 'nghodi ar fy ngliniau er gwaethaf f'ymdrechion, ac am un eiliad arswydus, ofnwn y byddai'n fy nhreisio unwaith eto. Ond ar yr un eiliad rhedodd ffrwd o gasineb drwof, ac o'r casineb hwnnw y cefais nerth. Trodd yr holl euogrwydd, yr holl hunan-gasineb, yr holl hunan-fflangellu roeddwn wedi ei ddioddef dros y deuddeg mlynedd diwethaf yn egni pur i'w wrthsefyll, i'w goncro drwy ba bynnag ffordd oedd yn agored i mi. Yn chwifio'n wawdlyd o flaen fy nhrwyn roedd ei hen beth hyll, a chyda ffyrnigrwydd anifail rheibus gwasgais fy nannedd i mewn i'w geillgwd nes blasu'i waed ar fy nhafod.

Wnes i ddim gollwng fy ngafael yn syth er gwaethaf ei holl sgrechiadau wrth iddo ddyrnu fy mhen yn galed. Teimlais y gwendid yn ei goesau wrth iddyn nhw ollwng oddi tano, a dim ond ar ôl iddo ddechrau syrthio yr agorais fy ngheg. Ond roeddwn yn dal yn llawn cynddaredd. Wrth ei weld yn griddfan ac yn crio ac yn cordeddu ar y llawr, fe'm llanwyd â'r ysfa i'w ladd drosodd a throsodd a throsodd. Cipiais yr unig arf oedd wrth law, un o gyllyll palet Roberto, a chodi fy mraich i'w drywanu yn ei galon ddu. Ond yn lle suddo i'w gnawd fel y dychmygais, roedd llafn y gyllell yn taro yn erbyn rhywbeth caled dan y croen, ac er i mi ei drywanu dro ar ôl tro, allwn i ddim cael y llafn llydan heibio'i asennau!

'Signora? Signora, ydach chi i fyny 'na?' Clywais lais Roberto'n galw arnaf, a thaflais y gyllell o'r neilltu mewn arswyd. Daeth y llais unwaith eto, ond yn nes y tro hwn, fel petai'n dringo'r grisiau, a llanwyd fi â braw. Rhuthrais allan o'r stiwdio ac i lawr y grisiau gan wthio Roberto a Paolo o'r ffordd wrth iddynt redeg i fyny. Nid arafais fy nghamau gwyllt. Saethais allan o ddrws y siop fel bollt, a rywsut neu'i gilydd llwyddais i hanner rhedeg, hanner cerdded yr holl ffordd yn ôl i Fiesole.

XXIV

Caeais fy hun yn f'ystafell am o leiaf wythnos gan wrthod pob cynhaliaeth. Collais bob ymwybyddiaeth o amser, ac roedd y cyfan yn un hunllef ddiddiwedd. Fy unig chwant oedd chwant am farwolaeth, ond nid oeddwn yn ddigon dewr hyd yn oed i ystyried hunanladdiad. Gwrthodais fwyta ac yfed, yn bennaf oherwydd na allwn wynebu pobl, ond erbyn canol nos roedd fy nghorff yn fy mradychu ac yn ysu am lymaid o ddŵr a thamaid i'w gnoi, felly yn oriau mân y bore, wedi sicrhau nad oedd neb yn effro, byddwn yn sleifio i'r gegin am lond piser o ddŵr a thafell o fara, yna'n sleifio'n ôl yr un mor dawel a chloi'r drws.

Weddill yr amser, gorweddwn yn belen fach ar fy ngwely, cloriau'r ffenestri ynghau, fy meddwl yn bydew du o anobaith. Ac ar fy nghalon, seriwyd y geiriau dychrynllyd hynny o'r Beibl:

Ac na chyd-orwedd gyd âg un anifail, i fod yn aflan gyd âg ef; ac na safed gwraig o flaen un anifail i orwedd dano . . .

A lladder yn farw y gŵr a ymgydio âg anifail: lladdant hefyd yr anifail.

A'r wraig a êl at un anifail, i orwedd dano, lladd y wraig a'r anifail hefyd: lladder hwynt yn feirw; eu gwaed fydd arnynt eu hunain.

Roedd dynion y pentref wedi lladd y baedd wedi iddyn nhw ddarganfod corff Pietro, a thrwy hynny wedi dilyn gorchymyn y Beibl. Ni theimlwn unrhyw euogrwydd na chyfrifoldeb am eu marwolaethau, oherwydd 'eu gwaed fydd arnynt eu hunain'. Ond beth amdanaf fi? Roeddwn i'n dal yn fyw, er i mi ddyheu am gael marw. Pam na allwn i feddwl yn glir am bethau? Pam fod yna niwl parhaol yn cuddio'r ffordd gyfiawn oddi wrthyf? Os nad oedd gorchymyn y Beibl yn cael ei gyflawni gan eraill, oedd hi'n iawn i mi ladd fy hun? Neu ai hunanladdiad fyddai hynny – pechod arall llawer gwaeth? Roedd un peth yn hollol sicr: roedd fflamau'r Purdan yn fy llowcio a minnau'n dal ar dir y byw. Byw neu farw, allwn i ddim o'u hosgoi. Dyna fy nghosb: tragwyddoldeb yn yr artaith meddyliol hwn oedd llawn cyn waethed ag artaith corfforol, os nad yn waeth. Nid yw'r enaid yn marw o boen fel y gwna'r corff.

Wrth i'm hanobaith ddyfnhau, collais yr un peth hwnnw oedd wedi fy nghynnal dros yr holl flynyddoedd: fe gollais fy ffydd. Ni allwn hyd yn oed weddïo; roedd y cysur hwnnw wedi troi'n lludw. Gwelais fy hun drwy lygaid eraill. Sylweddolais o'r diwedd mai hen wraig wirion oeddwn i. Wedi bod yn ffŵl drwy gydol f'oes. Roedd Lorenzo yn llygad ei le wrth fynnu na ddyliwn erioed fod wedi cael y rhyddid i ddewis gŵr. Roeddwn wedi syrthio mewn ffug-gariad penboeth, direswm, gwirion a heb fod yn ddigon hirben i allu gweld Angelo fel ag yr oedd. Ac yna'n rhy dwp i allu dirnad pa un oedd y ffordd orau i'w drin unwaith roeddan ni'n ŵr a gwraig. Ond y twpdra gwaethaf o bell ffordd oedd y syniad hurt y gallwn gael gwaredigaeth drwy gyflwyno rhyw ddarlun gwag i'r Fam Eglwys, yn union fel pobl ofergoelus erstalwm! Prynu maddeuant, yn lle ei ennill yn anrhydeddus. Sawl tro y cystwyais fy hun dros y blynyddoedd! Cystwyo fy hun nad oeddwn wedi bod yn ddewr ac yn gryf fy ffydd fel y merthyron gynt, ac wedi gallu goddef cael fy llosgi gan y procar hwnnw yn hytrach nag ildio i drachwant y dynion.

Yn fy awr dduaf, cefais fy hun yn cytuno â Roberto, mai storïau tylwyth teg oedd hanesion y seintiau, Duw faddeuo i mi! Roberto! Allwn i ddim ynganu'r enw heb i'm meddwl droi ar garlam i gyfeiriad arall!

Rydw i'n credu y buaswn wedi mynd yn wallgof oni bai am ymyrraeth Maria. Sylweddolodd beth a wnawn yn yr oriau mân, ac arhosodd yn effro un noson a chuddio yn y gegin, yna fy nilyn yn ôl i'm hystafell. Cyn i mi allu cau'r drws roedd wedi gwthio'i ffordd i mewn ac yna gwrthododd adael. Gwrandawodd yn ddisymud arna i'n ei bygwth, yna'n pledio arni i adael llonydd i mi, nes o'r diwedd y torrais i lawr ac wylo'n ddireol. Rhoddodd ei breichiau amdanaf a'm suo a'm magu fel plentyn bach nes i'r wawr dorri. Yn y bore, anfonodd am y doctor, a rhoddodd hwnnw sudd pabi i mi ei gymryd bob nos er mwyn gallu cysgu. Bwydodd Maria fi â chawl cyw iâr ysgafn bob dydd, fy mwydo fel babi bach nes i mi fynnu y gallwn ddal fy llwy fy hun.

Dechreuais wella ar ôl hynny, er yn raddol iawn. Bob dydd, ofnwn glywed cnoc ar y drws a milwyr y *sbirri* yn dod i'm llusgo i'r carchar am lofruddio Angelo. Ond gwaeth o lawer oedd ofni'r posibilrwydd fod Angelo yn dal yn fyw, ac wedi cael fy nghyfeiriad gan Roberto, ac y byddai'n ymddangos ar drothwy'r drws i fynnu 'mod i'n mynd yn ôl yn wraig iddo. Ar ben hynny roedd yr ofn y byddai mab gwirion y Signore'n dod â chopi o'r cartŵn diweddaraf i'r tŷ, a phawb yn gweld fy ngwarth.

Yn rhyfedd iawn, doedd neb wedi cyfeirio o gwbl at ddigwyddiadau erchyll y diwrnod hwnnw. Ar y dechrau, tybiais mai fy salwch oedd y tu ôl i'r tawelwch, ond yn raddol, gyda phawb yn ymddwyn mor naturiol, dechreuais obeithio na wyddent ddim amdanynt. Yna daeth nodyn oddi wrth Roberto. Roedd Maria a minnau'n eistedd ar y *terrazza* pan ddaeth y forwyn â'r nodyn i mi. Estynnodd Maria ei llaw amdano gan gynnig ei ddarllen i mi, ond gwasgais ef i'm calon a mynd i'm hystafell. Yno, llosgais ef yn ulw.

Gorweddais ar fy ngwely yn ceisio wynebu'r ffaith na allwn osgoi meddwl am Roberto mwyach. Sut allai fod wedi fy nhwyllo cyhyd â'i wên ffals a'i gyfaredd rwydd? Fy ngalw'n ail fam iddo! Yna peintio llun mor fendigedig, mor *sanctaidd*, o Maria, ac ar yr un pryd yn gwneud y cartwnau ffiaidd yna! Allwn i ddim edrych ar y darlun bellach heb deimlo fy stumog yn corddi. Gofynnais i Maria ei roi o'r neilltu yn rhywle na fyddai fy llygaid yn taro arno. Roedd hi'n anfodlon ar y dechrau, ond yn y diwedd cytunodd – bwrw'r bai ar fy salwch, mwy na thebyg. Yn sicr ni allwn feddwl am ei gyflwyno i unrhyw eglwys: roedd y freuddwyd honno bellach yn deilchion – na, yn halogedig!

Ac felly yr aeth yr amser heibio. Daeth y Signor Prys o Gymru gydag arian i dalu dyledion y Signore i gyd, ac roedd Lorenzo ar ben ei ddigon o'r diwedd. Dechreuwyd paratoi o ddifrif ar gyfer yr ymfudo, a phenderfynwyd ar ddyddiad ein hymadawiad o Twsgani: Rhagfyr y pedwerydd, dydd gŵyl Santes Barbara. Anfonodd Roberto sawl nodyn i ddilyn yr un cyntaf, ond llosgais bob un ohonynt. Galwodd heibio'r tŷ ddwywaith neu dair hefyd, ond gwrthodais ei weld. Roedd hyn i gyd yn benbleth mawr i Maria, a cheisiodd ddarganfod sawl gwaith beth oedd wedi digwydd rhyngom. Ysgwyd fy mhen a chadw fy ngheg yn glap ar gau oedd f'unig ymateb i'w holl holi.

Mynnai, fodd bynnag, fy mod yn dechrau mynd allan o'r tŷ gyda hi am ychydig o awyr iach yn yr ardd. Roedd yn rhaid i mi baratoi fy hun, meddai, ar gyfer y siwrnai faith oedd o'n blaenau, a hynny ar waetha'r gaeaf.

Byddai'r ffordd yn anodd, yn croesi'r Alpau i'r Swistir, gan fod cythrwfwl mawr wedi torri allan yn Ffrainc, a'r bobl yno fel anifeiliaid rheibus yn troi ar eu gwell a thorri eu pennau i ffwrdd. Nid oedd y Signore am fynd drwy'r wlad honno rhag iddo gael ei gamgymryd am fonheddwr Ffrengig, a'i ddienyddio. Gan y byddai'n rhaid inni groesi mynyddoedd mwyaf Ewrop pan fyddent dan drwch o eira, archebodd y Signore ddau glogyn wedi eu leinio â ffwr i Maria a minnau, yn ogystal â blancedi o grwyn defaid. Pan gyrhaeddodd y clogynnau, rhyw wythnos cyn i ni gychwyn ar ein siwrnai, awgrymodd Maria y byddai'n eithaf peth i ni ymarfer gyda'u pwysau, a cherdded o amgylch yr ardd a'r winllan yn eu gwisgo. Cytunais, yn fwy i'w bodloni a'i chadw'n ddistaw nag unrhyw awydd mawr ar fy rhan i: roeddan nhw'n llawer rhy boeth a thrwm i aeafau Fiesole. Erbyn trydydd diwrnod yr ymarfer hwn, roeddwn wedi 'laru braidd, ac yn dechrau 'styfnigo, a chafodd Maria gryn drafferth i'm perswadio i fynd allan. Roedd hi mor ymbilgar, fodd bynnag, nes i mi ildio yn y diwedd.

'Chawn ni fawr o gyfle i gerdded am amser maith i ddod,' crefodd arnaf. 'Mi fyddwn ni wedi ein cau mewn cwtsh o goets a gewch chi weld y byddwn ni'n 'difaru na fasen ni wedi cymryd pob cyfle posib i ymarfer ein coesau cyn i ni gychwyn am Loegr.'

Arweiniodd fi i lawr drwy'r gerddi ac allan i'r winllan. Cyn pen dim roeddwn wedi diosg fy nghlogyn a'i osod ar fy mraich.

'Beth am droi'n ôl rŵan?' awgrymais, ond mynnodd ein bod yn mynd ymhellach.

'Mae Papa'n sôn am ail-wneud y cwt lle maen nhw'n troedio'r grawnwin, ac rydw i eisiau bwrw golwg dros yr hen un fel ag y mae – efallai na wela i byth mohono fo eto.'

Cododd ei geiriau ychydig o arswyd arna i. Doeddwn i

ddim wedi cysidro o ddifrif y posibilrwydd na fyddwn innau chwaith yn gweld fy ngwlad annwyl fyth eto. O hynny allan, cerddais ag ychydig mwy o arddeliad, gan gymryd sylw manwl o'r cyfan oedd o'm cwmpas. Toc, daethom at yr hen adeilad cerrig a'i do o gerrig gwastad a'i ddorau derw. Tyfai castanwydden ger y drws, bendith i'r gweithwyr oedd yn mwynhau cysgodi oddi tani yn ystod tywydd tanbaid y cynaeafu. Yr adeg hon o'r flwyddyn, safai â'i breichiau llwm yn creu brodwaith du yn erbyn glesni'r nen. Tynnodd Maria allwedd anferth o'i phoced, a datgloi un o'r dorau trymion.

'Pam wyt ti eisiau mynd i mewn?' gofynnais yn syn.

'I ddweud ffarwél,' atebodd cyn diflannu i dywyllwch yr adeilad, ac fe'i dilynais hi.

Cymerodd gryn amser i'm llygaid gynefino â'r tywyllwch, er bod ychydig o olau'n treiddio i mewn rhwng bariau pren y tyllau aer. Safai casgenni derw cadarn ar hyd un ochr i'r waliau cerrig, ac roedd y twba gwasgu anferth ar blatfform yng nghanol y llawr, y cyfan yn llychlyd ac unig yr adeg hon o'r flwyddyn. Cerddodd Maria'n araf o amgylch y llawr, fel petai'n astudio'r casgenni am dyllau pry, neu graciau, neu rywbeth gwirion felly. Roedd fy nghlogyn yn drwm ar fy mraich, a dechreuais golli f'amynedd.

'Gawn ni fynd rŵan, Maria?'

'Un funud fach arall, Ziannamaria,' atebodd heb edrych arnaf.

Pwysáis fy ysgwydd yn erbyn y twba gwasgu i aros iddi orffen ei ffwlbri. Roedd fy nghefn at y dorau, ac felly ni welais y ffigwr a sleifiodd i mewn a chau'r ddôr ar ei ôl. Cefais fy nychryn gan y tywyllwch sydyn, a phan wynebais y ddôr, ni allwn weld pwy oedd yn sefyll yno. Ond roedd ei lais yn gyfarwydd.

'*Buon giorno Signoria, Signora,*' cyfarchodd Roberto ni.

Trois ar Maria'n wyllt.

'Tric ydi hyn, yntê? Roeddat ti'n ei ddisgwyl, yn doeddat?'

'Ziannamaria, gwrandwch arna i . . .'

'Na wna i wir! Fy nhwyllo i fel hyn! Ewch o'n ffordd i!'

Ceisiais redeg heibio'r ddau, ond gafaelodd Maria yn fy mraich i'm rhwystro. Pwysodd Roberto'n ôl yn erbyn y ddôr fel na allwn ei hagor heb yn gyntaf ei symud yntau.

'Signora Chiappini, ga i funud bach o'ch amser, *prego*?'

'Na. 'Sgen i ddim i'w ddweud wrthat ti!'

'Ond Ziannamaria . . .'

'NA! Gadewch i mi fynd.'

Camodd Roberto tuag ataf, ac yn reddfol camais innau yn ôl oddi wrtho. Gwelodd Maria ei chyfle a llithrodd drwy'r ddôr gan ei chau a'i chloi o'i hôl.

'MARIA!' Roeddwn i'n gandryll, ond ar yr un pryd yn crynu drwof! Sut allai hi fod wedi fy mradychu fel hyn? 'Maria!' galwais eto, ond nid atebodd, ac nid agorodd y ddôr. Cipedrychais ar Roberto, a'i weld ar ei liniau o'm blaen, ei weld yn syllu arna i. Allwn i ddim dioddef iddo edrych arnaf fi fel yna. Rhedais i guddio yr ochr draw i'r twba a chladdu fy wyneb ym meddalwch croen fy nghlogyn.

'Signora Chiappini, rydw i'n ymbil arnoch chi . . .'

Anwybyddais ei lais. Gwasgais y defnydd meddal i'm llygaid. Ewyllysiais fy mod yn ymdoddi i galedwch y twba. Gweddïais yn daer arno i 'ngadael yn llonydd.

'Signora, rydw i'n erfyn arnoch! Alla i ddim mynd diwrnod arall heb gael cyffesu i chi! Wnewch chi wrando arna i?'

Roedd ei lais mor agos! Roedd yn sefyll y tu ôl i mi, ond nid oeddwn am droi i'w wynebu. Aeth y llais yn ei flaen, a thybiais i mi glywed tinc dagreuol ynddo.

'Rydw i wedi anfon sawl nodyn, ac wedi galw i'ch gweld sawl tro, ond roeddech chi'n gwrthod fy ateb.

224

Doedd gen i ddim dewis ond troi at Maria a gofyn am ei chymorth. Maddeuwch iddi, Signora. Arna i mae'r bai am bob dim.' Peidiodd ei siarad, fel petai'n disgwyl i mi ymateb, ond ddywedais i'r un gair. Yna teimlais ei law yn cyffwrdd fy ysgwydd yn ysgafn. Fferrais.

'Wnewch chi eistedd gyda mi fan hyn, Signora? Mae gen i gymaint i'w egluro i chi, cymaint i chi ei faddau i mi, os gallwch. Gallaf ddeall os nad yw hynny'n bosib, cofiwch, a fydda i'n gweld dim bai arnoch chi. Roedd yr hyn wnes i'n anfaddeuol. Rydw i'n gweld hynny'n glir rŵan.'

Nid oedd ei law wedi symud, ac fe'i teimlais hi'n mwytho fy ysgwydd yn ysgafn, ysgafn. Roedd yn rhaid i mi ildio iddo. Doedd gen i ddim o'r nerth, yn gorfforol nac yn ysbrydol, i'w wrthwynebu. Fel ym mhob cyfnod blaenorol yn fy hanes, meddyliais yn ddiflas, roedd yn haws plygu i ewyllys gryfach na'i gwrthsefyll. Gadewais iddo fy arwain at bentwr o styllod a thaenodd ei glogyn drostynt. Amneidiodd arnaf i eistedd, ac ufuddheais.

'Dweud dy ddweud, 'ta, ac yna dos!' meddwn wrtho'n ddiserch.

Taflodd Cecilia gipolwg amheus tuag at y gwely. Roedd llais yr hen wraig wedi gwanio ers cryn amser, ei hanadl yn fyr a llafurus. Beth petai'r Uchel Fam yn cyrraedd a'i gweld hi mor llesg? Y hi, Cecilia, fyddai'n cael cerydd. Drwy gydol y dydd bu'r Uchel Fam a hithau'n cofnodi stori'r hen wraig am yn ail, y ddwy ohonynt yn treulio awr yn ysgrifennu ac yna'n cael gorffwys am awr. Roedd awr Cecilia bron ar ben, sylweddolodd yn bryderus, ac fe fyddai'r Uchel Fam yno ymhen dim.

'Anna Maria, rydw i'n gwirioneddol gredu y dylen ni roi'r gorau iddi rŵan,' meddai wrth yr hen wraig, ac er mawr ryddhad iddi, cytunodd Anna Maria.

'Rydan ni bron â chyrraedd pen y daith, cara mia,'

sibrydodd, 'dim ond rhyw ddiwrnod eto, ac mi fydd y cyfan drosodd.'

Gallai Cecilia dyngu bod gruddiau'r hen wraig yn esmwythau, y rhigolau'n llyfnhau o'r croen wrth i'w hewyllys lacio'i afael ar y corff eiddil. Yn reddfol, plygodd drosodd a phlannu cusan ar dalcen Anna Maria, a chafodd ei chyffwrdd i'r byw pan glywodd yr hen wraig yn murmur, 'Grazie, cara mia.'

XXV

Syllodd ar yr wyneb caeedig, anghyfeillgar. Beth allai ei ddweud i'w darbwyllo ei fod yn gwirioneddol gasáu ei hun am gyhoeddi'r lluniau gwarthus? Sut allai ei pherswadio o ddiffuantrwydd ei edifeirwch?

'Wn i ddim lle i ddechrau'n iawn,' meddai'n dawel, gan eistedd wrth ei hochr. 'Dach chi'n gweld, roeddwn i wedi dod yn ôl i Firenze yn llawn syniadau gwych, yn sicr y byddwn yn llwyddo mor rhwydd ag y gwnes i yn Lucca. Gwariais yn helaeth oherwydd y sicrwydd hwnnw – mwy nag y gallwn ei fforddio, fel y gallwch dybio.' Ochneidiodd. Byddai'n rhaid iddo ddewis ei eiriau nesaf yn ofalus iawn, eu cadw'n syml. Doedd dim pwrpas dweud y cyfan wrthi. 'Wnes i 'rioed ddychmygu y byddwn yn cael cymaint o drafferth gyda'r urdd. Fy hen feistr, Benedetto, oedd tu cefn i'r cyfan, wrth gwrs. Roedd yn elyniaethus tuag ata i o'r dechrau cyntaf, gwaetha'r modd. Ond dyna fo, mae hynny drosodd bellach.'

Tynnodd hances boced o'i siaced a sychu ei dalcen. Rhoddodd hyn gyfle iddo gael cip arni. Edrychai'n syth o'i blaen, ac nid oedd yr olwg ar ei hwyneb wedi meddalu o gwbl. Eisteddai'r Signora'n gefnsyth ar ei glogyn, a'i dwylo'n gwneud symudiadau fel petai hi'n ceisio plethu'i bysedd, yr unig arwydd o'i chynnwrf mewnol. Cafodd ei hun yn gweddïo am gymorth y Fair Forwyn ar ei waethaf.

'Ydach chi'n cofio'r adeg pan ddaethoch chi i 'ngweld i a finnau yn y tŷ gwin?' Arhosodd am ateb, ac wedi ysbaid fach, nodiodd ei phen. Aeth yntau ymlaen i adrodd hanes ei holl helyntion, gan gynnwys y ffordd y bu iddo gyfarfod Angelo. Pan ynganodd yr enw hwnnw, gwelodd gryndod yn rhedeg drwy ei chorff. Ceisiodd roi ei law am ei dwylo hithau, ond tynnodd oddi wrtho.

'A dyna sut y daethost ti'n bartner iddo, felly?' holodd yn oeraidd.

'*Partner*? Doeddwn i ac Angelo 'rioed yn bartneriaid,' atebodd mewn dryswch. 'Pwy ddywedodd hynny?'

Pan ysgydwodd ei phen a gwrthod ateb, aeth yn ei flaen i egluro'r gweddill. Sylweddolodd yn raddol ei bod yn gwrando'n fwy astud, bod ei chorff yn ymlacio rhywfaint, a chyn iddo orffen ei stori, roedd ei phen wedi troi ychydig tuag ato, er nad oedd hi'n fodlon edrych i'w wyneb.

'Pan ddywedodd Paolo wrthyf yn y *calcio* fod y *sbirri* yn chwilio am argraffdy'r lluniau, a'ch bod chithau yno, rhedodd y ddau ohonom yn ôl i'r siop rhag i chi gael eich tynnu i mewn i'r helynt – ac er mwyn dinistrio pob tystiolaeth, pob arwydd o'u bodolaeth.'

Cafodd ei siomi wrth ei gweld yn troi oddi wrtho nes bod ei chefn yn ei wynebu. Beth oedd o wedi ei ddweud i achosi'r fath ymateb? Ni wyddai beth arall i'w ddweud. Oedd hi wedi sylweddoli ei fod wedi cadw rhannau o'i stori'n ddirgel? Ond roedd hynny er ei mwyn hi. Ni fyddai'r gwirionedd cyfan wedi gwneud dim i bontio'r bwlch rhyngddyn nhw. Ymhen hir a hwyr, wedi i'r tawelwch ymestyn am funudau maith, mentrodd ofyn cwestiwn oedd wedi bod yng nghefn ei feddwl o'r diwrnod cyntaf hwnnw, diwrnod y *calcio*.

'Signora?' Cadwodd ei lais yn isel ac yn addfwyn. 'Ga' i ofyn un cwestiwn bach i chi?' Ni chafodd ymateb, felly aeth ymlaen. 'Beth oedd eich perthynas chi ag Angelo?' Pan wrthododd ateb eto, mentrodd awgrymu, gan gadw'i lais yn dawel, 'Roeddech chi'n ei adnabod, yn toeddech?

Sylwais ar eich wyneb y diwrnod hwnnw pan welsoch chi Angelo'n siarad efo Paolo. Roedd arnoch chi ei ofn am eich bywyd.'

Yn lle rhoi ateb uniongyrchol iddo, gofynnodd hithau gwestiwn.

'Ddywedodd Angelo wrthyt ti *pam* ei fod eisiau'r llun hwnnw welais i ddiwrnod y *calcio*?'

'Naddo,' atebodd yntau gan ysgwyd ei ben. Beth oedd ganddi dan sylw?

'Ddywedodd o sut roedd o wedi meddwl am y fath lun?'

'Naddo,' atebodd eto. Pam oedd hi'n gofyn y fath gwestiwn? Aeth ymlaen yn arafach, fel petai'n ymbalfalu am y geiriau. 'Naddo, dydw i ddim yn meddwl. Mi ddwedodd rywbeth am freuddwyd. Mi gymerais i mai wedi breuddwydio am y weithred oedd o – fyddai hynny'n ddim syndod i mi. Roedd ganddo feddwl mor aflan.' Petrusodd cyn gofyn cwestiwn arall. 'Ydi hyn yn bwysig?'

Er syndod iddo, gwelodd ei hysgwyddau'n ymlacio'n sydyn, ac yna'n crynu wrth iddi ddechrau wylo i'w dwylo.

'Signora! Beth sy'n bod?' holodd mewn braw.

Trodd hithau i'w wynebu o'r diwedd, a chafodd fwy o fraw o weld ei bod yn gwenu drwy ei dagrau.

'Dim byd! Does dim yn bod. Diolch i ti am egluro, Roberto. Mae'n rhyddhad mawr i mi.'

Cynigiodd ei hances iddi, a derbyniodd hithau. Sychodd ei dagrau a cheisio rhoi trefn ar ei hunan.

'Fy ngŵr i oedd Angelo,' eglurodd yn y man, 'er i mi ei adael ryw ddeuddeng mlynedd yn ôl. Wnes i 'rioed ddychmygu y baswn i yn ei weld yn Firenze. Roedd yn sioc ofnadwy.'

'Mi alla i ddeall hynny,' cytunodd yntau gan nodio'i ben. Ond roedd hi'n wraig mor grefyddol! Beth oedd wedi digwydd i achosi iddi adael ei gŵr, yn erbyn rheolau'r eglwys?

'Rydw i'n dy glywed di'n gofyn pam fod gwraig

dduwiol, Gatholig, fel fi wedi gwneud y fath beth – gadael ei gŵr,' meddai wedyn mewn adlais o'i feddyliau. 'Wel, roeddet ti yn llygad dy le yn dweud bod ganddo feddwl aflan – a 'mod i'n ei ofni. Roedd o'n ddyn drwg. Allwn i ddim goddef rhagor.'

Gafaelodd yn ei llaw a'i mwytho'n dyner.

'Mae popeth yn iawn rŵan,' ceisiodd ei chysuro, 'mae'r cyfan drosodd.'

Daeth cysgod i'w hwyneb. Gwasgodd ei law yn galed a phlygu ymlaen ato.

'Mi wnes i ei ladd o, yn do, yn y stiwdio?' sibrydodd, a'i llais yn llawn arswyd.

'Naddo, Signora, wnaethoch chi ddim. Ychydig funudau ar ôl i chi adael, roedd o'n rhegi ac yn bytheirio cyn waethed ag erioed, yn mynnu dial arnoch chi.'

'Ydi o'n rhydd? Ddaw o yma?' gofynnodd mewn braw.

Rhoddodd ei fraich am ei hysgwyddau a'i thynnu'n glòs at ei gorff.

'Peidiwch â phoeni, Signora. All o byth wneud hynny. Gadwch i mi egluro.'

Meddyliodd am yr hyn oedd wedi digwydd ar ôl iddi redeg heibio Paolo ac yntau ar y grisiau i'w stiwdio. Unwaith eto, byddai'n rhaid iddo ddewis ei eiriau'n ofalus, a rhoi darlun wedi ei buro o'r hyn oedd wedi digwydd mewn gwirionedd. Sut y bu iddo ef a Paolo sylwi ar yr anhrefn a'r gwaed ar drowsus Angelo, a sut iddynt ddod i'r casgliad ei fod wedi ceisio treisio'r Signora. Ni ddisgrifiodd sut yr oedd Paolo wedi ymateb i hynny, gan fygwth a rhegi Angelo wrth glymu ei ddwylo a'i goesau gyda'r cadachau sychion a gadwai Roberto yn y stiwdio ar gyfer ei waith. Ni ddisgrifiodd sut y gofynnodd Paolo i Angelo a oedd ganddo unrhyw gyfiawnhad am ei weithred, ac ateb Angelo, *'Fallo a tua madre!'*

Pe na byddai Angelo wedi dweud hynny, efallai y byddai'n fyw o hyd, ond ar y llaw arall, efallai na fyddai.

Ni ddisgrifiodd y pleser ar wyneb Paolo wrth iddo afael yn y gyllell arlunio ddi-fin a'i gwthio yn araf a phoenus i wddf Angelo, a'r drafferth a gafodd wrth ei hanner gwthio, hanner llusgo drwy'r cnawd.

Yn hytrach, dywedodd wrthi, 'Fydd dim raid i chi boeni byth eto, Signora, nac ofni cerdded strydoedd Firenze. Un o'r de ydi Paolo, o Sisili, ac mae ganddyn nhw ffordd arbennig o ddelio â threiswyr. Mae corff Angelo wedi teithio i lawr afon Arno, ac yn y môr bellach, a'i enaid yn llosgi yn Uffern.'

Ymgroesodd y Signora cyn codi'n ddisymwth a gwisgo'i chlogyn ffwr. Roedd Roberto'n ofni ei bod am ei adael yn ddisymwth, ac yntau heb orffen siarad, heb allu crybwyll yr un peth oedd wedi ei yrru yno, wedi ei boenydio ers y diwrnod hwnnw.

'Cyn i chi fynd, Signora, rhaid i mi ofyn un peth arall i chi. Allwch chi faddau i mi? Am y lluniau?'

Syllodd y wraig arno am rai munudau. Ofnai nad oedd hi'n fodlon maddau wedi'r cyfan. Trodd oddi wrtho, a cherddded at y ddôr.

'Roedd beth wnest ti'n ddrwg, bron na fentrwn ddweud ei fod yn anfaddeuol,' meddai, a'i chefn ato. 'Fel merch, allwn i byth faddau i ti.' Yna trodd i'w wynebu unwaith eto. 'Ond fel cyfaill, fel ail fam i ti, wrth gwrs fy mod i'n gallu maddau. Rwyt ti wedi talu am dy wendid, wedi sylweddoli dy gamgymeriad, ac wedi edifarhau.' Croesodd ato a'i gofleidio. 'Wrth gwrs fy mod i'n maddau i ti!'

Cusanodd ei boch mewn llawenydd.

'Felly, Signora, mae gen i gynnig i chi!' meddai'n llon. 'Rydw i'n aelod o'r urdd bellach, ac mae 'nghynlluniau gwreiddiol i ar y gweill – yn weddol lwyddiannus hyd yma. Rydw i am geisio gwneud iawn am y lluniau. Rydw i'n ceisio rhoi o'r neilltu rywfaint o'r elw mae Paolo a minnau'n ei wneud, hyd at y swm a enillais gyda'r cartwnau, neu fwy na hynny, ac am gyflwyno'r swm hwnnw i elusen.' Gafaelodd yn ei dwy law a'u codi at ei wefusau i'w cusanu. 'Signora,' meddai wedyn, 'rydw i eisiau gofyn i chi ddewis pa elusen fyddai orau gennych i dderbyn yr arian.'

'O Roberto! Am syniad caredig.' Roedd hi'n amlwg wrth ei bodd gyda'r syniad. 'Does gen i ddim amheuaeth,' ychwanegodd. 'Rhowch yr arian i Chwiorydd yr Ospedale della Santa Maria Nuova.'

Roedd Maria'n aros amdanynt, yn eistedd ar garreg tua chanllath o'r adeilad. Archwiliodd eu hwynebau'n ofalus, ac wedi iddi gael ei bodloni, gwenodd yn hapus. Roedd y tri ohonynt fel petaent mewn parti wrth gerdded yn ôl tuag at y *villa*, yn chwerthin ac yn cellwair am y pethau rhyfeddaf. Gwrthododd Roberto'r gwahoddiad i fynd i'r tŷ, a ffarweliodd â hwy wrth glwyd yr ardd.

XXVI

Gan fod yr hen wraig mor wantan, roedd yr Uchel Fam wedi caniatáu i Cecilia fod gyda hi drwy gydol y dydd. Roedd yn hollol ymwybodol o'r effaith a gâi ei phresenoldeb ar Anna Maria, y parchus ofn a oedd o bosib yn llyffethair ar ei thafod a'i meddyliau, ac a oedd yn achosi tyndra o fewn ei chalon.

Symudodd Cecilia'i bwrdd a'i chadair yn agosach at y gwely, i'w gwneud hi'n haws iddi glywed y llais egwan. Wrth iddi baratoi ei hun ar gyfer ei thasg, teimlodd law'r hen wraig yn ymestyn tuag ati, yn gorwedd yn ei harffed. Gwasgodd y llaw'n dyner cyn dechrau ar ei gorchwyl.

Tridiau wedi ymweliad Roberto, cychwynnwyd ar y daith i Loegr, a'm calon yn ysgafnach nag y tybiwn yn bosib wythnos ynghynt. Gadewais y darlun yng ngofal Lorenzo.

Treuliais dair blynedd gyda Maria yn y wlad bell, oer honno, gwlad y Signore Newborough. Ond aeth y dieithrwch, yr ieithoedd gwahanol – Cymraeg a Saesneg, na wyddwn air o'r naill na'r llall – yr unigrwydd, a neb ond Maria i gynnal sgwrs â hi, yn drech na mi. Yn waeth na'r pethau hyn i gyd, wrth gwrs, oedd y ffaith na allwn addoli yn fy nghrefydd fy hun. Erbyn diwedd y drydedd flwyddyn, roedd yr holl bechodau na allwn eu cyffesu yn faich rhy drwm i mi ei gario, ac felly doedd dim amdani ond gofyn i Maria fy rhyddhau. Gyda'i chymorth caredig a hael, teithiais yn ôl i Firenze gyda Lorenzo, wrth iddo ddychwelyd o un o'i aml deithiau i ymweld â'i ferch.

Pan ddychwelais i Twsgani, gwrthodais fynd i fyw efo Lorenzo a'r hen sguthan. Roedd yn hen bryd i mi dorri fy nghwys fy hun. Manteisiais ar eu lletygarwch crintachlyd am wythnos neu ddwy i mi gael gwneud trefniadau, ond dyna'r cyfan. Yn ystod y cyfnod hwn, ymwelais â siop Roberto a chanfod ei fod yn ddyn busnes llewyrchus iawn. Roedd wrth ei fodd yn fy ngweld unwaith eto, a chyflwynodd fi i'w wraig Benedetta, a'i blant bach. O'r dydd hwnnw ymlaen, cefais yr anrhydedd o gael fy ngalw'n *Nona* – nain – gan y pethau bach annwyl, ac roedd croeso bob amser i mi alw heibio. Daeth yn arferiad i mi dreulio pob dydd gŵyl, gan gynnwys y Nadolig a'r Pasg, yng nghwmni'r teulu bach, a melys iawn oedd yr oriau hynny. Cefais un newydd da ganddo y diwrnod cyntaf i mi ei weld: roedd wedi cadw ei air, wedi casglu'r arian, ac wedi ei gyflwyno i'r Ospedale della Santa Maria Nuova fel rhodd yn fy enw i. Byddai hynny'n gwneud fy ngorchwyl nesaf yn llawer haws.

Roedd fy mlynyddoedd yn troi ym myd boneddigion Cymru a Lloegr wedi rhoi hyder arwynebol i mi, ac felly doedd gen i ddim ofn trefnu cyfweliad gydag Uchel Fam cwfaint yr Ospedale. Roeddwn am ofyn cymwynas ganddi. Wn i ddim pryd y daeth y syniad i'm pen, ond rywbryd yn ystod f'arhosiad ym Mhrydain teimlais, gyda sicrwydd diamheuol, fy mod eisiau dychwelyd i Firenze a threulio gweddill f'oes yn gwasanaethu'r cleifion yn yr ysbyty, a chynorthwyo'r Chwiorydd. Pan gerddais i mewn i ystafell yr Uchel Fam, roedd gennyf becyn mawr yn fy mreichiau.

Eglurais fy mwriad i'r Uchel Fam – yr hen Uchel Fam, cyn dy amser di, Cecilia; roedd hi'n fy nghofio o'r amser y bu Maria dan ei gofal – a'i sicrhau nad oeddwn yn gofyn cyflog. Ystafell i gysgu ynddi oedd y cyfan roeddwn ei angen ganddi. Gallwn fy nghadw fy hun fel arall gyda'r arian roedd Maria'n ei anfon yn rheolaidd ataf. Roedd gen i un amod ychwanegol: pan fyddwn wedi mynd yn rhy hen neu yn rhy wael i weithio, y byddai'r Chwiorydd yn gadael i mi aros gyda nhw ac yn edrych ar f'ôl i.

Chwarae teg iddi, doedd dim raid i mi sôn am rodd Roberto i'w chael i dderbyn fy nhelerau. Roedd yn ddiolchgar am bob cymorth, a gwyddai o brofiad blaenorol nad oeddwn i'n un i ofni gwaith caled ac anghynnes.

Wedi i bopeth gael ei drefnu mor hwylus, roedd fy awr fawr wedi cyrraedd. Trwy gydol ein sgwrs, roedd llygaid yr Uchel Fam yn troi bob hyn a hyn at fy mhecyn, a thybiwn ei bod yn gorfod ffrwyno'i chwilfrydedd yn gadarn rhag holi yn ei gylch. Bellach, gyda'i chaniatâd, daeth yr amser i'w ddadlennu. Codais ar fy nhraed a rhoi'r pecyn i sefyll ar fy nghadair, yn pwyso'n ôl yn erbyn cefn y sedd. Gan orffwys fy mraich ar y pecyn, cliriais fy ngwddf i baratoi i wneud araith fer, ond er i mi agor fy ngheg ddwywaith neu dair, ni ddaeth sŵn o'm genau. Roedd pob gair o'r llith roeddwn wedi ei pharatoi mor ofalus wedi diflannu'n llwyr o'm meddwl: y rhesymau y tu ôl i'm gweithredoedd, yr eglurhad, yr angen am faddeuant.

'Ym,' meddwn o'r diwedd. 'Mae hwn i chi, i'r cwfaint,' a thynnais y gorchudd oddi ar y darlun o Maria fel Santes Lucia.

Mae ffordd Rhagluniaeth yn rhyfeddol. Gosodwyd y darlun ar fur yr eglwys – nid eglwys Santa Maria Novella, fel y breuddwydiais, ond eglwys fechan, brydferth y cwfaint. Drwy'r holl flynyddoedd y bûm yn addoli yno, ym mhob gwasanaeth, ni phallodd y wefr o'i weld yn addurno'r mur i'r dde o ddelw'r Fair Forwyn. Yn y blynyddoedd duon pan ddaeth Napoleon a'i Ffrancwyr a chau'r holl leiandai, y cwfeintiau, y mynachdai a'r eglwysi, llwyddais i a nifer o'r Chwiorydd i symud y darlun a gweithiau gwerthfawr eraill allan o'r cwfaint a'u cuddio yng nghartref Lorenzo yn Fiesole ychydig ddyddiau cyn i fyddin Ffrainc gyrraedd y ddinas. Bu farw'r hen sguthan cyn troad y ganrif, ac roedd y tŷ'n llawer rhy fawr i un dyn unig fyw ynddo. Roedd Lorenzo'n falch o'r cwmni a'r ymgeledd a gafodd gan y Chwiorydd, ac yno y bu pawb ohonom, mewn gwirionedd, nes i'r sefydliadau eglwysig ailagor yn 1816, a ninnau'n dychwelyd i'r cwfaint.

Ochneidiodd yr hen wraig.

'Wel, dyna fo. Rydw i wedi dweud y cyfan rŵan. Does gennyf ddim rhagor i'w gyffesu.'

'Sut ydach chi'n teimlo, Anna Maria?' holodd Cecilia wrth roi ei hysgrifbin ar y bwrdd yn ddiolchgar a rhwbio'i garddwrn.

'Wedi blino'n llwyr, cara mia, ond yn llawer tawelach fy meddwl. Gallaf wynebu marw yn hapus bellach.'

Cymerodd Cecilia'i hamser wrth gadw'i hoffer a thacluso'r pentwr papurau. Rhedai ei meddwl dros ddatganiadau'r hen wraig, gan ryfeddu cyn lleied y gŵyr un person am y llall mewn gwirionedd. Sylweddolodd yn sydyn nad oedd yr hen wraig wedi sôn am ei nith ar y diwedd.

'Beth ddigwyddodd i Maria Stella? Wnaeth hi aros ym Mhrydain wedi i chi ddod adref?'

'Do, ac yn ddigon bodlon ei byd, hefyd. Yr hen Uchel Fam oedd yn iawn wedi'r cyfan pan awgrymodd, flynyddoedd maith yn ôl, mai ewyllys Duw oedd i Maria briodi'r Signore. Gwraig ddoeth oedd hi, wsti.'

'Ac ydi hi wedi cadw mewn cysylltiad efo chi?'

Gwenodd yr hen wraig, a thybiodd Cecilia fod tristwch y tu ôl i'r wên.

'O, roedd Lorenzo'n teithio'n ôl a blaen i aros efo nhw, ac roedd o'n dweud ei hanes wrthyf. Mi gafodd hi ddau fab gyda'r hen Signore,' ychwanegodd yn falch.

'Ydach chi wedi'u gweld nhw, Anna Maria?'

Ysgydwodd yr hen wraig ei phen, ac roedd y tristwch yn amlwg bellach.

'Naddo, cara mia. Mae'n daith mor hir i Twsgani. Gad i mi feddwl . . . maen nhw'n siŵr o fod yn tynnu am eu hugeiniau bellach.'

'Na Maria Stella chwaith?'

'O do, fe'i gwelais hi unwaith, rhyw ddwy flynedd yn ôl, pan fu farw ei thad. Daeth i Firenze pan glywodd ei fod o ar ei wely angau, ac ar ôl iddo farw, daeth i'm gweld i yma yn y cwfaint.' Ysgydwodd ei phen fel petai'r cof yn peri penbleth iddi, yna ochneidiodd drachefn. 'Ond dyna fo, rhyngddi hi a'i phethau! Biti na fasa fy mrawd wedi bod yn ddoethach, ac wedi cadw'i gyffes iddo'i hun yn lle gosod y baich hwnnw ar ysgwyddau Maria.'

Llanwyd meddwl Cecilia â chwilfrydedd, ac roedd ar fin holi'r hen wraig ymhellach pan estynnodd honno'i llaw a gafael yn ei gwisg i'w thynnu'n agosach at y gwely.

'Gobeithio na wnes i dy ddychryn di, Cecilia fach,' sibrydodd yn daer. 'Wyt ti ddim yn ffieiddio ataf fi, nagwyt ti?'

'Nac ydw, ddim o gwbl! Dioddefwr yn sgil drygioni eraill oeddech chi, dyna'r cyfan, ac fe ŵyr Duw hynny.'

'Ac wnei di ddim yngan gair am hyn wrth neb, na wnei? Ti'n addo?'

'Rydw i'n addo! Peidiwch â phoeni, mae eich hawl i gyfrinachedd mor gysegredig â phe bawn i'n offeiriad yn y gyffesgell.'

Ymlaciodd yr hen wraig a gollwng ei gafael. Cododd Cecilia o'i sedd gyda'r bwriad o symud y bwrdd bach ymhellach oddi wrth y gwely, ond fe'i rhwystrwyd unwaith yn rhagor gan law'r hen wraig ar ei gwisg.

'Ga' i ofyn cymwynas cyn i ti fynd?'

'Cewch siŵr. Beth ydi hi?'

- 'Gawn ni weddïo gyda'n gilydd?

Agorodd y lleian y cwpwrdd wrth ochr y gwely a thynnu allan leiniau'r hen wraig a'u gosod rhwng ei bysedd, yna penliniodd wrth ei hochr.

'Pa ddiwrnod ydi hi heddiw?' holodd Anna Maria.

'Dydd Mercher.'

'O, diwrnod gweddïau'r Rhyfeddodau Gogoneddus! Fy hoff weddïau.'

Gwnaeth y ddwy arwydd y groes ar eu bronnau a murmur 'In nomine Patri, Filii et Spiritus Sancti' cyn dechrau eu pader.

'Ave Maria, gratia plena, ora pro nobis, Dominus tecum.

Benedicta tu in mulieribus . . .'

Wedi iddynt orffen, a chyn i Cecilia godi, gofynnodd yr hen wraig iddi,

'A beth yw'r dyddiad heddiw, cara mia? Mae mor anodd cadw trefn ar amser pan wyt ti fy oed i.'

'Y pumed o Ragfyr, Anna Maria.'

Daeth deigryn i lygad yr hen wraig, ac eto i gyd, rhyfeddodd Cecilia wrth weld ei hwyneb yn mynegi'r fath hapusrwydd!

'Felly mae'n ddydd Santes Lucia fory!' ebychodd. 'Rhaid i mi geisio dal fy ngafael yn yr hen gorff 'ma tan fory, wyt ti'm yn cytuno, Cecilia? Wedyn fe gaf fy nhywys o flaen fy Mhrynwr gan Santes Lucia ei hunan. O'r fath orfoledd!'

Dychrynodd Cecilia o weld yr hen wraig yn cynhyrfu drwyddi.

'Anna Maria!' ceisiodd ei thawelu, ond torrodd yr hen wraig ar ei thraws.

'Un bader fach arall,' ymbiliodd y llais crynedig. 'Gawn ni weddïo ar Santes Petronilla i warchod Maria Stella weddill ei hoes?'

Cytunodd y Chwaer, ac wedi iddynt orffen am yr eildro, roedd llygaid yr hen wraig yn dal ynghau. Tybiai Cecilia ei bod *yn edrych yn wannach nag erioed, ac eto'n llawer dedwyddach.*

'Ydach chi'n barod am yr offeiriad, Anna Maria?'

'Ydw, cara mia. *Dos i alw arno. Rydw i'n barod o'r diwedd.*'

Nodyn Hanesyddol

Sail y nofel hon yw hunangofiant Maria Stella Petronilla, Barwnes Ungern-Sternberg ac Arglwyddes Newborough, a gyhoeddwyd ym Mharis ym 1830.

Mae'r nofel yn cadw at ran gyntaf yr hunangofiant, sef disgrifiadau o blentyndod Maria Stella, ei phriodas â'r Arglwydd Newborough, a'u bywyd yn Firenze nes iddynt adael y ddinas a theithio i Brydain ym 1791.

Yr unig ddisgrifiad a roddir gan Maria Stella o'i modryb honedig yw ei bod yn wraig ganol oed, grefyddol, oedd wedi gadael ei gŵr. Nid yw hyd yn oed yn rhoi enw iddi, er yn cydnabod mai hi oedd yr unig berson i ddangos caredigrwydd iddi yn ystod ei phlentyndod.

Ffuglen pur, felly, yw hanes Anna Maria Chiappini (yr enw a roddais arni). Mae'n ymdrech i ddehongli pam y buasai gwraig Gatholig yn gadael ei gŵr. Roedd angen rheswm digon eithafol: ni fuasai cael ei churo neu ei chamdrin mewn ffyrdd mwy arferol yn ddigonol i wraig grefyddol yn yr oes honno. Ond wedi cyflawni ei phechod mawr, roedd yn rhaid iddi geisio achubiaeth i'w henaid mewn unrhyw ffordd bosib.

Ar y llaw arall, cedwais at bob manylyn o hanes Maria Stella fel y'i disgrifir yn ei hunangofiant – hyd yn oed yr esgidiau a'r staes haearn!